新编普通话训练教程

（修订本）

主　编　潘家懿
副主编　张益梅　陈　瑶

编　者　张益梅（教授，国家级普通话水平测试员）
　　　　潘家懿（教授，全国推广普通话先进工作者）
　　　　江荫褆（教授，普通话教学研究工作者）
　　　　孙晋燕（国家级普通话水平测试员）
　　　　陈　瑶（副教授，国家级普通话水平测试员）
　　　　史素芬（教授，国家级普通话水平测试员）
　　　　王林义（副教授，省级普通话水平测试员）

书海出版社

图书在版编目（CIP）数据

新编普通话训练教程／潘家懿主编 . —2 版（修订本）

太原：书海出版社，2005.8（2012.1 重印）

ISBN 978 - 7 - 80550 - 392 - 9

Ⅰ.新…Ⅱ.潘…Ⅲ.普通话－教材　Ⅳ.H 102

中国版本图书馆 CIP 数据核字（2009）第 099798 号

新编普通话训练教程（修订本）

主　　　编：潘家懿
责任编辑：孔庆萍
装帧设计：清晨阳光（谢成）工作室

出　版　者：山西出版传媒集团·书海出版社
地　　　址：太原市建设南路 21 号
邮　　　编：030012
发行营销：0351 - 4922220　4955996　4956039
　　　　　　0351 - 4922127（传真）　　4956038（邮购）
E - mail：sxskcb@ 163. com　发行部
　　　　　　sxskcb@ 126. com　总编室
网　　　址：www. sxskcb. com

经　销　者：山西出版传媒集团·书海出版社
承　印　者：山西出版传媒集团·山西新华印业有限公司

开　　　本：787mm×1092mm　　1/16
印　　　张：23. 25
字　　　数：429 千字
版　　　次：2005 年 8 月第 2 版
印　　　次：2012 年 1 月第 14 次印刷
书　　　号：ISBN 978 - 7 - 80550 - 392 - 9
定　　　价：24. 00 元

修订说明

本教材早在 1993 年 9 月就出版了,书名叫《普通话语音训练教材》(以下简称"教材"),山西许多高校使用本教材开设普通话课程。

1994 年,国家语委、国家教委和广电部联合发布了《关于开展普通话水平测试工作的决定》。为了帮助学生顺利通过普通话测试,在 2001 年,我们根据国家《普通话水平测试大纲》的规定,改编了"教材",并更名为《新编普通话训练教程》(以下简称"新编本")。几年来,"新编本"不仅受到山西诸多院校师生的广泛欢迎,而且走向全国,受到了兄弟省市一些院校师生的肯定。使用者普遍认为"新编本"不但在普通话理论方面有较高的水准,而且在方音辨正、语音训练方面针对性也很强。从 2003 年秋季开始,"新编本"入选了《全国大中专教学用书汇编》(公共课、文科)(高等教育出版社出版,新华书店总店组编)。2004 年 12 月"新编本"荣获了全国优秀畅销书奖(文教类)。

2003 年 10 月,教育部、国家语委正式发布了新修订的《普通话水平测试大纲》(以下简称"新大纲"),并在 2004 年 1 月正式出版了《普通话水平测试实施纲要》(以下简称"实施纲要")。为了让学生能够达到"新大纲"规定的水平,我们按照"实施纲要"的要求,对"新编本"又做了修订,定名为《新编普通话训练教程(修订本)》(以下简称"修订本")。

"修订本"删除了"新编本"中已显得过时的语料和大量只有拼音而没有汉字的练习;附录一、二分别换用了全文和国家最新版本;为了让学生适应"新大纲"和"实施纲要"对测试的项目和内容的规定要求,我们在声母辨正和韵母辨正的"语音训练"中增加了许多单音节字词和多音节词语的练习,更换了许多双音节词语,还补充了许多结合时代需要和提高大学生思想修养和生活能力的例句和篇章;对于"新大纲"中"朗读短文"一项,"修订本"编写了朗读提示,并给短文中容易读错的字、词加了注音。为了便于学习,我们特聘山西省播音指导、国家级普通话水平测试员白凡等几位资深播音员为"修订本"制作了范读 CD。"修订本"中特别增加了指导命题说话的内容,由具有多年测试经验的、山西省语言文字培训测试中心副主任孙晋燕同志编写。

　　"修订本"具备了以下特点:

　　1.时代性更强。因为它完全是按照"新大纲"和"实施纲要"做了大量的修改,内容富有鲜明的时代特征。

　　2.知识性更强。在增加新语料时,我们进行了严格的筛选,涉猎了大量思想性强、文学水平高的诗词、散文、名人名言。

　　3.趣味性更强。在选取新语料时,精选了方言笑话、大学校训等,寓教于乐,便于学习者接受。

　　4.实用性更强。在选用词条和其它语料时,坚持以是否符合"实施纲要"的规定要求为标准进行取舍,对学习者平时普通话的使用和参加测试有更大的帮助。

　　我们的修订宗旨是:竭尽全力,让学习者一册在手,收获多多。尽管如此,疏漏之处在所难免。诚望各位专家、学者及使用者提出宝贵意见。

编　者

2005 年 6 月

目　录

古今调类比较表 山西方言声调的特点

前　言

　　为大学生编写一本普通话训练教材一直是我们的强烈愿望。因为我们既是高校的语言课教师，又是语言文字工作者，推广普通话工作对我们来说，是一项义不容辞的职责。1993年，我们出版了《普通话语音训练教材》。2001年，我们对教材作了修订，并更名为《新编普通话训练教程》，由书海出版社出版。几年来，"新编本"在山西及广东、天津、河南、内蒙古、陕西、山东等省市部分院校使用，受到大学生们的喜爱，也得到许多教师和专家的好评。并先后荣获第十六届晋版优秀教材奖和2004年度全国优秀畅销书奖（文教类）。《全国大中专教学用书汇编》（公共课、文科）收录并向全国大中专院校推荐了本教材。

　　本教材的再次修订主要出于以下几方面的考虑：第一，我们在近年来的教学实践中发现，书中存在个别错漏的地方需要更正补充。一些例词、例句和朗读材料显得陈旧过时，需要删除和更新。第二，根据国家公布的《普通话水平测试实施纲要》的各项要求，有必要改变原教材中的某些内容和形式，以便让学习者通过针对性的训练，在普通话应试中取得较理想的成绩。第三，原教材主要服务于大专院校学生，尤其是师范类院校的学生，但从近几年来的教材销售情况看，也受到了一些成人院校和窗口行业学习者的欢迎。教材中的"语音辨认"部分，虽然侧重于山西方言与普通话的比较，但由于山西方言本身相当复杂,山西人学习普通话时所出现的诸多难点,也大都是其他方言区的学习者学习的难点。如平翘舌不分,n、l不分,前后鼻音混淆和入声韵的改读等,都具有大多数汉语方言的共性。因此,为了扩大教材的适用范围,也有必要再做一次修订,把不同行业和不同方言区学习者的要求一并给予了考虑。大家可以从"修订说明"中了解各项具体的修订细则。

学习普通话是每个中国公民的职责,特别是进入信息时代,随着经济文化广泛交流的需要,如果人们还不能熟练掌握民族共同语的标准语及其规范拼写,就会严重妨碍社会信息的快速交换和信息处理技术的广泛应用。当代大学生是"e时代"的宠儿,肩负中国崛起和改造世界的重任,更应率先通过普通话关。

最后,我们希望这本《新编普通话训练教程》所提供给学习者的不仅是书中丰富的知识和多彩的训练项目,更是一种能够提高思维表达能力和交际能力的有效方法。

祝所有认真、刻苦接受普通话训练的学习者在普通话水平测试中取得理想的成绩。

编 者
2005 年 6 月

绪 论

　　语言是人们用来交流思想、传达信息的最重要的交际工具,它是通过语音来表达意义的一种符号系统。每个民族都有自己的语言,而且,一般说来,都有一种以某个权威方言为基础的民族共同语的标准语,如英语里的伦敦方言、日语里的东京方言。汉语是世界上历史最悠久的语言之一,也是世界上使用人口最多的语言。现代汉民族的共同语就是以北京语音为标准音,以北方方言为基础方言,以典范的现代白话文著作为语法规范的普通话。随着国家和民族的统一,中国在国际上的地位日益提高,普通话的地位和作用也日益显著。它现在不仅是汉族的民族共同语,也是全国各族人民的通用语言。在联合国6种工作语言中,汉语是其中的一种。近20年来,我国与世界各国的交往更加频繁,许多国家为了同中国进行政治、经济和文化交流,也掀起了学习汉语的热潮。作为一名中国公民,就更有必要把普通话学好,以发挥它在社会主义现代化建设中的应有作用。

一、"普通话"的定义及其历史发展

　　所谓"普通话",是指有明确规范(标准)的现代汉民族共同语,即现代汉语的标准语,也是我国各地区、各民族之间的通用语。

在辛亥革命以前,汉民族的共同语被称为"官话"。辛亥革命以后,随着国家意识的高涨,便改"官话"为"国语"。之后,海内外又出现了"普通话"、"汉语"、"华语"、"中国话"等叫法。从现在看,对于汉民族共同语这个概念,中国内地称"普通话",台湾仍称"国语",港澳地区过去称"国语",现逐渐改称"普通话",新加坡和其他一些海外华人社区则多数称为"华语"。普通话、国语、华语三者名异实同,都是指以中国内地北方方言为基础的中国话。

作为民族共同语,它要求有一个明确的规范。但是,从辛亥革命一直到新中国成立初期,"普通话"(或"国语")的含义始终是不明确的,它类似官话而又不是官话,有的人甚至把带有入声的或分尖团的话,也叫做普通话。这种"普通话"实际是以北京话为主体的所谓"蓝青官话"。这种不规范的语言,显然没有资格作为一个已经统一了的汉民族的共同语。

民族共同语的建设工作从新中国成立后开始。1951 年 6 月 6 日,《人民日报》发表了《正确使用祖国的语言,为语言的纯洁和健康而斗争》的社论,指出"语言的使用是社会经济政治文化生活的重要条件","用正确的语言来表达思想,使思想为群众所正确地掌握,才能产生正确的物质的力量"。为帮助人们正确地使用语言,《人民日报》还从当天起连载吕叔湘、朱德熙的《语法修辞讲话》。与此同时,我国的报刊、书籍、公文、政令完全统一使用"白话",广播、电影和话剧也都使用以北京话为代表的北方话。这就在书面语和口语两个方面为普通话标准的确立奠定了基础。

1955 年 10 月,在北京召开了"现代汉语规范问题学术会议"。这次会议成功地解决了现代汉民族共同语中两个带根本性的问题:第一,给汉民族共同语的语音、词汇和语法确立了十分明确的规范(标准),即"以北京语音为标准音,以北方方言为基础方言,以典范的现代白话文著作为语法规范的普通话"。第二,在全国各地推广普通话,使民族共同语不仅要在书面上,还要在口语中普及到广大人民群众中去,让共同语发挥它在政治生活、经济建设和文化教育中的巨大作用。学术会议的这两个成果在 1956 年 2 月《国务院关于推广普通话的指示》中被确定下来。从此以后,"汉民族共同语"就有了一个科学的定义。我们可以把普通话概括为一个标准、一个基础、一个规范。

普通话的标准不是任意制定出来的,而是根据汉语的历史发展和客观需要,并经过充分的论证规定下来的。

为什么规定以北京语音为标准音呢?

任何一个民族共同语的语音系统都只能用一个地点方言为标准音。就汉语的历史发展来看,北京语音最有资格作为共同语的标准音。这是因为,北京自金元以来的 800 年中,一直是中国政治、经济、文化的中心。北京话作为官府的通用语传播到了全国各地而发展成了"官话",于是"官话"便成了各方言区之间共同使用的交际工具。随着资本主义的发展,五四时期的"白话文运动"和"国语运动",促使以北京话为代表的口语和书面语的影响不断扩大,给官话的推广和普及带来了更有利的条件。在新中国成立以前,话剧和电影等艺术形式和宣传工具也都已经采用了北京语音。所以,规定北京语音为标准语音是历史发展的结果。北京话作为汉民族共同语标准音的地位是任何一个地点方言都无法替代的。

为什么词汇要以北方方言为基础呢?

北方话是地域方言,北京话是地点方言。同一个地域方言的各个地点方言在语音上可能有较大的差别,但在词汇和语法上的差别一般是比较小的。在汉民族中,说北方方言的人占 70% 以上,从东北的哈尔滨到西南的昆明,从西北的酒泉到东南的南京,人们都讲一种大体相同的北方话,因此,规定北方方言作为基础方言,一则可以照顾 70% 以上使用汉语的人民,二则可以剔除北方话里色彩太重的方言词汇和方言语法。而对南方诸方言来说,虽然在口语上与北方话差别较大,但从书面语上看,大家都使用一种超方言的汉字作为工具,而且自元明以后尤其是近代以来,随着白话文运动的影响,无论南方北方,都以北方话的词汇和语法来写作,所以尽管口语不同,写在书面上则大致都可以理解。因此,以北方方言为共同语的基础方言也是历史发展的结果。普通话一方面大量吸收各地方言中富于表现力的词语和古代的、外来的词语,另一方面排斥少数北京方言所特有的、土俗的词汇,这就使得普通话能超越各方言,比任何方言的内容都丰富,比任何方言都更有表现力。

为什么要以典范的现代白话文著作作为语法规范呢?

这是在以北方话的语法为基础的前提下,进一步提出来的更加明确的语法标准。普通话以北方话为基础方言,它的语法当然要以北方话的语法为基础。但是,要从北方话的口语中确立普通话的语法规范是困难的,因为口语的游动性、灵活性太大,语法规范不可能明确地固定下来。所以,普通话的语法规范只能存在于用北方话写成的书面语作品中。现在规定普通话要以典范的现代白话文著作为语法规范,就是要求能够作为语法标准的著作,首先,必须是白话文著作,而不能用文言文作品,这样才能做到"言文一致";其次,要求白话文还必须是"现代"的,也就是五四以后的作品,而不能拿近代作品像《水浒传》、《红楼梦》那样的白话文著作来作标准,那些作品的语法现象与现代的表达方式有较大的差距,不宜作为规范;再次,还要求具有"典范"性的著作,比如五四以来那些驾驭汉语达到了炉火纯青程度的名作家,像鲁迅、郭沫若、胡适、徐志摩、钱钟书、毛泽东、老舍、丁玲、孙犁、冰心等人的作品,就是具有典范性的白话文著作,可以用来作为语法的规范。

二、推广普通话的意义、方针和要求

(一)意义

推广普通话,早在 20 世纪 50 年代就作为我们国家的一项国策加以实施,国家设立了推普的专门机构,制定了一系列方针政策,在各条战线多次掀起学习普通话的热潮,尤其是在 1982 年通过的《中华人民共和国宪法》中,还明确规定"国家推广全国通用的普通话",这就把推普工作纳入了法定的轨道。那么,在全国推广普通话有哪些重要意义呢?

首先,推广普通话是一项重要的政治任务。

语言是社会交际和交流思想的工具,也是社会发展的工具。民族语言是构成一个民族的重要条件,也是一个民族的文化和心理特征的表现形式。所以,民族共同语的推广和普及,对于民族的团结、国家的统一都具有重要意义。

由于地理和人文历史方面的种种原因,我们汉语内部存在着严重的方言分歧。虽然汉民族有 70% 的人口讲北方方言,但是在我国的南方,还存在着吴语、湘语、赣语、客家话、粤语和闽语等六大方言区域,使用人口达 4 亿多人。这些方言无论在语音、词汇还是语法上,都同北方方言有较大的差异。各大方言区之间也有各种各样的差异，就是在同一个方言区内部(包括北方方言内部)也存在着说话互相听不懂的现象。尤其在语音方面，分歧最为明显。这种现象便直接影响了汉民族内部的交际和交流。由于方言不同所引起的各种误会乃至在工作上造成不良影响的例子可以充分说明这一点。所以，周恩来总理在1958年就指出："在我国汉族人民中推广以北京语音为标准音的普通话就是一项重要的政治任务。"

其次，推广普通话是促进物质文明和精神文明建设的需要。

改革开放以来，我国进入了一个崭新的历史发展时期，沿海地区和内地在经贸、科技和文化教育等方面都开展了各种取长补短的交流，干部和科技人员的流动也与日俱增。在这种形势下，作为协调人际关系和生产实际的语言工具，也就更显示出它的巨大作用。如果不迅速推广和普及普通话，而是用各自的乡音或带有浓重方音的所谓"地方普通话"来进行交流，势必影响到经济、文化、科技、教育的发展和学术活动的进行。我们如果不会讲普通话，其结果不仅影响了交际的效率和速度，有时甚至还会因方言的隔阂造成不必要的误会。所以，从建设物质文明的角度看，我们必须迅速推广和普及普通话。

从精神文明建设的角度来看，推广和普及普通话就显得更为迫切。精神文明的建设包括文化教育和思想品德两个方面。语言是民族文化的表现形式，是进行教育的有力工具。开展识字教育，提高中小学生读写能力和口头表达能力，训练学生的思维能力和扩大他们的知识面以及掌握信息处理技术等，都离不开普通话。因为普通话是言文一致的话，说得对就能写得准确，写得准确也就能念得顺口。所以，学好普通话对提高我国人民的教育文化水平是具有重大意义的。

(二)方针、目标、任务

早在20世纪50年代，中共中央就对在全国推广普通话制定了十二字方针，那就是："大力提倡，重点推行，逐步普及。"在这一正确方针的指导下，我国推广普通话工作取得了很大的成绩。但是，随着社会的发展，人民群众的语言生活也发生了变化，推广普通话的工作要有新的进展，工作方针、工作目标、工作重点和实施步骤也必须作相应调整。

党中央和国务院明确规定了我国新时期语言文字工作的方针和任务。

简而言之,就是要加强语言文字的规范化、标准化工作,为社会主义现代化建设服务。它包括先后承接的两个方面:一是标准与规范的确定和建立,二是标准与规范的实施和推广。

国家语言文字工作十年规划提出,今后推广普通话的工作方针是:大力推广,积极普及,逐步提高。要求使普通话成为乡中心小学以上各级各类学校的校园语言,县以上机关团体、企事业单位和各行各业干部的工作语言,县以上广播、电视、电影、话剧的宣传语言,不同方言区的人在公共场合的交际语言。

为加快普通话的普及进程,不断提高全社会的普通话水平,国家语委、国家教委和广电部于1994年联合发出了《关于开展普通话水平测试工作的决定》,明确指出:

"普通话是以汉语文授课的各级各类学校的教学语言;是以汉语传送的各级广播电台、电视台的规范语言;是全国党政机关、团体、企事业单位干部在公务活动中必须使用的工作语言;是不同方言区及国内不同民族之间的通用语言。掌握并使用一定水平的普通话是社会各行各业人员,特别是教师、播音员、节目主持人、演员等专业人员必备的职业素质。"近几年来在全国各地开展的普通话水平测试,正是对《决定》的贯彻与落实。

(三)要求

为了有效地促进推普工作,国家语委还针对不同地区、不同部门和不同年龄等情况,提出了分级要求的具体设想,即把普通话水平分为三级六等。在《实施纲要》中,对各等级都规定了明确的标准,详见本教材第三十八讲。

学好普通话对于大中专院校的学生(尤其师范类的学生)来说,是一件极其迫切的任务。根据现阶段应接受测试的对象及普通话水平等级要求,大中专院校的每个学生在毕业时均应达到《实施纲要》所规定的三级以上水平,其中师范类院校学生应不低于二级乙等,即测试总失分率不超过20%。本教材的主要服务对象是山西及全国各地的大专院校学生和中专生,因此,从普通话知识的讲解到丰富有趣的语音练习,都体现了"达标"意识,希望每个学生通过听课和训练,在普通话水平测试中能够顺利达标。

三、如何学习普通话

语言是口耳之学,只有多听多练才有可能熟练掌握。所以听和练是学好普通话最重要的方法。方言区的人要克服爱面子的思想,不要怕说错,听得多了,说得多了,自然而然地就会提高说普通话的水平。

对于有中等以上文化程度的人来说,要提高学讲普通话的效率,在多听多练的过程中,还应该在理论上下工夫,这主要有下面三点:

第一,学习一定的语音知识,掌握发音的原理;

第二,了解普通话语音的主要特点;

第三,熟悉方言与普通话的对应规律,并利用这些规律来迅速提高普通话的水平。

前面谈到,汉语有七大方言区域,除了北方方言比较接近民族共同语普通话外,其余六种非官话方言——吴方言、湘方言、赣方言、粤方言、闽方言和客家方言,无论语音、词汇还是语法都与普通话有较大的差异,特别是语音,如不分平舌翘舌、n 和 l 相混、缺少儿化韵、保存入声等,是大部分非官话方言的特点,也是方言区的人学习普通话的难点。山西方言虽然与官话方言有诸多共同之处,但是,由于方言区内部分歧较大,音系结构复杂,所以南方方言的许多语音特征也在山西各地方言中有不同程度的表现。山西人学习普通话的难点和重点也大都是其他方言区的人学习普通话的难点和重点。正因如此,本教材各讲中所谈及的方音辨正也适用于其他方言。

下面,我们先就普通话和山西方言的语音特点作一简要介绍。

普通话语音特点:

普通话以北京语音为标准音,那么北京语音有哪些主要特点呢?

1.音系简明

北京音系一共有 32 个音素,其中辅音音素 22 个,元音音素 10 个,由这32 个音素组成了 21 个声母和 39 个韵母,声韵结合,构成了 400 多个音节。

2.元音占优势

在北京语音中,元音占优势表现在三个方面:一是在 39 个韵母中,单纯由元音构成的就有 23 个(10 个单元音韵母,13 个复元音韵母),占韵母总数的 60%。二是元音收尾的音节多,辅音除 n 和 ng 外,其余不出现在音节末尾。三是在一个音节里,可以没有辅音,如 è(饿),但不能没有元音;而且辅音最多只有两个,一个作声母,一个作韵尾,如 xiān(先),而元音却可以多达 3 个,如 jiào(教)、kuài(快)。元音是乐音,响亮度高,所以普通话语音具有音乐美。

3.有四个声调

汉语是有声调的语言。声调是音节的高低、长短、升降、曲直的变化形式,它是汉语中能区别意义的重要因素之一。北京话有 4 个声调类型,即阴平、阳平、上声、去声,如"千"、"钱"、"浅"、"欠"四个字分别念成 55、35、214、51 四种高低升降不同的调值。相对于南方各方言来说,北京话的声调是比较简单的。声调是一种音高形式,也是音乐美的表现,语言中有高扬转降的声调,说起话来就显得特别动听。

4.没有入声

在汉语的许多方言里(包括山西的晋语),都有入声。入声是指音节中,以[-p]、[-t]、[-k]或[-ʔ]收尾的短促声调,北京话从元朝以后就没有入声了。如"贴"、"吉"、"木"这三个入声字,在广州话里分别以[-p]、[-t]、[-k]收尾,在晋语里收[-ʔ],但在北京话里,则都变成了元音收尾的音节,分别念成 tiē、jí、mù。

5.轻声和儿化现象比较突出

轻声是指一个音节在连读时失去原调,变为又轻又短的声调。如"含糊、东西、我们、去过、好的"等词中带点的字,都念轻声。北京话里有丰富的轻声现象。

儿化是指韵母带上卷舌色彩的音变现象。如"花儿、窍门儿、玩意儿、干劲儿"等词,加点的都是儿化音节(写作两个汉字)。北京话的儿化现象十分突出,许多词在别的方言里不儿化,在北京话里都儿化了。我们学习普通话时,对北京土话里的儿化词不必一个个去照读。可儿化可不儿化的就不用儿化。

6.上声连读,前字调值与阳平一样

在北京话的连读现象中,最突出的音变现象是:两个上声字连读时,第一个上声字的调值要由 214 变为 35，与阳平一样。如水果 shuǐ guǒ > shuí guǒ，有理 yǒu lǐ > yóu lǐ。

以上各点中，有一些也是汉语其他方言里所具有的，只是表现形式不尽相同而已。

山西方言特点：

古人云："知己知彼，百战不殆。"学习语言也是如此。我们要学好普通话语音，不仅要掌握普通话音系的特点，而且要对自己所讲的母语有所了解。这样我们才有可能找出本地方言与普通话在声韵调各方面的对应规律，并用这些规律来指导学习，以便收到事半功倍的学习效果。

山西方言是北方方言中比较复杂的一种方言，全省 118 个县(市、区)的 3300 多万居民所讲的话大致可以分为东南、西、南、北、中五个大区，东南区(长治、晋城等地)、北区(大同、忻州等地)、中区(太原、阳泉等地)和西区(离石、汾阳等地)是有入声的方言，我们可以把这四个区的方言合称为"晋语"。南区包括临汾地区和运城地区的大部分县市(25 个县市，近 900 万人)，南区方言属中原官话区，本书称其为"晋南话"。从语音方面看，无论晋语还是晋南话，同普通话比较，都有许多显著的差异。下面分别叙述。

晋语的特点：

晋语最突出的特点是有喉塞音韵尾入声。入声调类有一个的(多数在北区、东南区)；有两个的，即分阴阳入声的(多数在中区、西区)。入声韵母少则 4 个(如平遥)，一般为七八个。以太原话为例，就有 7 个带喉塞音尾[–ʔ]的入声韵母。如：八[paʔ]、拍[pʼiaʔ]、刮[kuaʔ]、失[səʔ]、立[lieʔ]、夺[tueʔ]、略[lyəʔ]。

晋语除有入声这一重要特色以外，在声、韵、调方面还有下列特点：

1.从声母看

(1)平舌音(舌尖前音)与翘舌音(舌尖后音)相混，多数地方只有平舌音，没有翘舌音，所以资 = 知、慈 = 迟、斯 = 诗，声母分别为 z、c、s，但东南区的晋城、陵川、高平等县正好相反，上述三组字都念成翘舌音 zh、ch、sh。

(2)开口呼零声母字"安"、"欧"、"恶"等，带上鼻辅音声母[ŋ]或[n]。如"欧"念[ŋəu](介休)或念[nəu](大同)。

(3)普通话的部分舌面音字念为舌尖前音。如：基 = 资、齐 = 慈、喜 =

死,声母分别为 z、c、s(中区和西区方言)。

(4)f、h 不分。有 h 无 f。如扶 = 湖、飞 = 灰,声母均为 h(中区、西区方言)。

(5)普通话中部分念送气音的字,念为不送气音(均属古全浊声母,今普通话读塞音、塞擦音的字)。如:"爬"、"甜"、"骑"等字,在中区大部分方言的白读音中,分别念不送气声母 b、d、j。

(6)部分地区(东南区黎城、平顺等县市)分尖团。"精"、"清"、"星"与"经"、"轻"、"兴"不同音,前者念舌尖前音,后者念舌面中音。

2.从韵母看

(1)晋语区大部分县市没有前鼻音韵尾 – n,普通话里的 en – eng、in – ing、uen – ueng、ün – iong 四对韵母分别合并,念成后鼻音 – ng。如太原话根 = 庚[kəŋ]、新 = 星[ɕiŋ]、魂 = 红[xuŋ]、群 = 穷[tɕ'yŋ]。

(2)普通话里后鼻音尾字"蒸、桑、墙、光"等字在晋语区许多地方的白读音中失去 – ng 尾,变成纯口音。如祁县话蒸[tsɿ]、桑[sɑ]、墙[tɕ'iɑ]、光[ko],河曲话光[kɒ]、康[k'ɒ]、黄[xɒ]。

(3)部分地方(北区五台、应县等 20 多个县市),败 = 背,都念 ei 韵母;怪 = 贵,都念 uei 韵母。

3.从声调看

晋语区除比普通话多出 1～2 个入声外,有的地方平声不分阴阳(中区太原等 18 个县市);有的地方去声分阴阳(东南区长治等 8 个县市和晋南的洪洞等 8 个县市);有的地方则阴平和上声合流,即包 = 保、官 = 管(北区五台等、西区兴县等共 27 个县市)。

晋南话的特点:

(1)晋南话最突出的特点是大多数县市把"猪、出、书、入"读成唇齿音声母[pf、pf'、f、v],这一点也正是中原官话的主要特色。此外,晋南话在声韵调三方面同普通话的差异还有送气音声母字比普通话多的问题。在晋南话里,古全浊声母今读塞音和塞擦音的字,不论平仄,都念成送气音。如运城话:皮[p'i]、图[t'u]、葵[k'uei]、才[ts'ai]、迟[tʂ'ɿ]、步[p'u]、拔[p'ɑ]、地[t'i]、杜[t'u]、跪[k'uei]、杂[ts'ɑ]、赵[tʂ'ɑu],但在普通话里,只有"皮、图、葵、才、迟"等古平声字念送气音,其余各字都念不送气音。

（2）大部分县市"车"、"姐"有文白两读，白读音都是 ɑ 和 iɑ。如临汾话：车［tʂʻɑ］、姐［tɕiɑ］。

（3）普通话 ɑng、iɑng、uɑng 韵母的字在晋南话的白读音中，后鼻尾－ng 脱落，变为元音收尾的［o、io、uo］或［ə、iə、uə］。如洪洞话：狼［lo］、墙［tʂʻio］、养［io］。

（4）晋南中部稷山、新绛等八九个县市，红＝黄都念［xuəŋ］，请＝抢都念［tɕʻiəŋ］。

（5）部分县市去声分阴阳（洪洞、闻喜等 9 个县市），贩≠饭、冻≠动，如临汾"贩"念阴去 55 调，"饭"念阳去 53 调。

方言区的人学习普通话有许多困难，但只要有决心、有恒心，加上学习得法，就一定能够在较短的时间内取得显著的学习效果。为了提高学生对学习普通话的兴趣，以便尽快掌握普通话语音，本教材在采用直读法教学的同时，不仅提供了形式多样的练习材料（如认读音节、声韵辨正、词语选用、连词成句等），而且还精选了一批生动有趣的短文，如古诗对话、相声、诗歌、绕口令等。其中大部分都夹注拼音。通过对这些材料的反复练习，对纠正发音、增强语感和用普通话顺利地表达思想感情都将是大有裨益的。

本书共分 38 讲，在开讲之前，我们请大家来共同朗读一首感情激越、音调铿锵的颂歌——《祖国——母亲》，以此作为开篇的序曲。

祖国 —— 母亲
Zǔ guó　　Mǔ qīn

吕 元 礼
Lǚ Yuán lǐ

人 们 常 说，第 一 次 把 美 人 比 做 花 的 是 天
rén men cháng shuō, dì yī cì bǎ měi rén bǐ zuò huā de shì tiān

才；第 二 次 把 美 人 比 做 花 的，是 庸 才；第 三 次
cái; dì èr cì bǎ měi rén bǐ zuò huā de, shì yōng cái; dì sān cì

把 美 人 比 做 花 的，是 蠢 才。不 错，如 果 人 云 亦
bǎ měi rén bǐ zuò huā de, shì chǔn cái. bù cuò, rú guǒ rén yún yì

云，鹦 鹉 学 舌，那 么，就 是 再 美 妙 的 比 喻，也 会
yún, yīng wǔ xué shé, nà me, jiù shì zài měi miào de bǐ yù, yě huì

失 去 光 彩。但 是，在 生 活 中，却 有 这 样 一
shī qù guāng cǎi. dàn shì, zài shēng huó zhōng, què yǒu zhè yàng yī

个 比 喻，即 使 你 用 他 一 百 次，一 千 次，一 万 次，
ge bǐ yù, jí shǐ nǐ yòng tā yī bǎi cì, yī qiān cì, yī wàn cì,

也 同 样 具 有 强 大 的 感 染 力。同 志 们 或 许
yě tóng yàng jù yǒu qiáng dà de gǎn rǎn lì. tóng zhì men huò xǔ

会 问：这 是 个 什 么 样 的 比 喻 呢？那 就 是，当 你
huì wèn: zhè shì ge shén me yàng de bǐ yù ne? nà jiù shì, dāng nǐ

怀 着 一 颗 赤 子 之 心，想 到 我 们 的 祖 国 的 时
huái zhe yī kē chì zǐ zhī xīn, xiǎng dào wǒ men de zǔ guó de shí

候，你 一 定 会 把 祖 国 比 做 母 亲！
hou, nǐ yī dìng huì bǎ zǔ guó bǐ zuò mǔ qīn!

是 啊，祖 国 —— 母 亲，在 我 们 心 中 是 两 个
shì a, zǔ guó —— mǔ qīn, zài wǒ men xīn zhōng shì liǎng ge

紧 紧 相 联 的 词。电 影《牧 马 人》中 有 这 样
jǐn jǐn xiāng lián de cí. diàn yǐng《mù mǎ rén》zhōng yǒu zhè yàng

一 段 情 节：当 男 主 人 公 许 灵 均 的 父 亲 要
yī duàn qíng jié: dāng nán zhǔ rén gōng Xǔ Líng jūn de fù qīn yào

他 到 国 外 去 享 受 荣 华 富 贵 时，妻 子 秀 芝 对
tā dào guó wài qù xiǎng shòu róng huá fù guì shí, qī zǐ Xiù Zhī duì

他 说 了 这 样 一 段 话：我 知 道 你 是 不 会 走 的.
tā shuō le zhè yàng yī duàn huà: wǒ zhī dào nǐ shì bù huì zǒu de.

因 为，你 舍 不 得 这 高 高 的 祁 连 山，你 舍 不 得 这
yīn wèi, nǐ shě·bù·dé zhè gāo gāo de Qí lián Shān, nǐ shě·bù·dé zhè

茫 茫 的 大 草 原，你 舍 不 得 这 生 你 养 你 的
máng máng de dà cǎo yuán, nǐ shě·bù·dé zhè shēng nǐ yǎng nǐ de

祖 国 母 亲！歌 唱 家 关 牧 村 在 英 国 演 出 期
zǔ guó mǔ qīn! gē chàng jiā Guān Mù cūn zài Yīng guó yǎn chū qī

间，把 所 有 的 零 用 补 贴 如 数 交 给 国 家，自 己
jiān, bǎ suǒ yǒu de líng yòng bǔ tiē rú shù jiāo gěi guó jiā, zì jǐ

什 么 也 不 买。一 位 外 国 小 姐 问 她："难 道 你 一
shén me yě bù mǎi. yī wèi wài guó xiǎo jiě wèn tā: "nán dào nǐ yī

点 东 西 都 不 需 要 吗？"关 牧 村 感 情 真 挚 地
diǎn dōng xi dōu bù xū yào ma?" Guān Mù cūn gǎn qíng zhēn zhì de

回 答 说："我 们 中 国 有 个 风 俗，姑 娘 从 不
huí dá shuō: "wǒ men Zhōng guó yǒu ge fēng sú, gū niang cóng bù

背 着 妈 妈 买 东 西。"青 年 作 者 金 安 平 写 过
bèi zhe mā ma mǎi dōng xi." qīng nián zuò zhě Jīn An píng xiě guo

这 样 一 首 小 诗："不 管 母 亲 多 么 贫 穷 和 困
zhè yàng yī shǒu xiǎo shī: "bù guǎn mǔ qīn duō me pín qióng hé kùn

苦，儿女们对她的爱也绝不含糊。我只喊一声'祖国万岁'，更强烈的爱在那感情深处。"

为什么人们总是把祖国比做母亲呢？有人会说："因为祖国用她江河的乳汁喂养了我们。"如果仅仅因为这样，那么，我们何尝不可以把祖国比做奶妈呢？还有人说："祖国用她的山川怀抱抱大了我们。"如果仅仅因为这样，那么，我们何尝不可以把祖国比做保姆呢？但是，不管是"奶妈"、"保姆"，或者其他词，都反映不了我们对祖国深厚的感情；只有"母亲"——这个人类语言中最纯洁、最善良、最无私、最伟大的词，才能表达我们对祖国的深情！

那么，"祖国——母亲"这个比喻的内涵到底是什么呢？这里，我想先给大家讲一段孙中山先生曾经讲过的故事：

在南洋爪哇，有一位财产超过一千万元的华侨富翁。有一天，他外出到一位朋友家做客，直到深夜才想到该回家了。可是

出 门 后, 他 一 摸 口 袋, 发 现 忘 了 带 夜 间 通
chū mén hòu, tā yī mō kǒu dài, fā xiàn wàng le dài yè jiān tōng

行 证。按 照 当 地 法 令 规 定, 华 人 夜 出, 要
xíng zhèng. àn zhào dāng dì fǎ lìng guī dìng, huá rén yè chū, yào

是 没 带 夜 间 通 行 证, 被 荷 兰 巡 捕 查 获, 轻
shì méi dài yè jiān tōng xíng zhèng, bèi Hé lán xún bǔ chá huò, qīng

则 罚 款, 重 则 坐 牢。这 位 富 翁 自 然 不 敢 冒
zé fá kuǎn, zhòng zé zuò láo. zhè wèi fù wēng zì rán bù gǎn mào

这 个 风 险 了。可 他 又 总 想 当 夜 赶 回 家 去,
zhè ge fēng xiǎn le. kě tā yòu zǒng xiǎng dāng yè gǎn huí jiā qù,

怎 么 办 呢? 正 当 他 左 右 为 难 的 时 候, 忽 然 发
zěn me bàn ne? zhèng dāng tā zuǒ yòu wéi nán de shí hou, hū rán fā

现 不 远 处 有 一 家 日 本 妓 院, 他 便 计 上 心
xiàn bù yuǎn chù yǒu yī jiā Rì běn jì yuàn, tā biàn jì shàng xīn

来, 走 进 妓 院, 花 钱 请 了 一 位 日 本 妓 女, 手
lái, zǒu jìn jì yuàn, huā qián qǐng le yī wèi Rì běn jì nǚ, shǒu

挽 手 地 陪 她 散 步。一 直 走 到 自 己 家 门 口, 才
wǎn shǒu de péi tā sàn bù. yī zhí zǒu dào zì jǐ jiā mén kǒu, cái

让 妓 女 转 回 妓 院, 因 为 有 这 位 妓 女 做 伴
ràng jì nǚ zhuǎn huí jì yuàn, yīn wèi yǒu zhè wèi jì nǚ zuò bàn

同 行, 荷 兰 巡 捕 便 不 敢 动 问, 所 以, 他 才 能
tóng xíng, Hé lán xún bǔ biàn bù gǎn dòng wèn, suǒ yǐ, tā cái néng

够 安 全 回 到 家 里。
gòu ān quán huí dào jiā lǐ.

　　讲 到 这 里, 同 志 们 一 定 不 太 相 信, 一 个
jiǎng dào zhè·lǐ, tóng zhì men yī dìng bù tài xiāng xìn, yī ge

是 高 贵 的 富 翁, 一 个 是 低 贱 的 妓 女, 难 道 高
shì gāo guì de fù wēng, yī ge shì dī jiàn de jì nǚ, nán dào gāo

贵 的 富 翁 反 不 如 低 贱 的 妓 女 不 成? 不 错, 按
guì de fù wēng fǎn bù rú dī jiàn de jì nǚ bù chéng? bù cuò, àn

照 常 情, 富 翁 确 实 比 妓 女 高 贵。可 是, 因 为
zhào cháng qíng, fù wēng què shí bǐ jì nǚ gāo guì. kě shì, yīn wèi

那 位 富 翁 是 中 国 富 翁, 那 个 妓 女 是 日 本 妓
nà wèi fù wēng shì Zhōng guó fù wēng, nà ge jì nǚ shì Rì běn jì

女。日 本 妓 女 虽 然 很 穷, 但 她 的 祖 国 却 很
nǚ. Rì běn jì nǚ suī rán hěn qióng, dàn tā de zǔ guó què hěn

强 盛, 所 以, 她 的 国 际 地 位 就 很 高, 行 动 也
qiáng shèng, suǒ yǐ, tā de guó jì dì wèi jiù hěn gāo, xíng dòng yě

就自由，这个中国富翁虽然自己很富，但他
jiù zì yóu, zhè gè Zhōng guó fù wēng suī rán zì jǐ hěn fù, dàn tā

的祖国却不强盛，所以连走路的自由都没
de zǔ guó què bù qiáng shèng, suǒ yǐ lián zǒu lù de zì yóu dōu méi

有。由此可见，要是祖国不强盛，你就是千
yǒu. yóu cǐ kě jiàn, yào shì zǔ guó bù qiáng shèng, nǐ jiù shì qiān

万富翁、亿万富翁，也抵不上人家一个妓女
wàn fù wēng、yì wàn fù wēng, yě dǐ bù shàng rén jia yī ge jì nǚ

啊！
a!

是啊，当祖国贫穷的时候，她的人民就挨
shì a, dāng zǔ guó pín qióng de shí hou, tā de rén mín jiù ái

饿受冻；当祖国弱小的时候，她的人民就
è shòu dòng; dāng zǔ guó ruò xiǎo de shí hou, tā de rén mín jiù

受辱被欺；当祖国富裕的时候，她的人民就
shòu rǔ bèi qī; dāng zǔ guó fù yù de shí hou, tā de rén mín jiù

快乐幸福；当祖国强大的时候，她的人民就
kuài lè xìng fú; dāng zǔ guó qiáng dà de shí hou, tā de rén mín jiù

昂首挺胸！历史早已雄辩地证明了这
áng shǒu tǐng xiōng! lì shǐ zǎo yǐ xióng biàn de zhèng míng le zhè

一点。当侵略者的铁蹄践踏祖国身躯之时，
yī diǎn. dāng qīn lüè zhě de tiě tí jiàn tà zǔ guó shēn qū zhī shí,

上海公园的门口就竖起了"华人与狗不
Shàng hǎi gōng yuán de mén kǒu jiù shù qǐ le "huá rén yǔ gǒu bù

得入内"的招牌；当帝国主义的大炮轰进祖
dé rù nèi" de zhāo pái; dāng dì guó zhǔ yì de dà pào hōng jìn zǔ

国的胸膛之时，无数人民群众就惨遭屠
guó de xiōng táng zhī shí, wú shù rén mín qún zhòng jiù cǎn zāo tú

戮；而当新中国的旗帜高高升起的时候，
lù; ér dāng xīn Zhōng guó de qí zhì gāo gāo shēng qǐ de shí hou,

中华儿女就站了起来；当祖国女排登上
Zhōng huá ér nǚ jiù zhàn le qǐ lái; dāng zǔ guó nǚ pái dēng shàng

世界冠军宝座的时候，海外侨胞也就扬眉
shì jiè guàn jūn bǎo zuò de shí hou, hǎi wài qiáo bāo yě jiù yáng méi

吐气。啊，我终于明白了，为什么人们总是
tǔ qì. a, wǒ zhōng yú míng bái le, wèi shén me rén men zǒng shì

把祖国比做母亲，因为祖国和人民，正如母
bǎ zǔ guó bǐ zuò mǔ qīn, yīn wèi zǔ guó hé rén mín, zhèng rú mǔ

亲 和 子 女，是 耻 辱 与 耻 辱 连 在 一 起，荣 誉 与 荣
qīn hé zǐ nǚ, shì chǐ rǔ yǔ chǐ rǔ lián zài yī qǐ, róng yù yǔ róng

誉 连 在 一 起，血 肉 与 血 肉 连 在 一 起，命 运 与
yù lián zài yī qǐ, xuè ròu yǔ xuè ròu lián zài yī qǐ, mìng yùn yǔ

命 运 连 在 一 起! 这 就 是 祖 国 母 亲 这 个 比 喻 的
mìng yùn lián zài yī qǐ! zhè jiù shì zǔ guó mǔ qīn zhè ge bǐ yù de

真 正 内 涵。
zhēn zhèng nèi hán.

历 史 上，多 少 中 华 儿 女 像 热 爱 自 己 的
lì shǐ shàng, duō shǎo zhōng huá ér nǚ xiàng rè ài zì jǐ de

母 亲 那 样 热 爱 自 己 的 祖 国。屈 原 抱 石 投 江，
mǔ qīn nà yàng rè ài zì jǐ de zǔ guó. Qū Yuán bào shí tóu jiāng,

为 的 是 祖 国；文 天 祥 慷 慨 悲 歌，为 的 是 祖
wèi de shì zǔ guó; Wén Tiān xiáng kāng kǎi bēi gē, wèi de shì zǔ

国；陆 放 翁 留 诗 示 儿，为 的 是 祖 国；谭 嗣 同
guó; Lù Fàng wēng liú shī shì ér, wèi de shì zǔ guó; Tán Sì tóng

面 对 刀 俎，脸 不 变 色，我 自 横 刀 向 天 笑，
miàn duì dāo zǔ, liǎn bù biàn sè, wǒ zì héng dāo xiàng tiān xiào,

去 留 肝 胆 两 昆 仑，他 念 念 不 忘 的 也 是 祖
qù liú gān dǎn liǎng Kūn lún, tā niàn niàn bù wàng de yě shì zǔ

国；抗 日 民 族 英 雄 吉 鸿 昌 就 义 时，慷 慨
guó; kàng rì mín zú yīng xióng Jí Hóng chāng jiù yì shí, kāng kǎi

悲 歌："恨 不 抗 日 死，留 做 今 日 羞。国 破 尚 如
bēi gē: "hèn bù kàng rì sǐ, liú zuò jīn rì xiū. guó pò shàng rú

此，我 何 惜 此 头。" 他 视 死 如 归，甘 洒 热 血，所 报
cǐ, wǒ hé xī cǐ tóu." tā shì sǐ rú guī, gān sǎ rè xuě, suǒ bào

者 还 是 祖 国。为 了 祖 国 一 代 又 一 代 的 英 雄
zhě hán shì zǔ guó. wèi le zǔ guó yī dài yòu yī dài de yīng xióng

儿 女 献 出 了 自 己 的 热 血 和 生 命。
ér nǚ xiàn chū le zì jǐ de rè xuě hé shēng mìng.

鲁 迅 先 生 曾 经 说 过: 惟 有 民 族 魂 是 值
Lǔ Xùn xiān sheng céng jīng shuō guo: wéi yǒu mín zú hún shì zhí

得 宝 贵 的，惟 有 它 发 扬 起 来，中 国 才 真 有 进
dé bǎo guì de, wéi yǒu tā fā yáng qǐ lái, zhōng guó cái zhēn yǒu jìn

步。鲁 迅 先 生 所 指 的 民 族 魂 是 什 么 呢? 概 括
bù. Lǔ Xùn xiān sheng suǒ zhǐ de mín zú hún shì shén me ne? gài kuò

地 说，就 是 "重 大 义，轻 生 死" 的 生 死 观，就
de shuō, jiù shì "zhòng dà yì, qīng shēng sǐ" de shēng sǐ guān, jiù

是"国家兴亡，匹夫有责"的使命感，就是"我以我血荐轩辕"的大无畏的民族精神！怨天尤人，长吁短叹，这都是庸人懦夫的行为，它只能使人生空洞苍白。这种人是绝不能创造出光辉灿烂的未来的。一个沉湎于痛苦回忆而不能自拔的民族，也是一个没有希望的民族。同志们，请不要抱怨，说我们的祖国缺乏活力；请不要慨叹，说我们的母亲衰老年迈。我们有的是满腔的热血，有的是年轻的生命，那就用我们的热血来复苏祖国蓬勃的生机吧！用我们的生命来焕发母亲青春的光彩吧！

语音基本知识

一、语音的性质

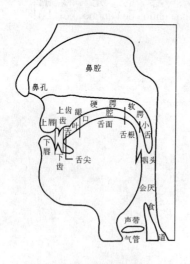

图 1　发音器官部位示意图

语音是从人的发音器官发出来的、能够表达一定意义的声音。作为交际工具的语言，是声音和意义的统一体，意义是语言的内容，声音是语言的物质形成，语言中的词和句子都是通过语音的形式表现出来的。

语音有物理属性、生理属性和社会属性。

语音同其他声音一样，都是由物体的振动而引起的一种物理现象。声音有音高、音强、音长和音色之别，语音也同样具有这四个要素。比如在同一个时间里,声带振动的频率越快,声音就越高,反之就越低。这就是语音物理性质的表现。

语音是人的发音器官所发出来的声音。发音器官包括:肺和气管、喉头和声带、口腔和鼻腔三部分(见图1)。

肺是呼吸气流的活动风箱,是语音的动力站,肺部呼出的气流通过支气管、气管到达喉头,作用于声带,经过喉头、口腔和鼻腔的调节便发出了各种不同的声音。这就是语音的生理属性。

语音的社会属性表现在两个方面:一、从音义结合的情况看,什么声音表达什么意义,什么意义用什么声音来表示,二者之间并没有必然的联系。它们是一定的社会共同体约定俗成的。不同的民族,甚至于同一个民族的不同地区,音义结合的情况也是不同的。比如 lèi 这个音,在汉语里可以表示"累"的意思,可是英国人听起来,却是表示"搁置"的意思;又比方"鸡"的读音,在我们山西方言里,就有[tɕi](大同)、[tsʅ](祁县)、[ti](洪洞)、[tʂʅ](河津)等不同的念法。二、从语音的系统性看,用什么声音来作为区别意义的最小单位,什么声音能跟什么声音组合,也是社会约定俗成的。比如英语中有两三个辅音相连现象(如 student,spring),汉语则没有。又比如,在北京话里没有 f 与 i 结合的音节,可是晋南话中,就有这种音节,如闻喜话"飞"念作 fi。这些都是语音社会性的反映。语音的社会性是语音的本质属性。

二、语音的基本概念

学习语音,首先要了解有关语音的一些最基本的概念,如音节、音素、元音、辅音、声母、韵母和声调等。

音节——音节是语音的自然单位,是从听觉上自然感觉到的、最容易分辨出来的语音单位。一般说来,一个汉字就代表一个音节,如,中华伟大 zhōng huá wěi dà,四个汉字代表四个音节。

音素——音素是语音的最小单位。它是构成音节的要素,是从音色的角度分析音节构成而得出的一个个各具特色的最小的语音单位。一个音节可以由一个或几个音素构成,如:"大"dà 就是由 d 和 ɑ 两个音素构成的。

在普通话里一个音节最多可以是四个音素,如"小"xiǎo,"壮"zhuàng。对音素进行分类可以分出元音和辅音两大类。

元音——元音是指发音时气流振动声带,气流在口腔和咽头不受任何阻碍发出的音。元音都是响亮的乐音,如 a、o、e、i、u、ü 等。

辅音——辅音是指发音时气流在口腔和咽头的某一部分受到一定阻碍发出的音,辅音以噪音成分为基础。如 b、d、g、j、z、h、m、n 等。

元音和辅音的主要区别在于,气流在发音器官的某一部分是否受到阻碍。元音和辅音是用音素分析法对音节结构进行分析而得出的两个基本概念。在对汉语的音节结构进行分析时,我们习惯于用声韵调分析法,即把一个音节分析成声母、韵母和声调三部分。

声母,指一个汉字音节开头的辅音。如,"汉族"hàn zú 这两个汉字音节开头的辅音 h 和 z 就是声母。普通话有 22 个辅音,其中的 21 个能处在音节的开头,所以普通话有 21 个辅音声母,还有一个 ng[ŋ]辅音,只能处在音节末尾作韵尾,不作声母。声母不同于辅音。汉字中有的音节没有声母,如"语言"yǔ yán,为了声韵配合得很整齐,通常把这种韵母自成音节的语音单位叫零声母音节。

韵母,是音节中声母后面的部分。如:"工作"gōng zuò 这两个音节,声母是 g 和 z,g、z 后面的 ong 和 uo 就是韵母。普通话的韵母可以单纯由元音构成,如 o、uo,叫单元音韵母和复元音韵母;也可以由元音和辅音组合起来构成,如 ong,叫鼻韵母。韵母不同于元音,如 an 和 ong 只能叫做韵母,不能叫做元音,只有其中的 a 和 o 才是元音。

声调,是贯穿整个音节的音高变化。如"时事"shí shì 和"史诗"shǐ shī,它们的声母、韵母都相同,但贯穿整个音节的音高变化却不相同。由于声调不同,意义也不相同。所以汉语的声调有区别意义的作用。如下面各组词的不同意义就是由于声调不同造成的:"打倒"和"大道";"具备"和"举杯";"高贵"和"搞鬼";"静电"和"经典"。

学习普通话语音必须掌握注音的工具。这个工具就是《汉语拼音方案》。

《汉语拼音方案》是采用拉丁字母给汉字注标准音(普通话语音)的方案。这个"方案"是 1958 年 2 月 11 日第一届全国人民代表大会公布的。

"方案"由字母表、声母表、韵母表、声调符号、隔音符号五部分组成。这个方案字母少，拼写规则简单，易学好用，不仅主要用于给汉字注音，作为推广普通话的工具，而且还可以作为我国少数民族创制和改革文字的共同基础，用来帮助外国人学汉语，用来音译人名、地名和科学术语，用于编制索引、代号等实际应用的领域以及用于中文信息处理等。

下面附录的《汉语拼音方案》中，26个字母名称的念法有以下几种情况：

1. a、o、e、i、u 5 个元音字母自成音节；

2. b(bê)、c(cê)、d(dê)、g(gê)、k(kê)、n(nê)、p(pê)、t(tê)、v(vê)、z(zê)10 个辅音字母在元音 ê 前，与 ê 相配成音；

3. f(êf)、l(êl)、m(êm)、s(ês)4 个辅音字母在元音 ê 后，与 ê 相配成音；

4. h(ha)、r(ar)、y(ya)、w(wa)前两个辅音字母和后两个隔音字母与元音 a 相配成音；

5. j(jie)、q(qiu)、x(xi)3 个辅音字母与其他元音相配成音。

附 录

一、汉语拼音方案

（1957 年 11 月 1 日国务院全体会议第 60 次会议通过）

（1958 年 2 月 11 日第一届全国人民代表大会第五次会议批准）

一 字 母 表

字母	Aa	Bb	Cc	Dd	Ee	Ff	Gg
名称	ㄚ	ㄅㄝ	ㄘㄝ	ㄉㄝ	ㄜ	ㄝㄈ	ㄍㄝ
	Hh	Ii	Jj	Kk	Ll	Mm	Nn
	ㄏㄚ	ㄧ	ㄐㄝ	ㄎㄝ	ㄝㄌ	ㄝㄇ	ㄋㄝ
	Oo	Pp	Qq	Rr	Ss	Tt	Uu
	ㄛ	ㄆㄝ	ㄑㄧㄡ	ㄚㄦ	ㄝㄙ	ㄊㄝ	ㄨ
	Vv	Ww	Xx	Yy	Zz		
	ㄪㄝ	ㄨㄚ	ㄒㄧ	ㄧㄚ	ㄗㄝ		

v 只用来拼写外来语、少数民族语言和方言。字母的手写体依照拉丁字母的一般书写习惯。

二 声母表

b	p	m	f		d	t	n	l
ㄅ玻	ㄆ坡	ㄇ摸	ㄈ佛		ㄉ得	ㄊ特	ㄋ讷	ㄌ勒

g	k	h		j	q	x
ㄍ哥	ㄎ科	ㄏ喝		ㄐ基	ㄑ欺	ㄒ希

zh	ch	sh	r		z	c	s
ㄓ知	ㄔ蚩	ㄕ诗	ㄖ日		ㄗ资	ㄘ雌	ㄙ思

在给汉语注音的时候,为了使拼式简短,zh ch sh 可以省作 ẑ ĉ ŝ。

三 韵母表

		i ㄧ 衣	u ㄨ 乌	ü ㄩ 迂
a ㄚ 啊		ia ㄧㄚ 呀	ua ㄨㄚ 蛙	
o ㄛ 喔			uo ㄨㄛ 窝	
e ㄜ 鹅		ie ㄧㄝ 耶		üe ㄩㄝ 约
ai ㄞ 哀			uai ㄨㄞ 歪	
ei ㄟ 欸			uei ㄨㄟ 威	
ao ㄠ 熬		iao ㄧㄠ 腰		
ou ㄡ 欧		iou ㄧㄡ 忧		
an ㄢ 安		ian ㄧㄢ 烟	uan ㄨㄢ 弯	üan ㄩㄢ 冤
en ㄣ 恩		in ㄧㄣ 因	uen ㄨㄣ 温	ün ㄩㄣ 晕
ang ㄤ 昂		iang ㄧㄤ 央	uang ㄨㄤ 汪	
eng ㄥ 亨的韵母		ing ㄧㄥ 英	ueng ㄨㄥ 翁	
ong (ㄨㄥ) 轰的韵母		iong ㄩㄥ 雍		

(1)"知、蚩、诗、日、资、雌、思"等七个音节的韵母用 i,即:知、蚩、诗、日、资、雌、思等字拼作 zhi、chi、shi、ri、zi、ci、si。

(2)韵母"儿"写成 er,用做韵尾的时候写成 r。例如:"儿童"拼作 ertong,"花儿"拼作 huar。

(3)韵母ㄝ单用的时候写成 ê。

(4)i 行的韵母,前面没有声母的时候,写成 yi(衣),ya(呀),ye(耶),yao(腰),you(忧),yan(烟),yin(因),yang(央),ying(英),yong(雍)。

u 行的韵母,前面没有声母的时候,写成 wu(乌),wa(蛙),wo(窝),wai(歪),wei(威),wan(弯),wen(温),wang(汪),weng(翁)。

ü 行的韵母,前面没有声母的时候,写成 yu(迂),yue(约),yuan(冤),yun(晕),ü 上两点省略。

ü 行的韵母跟声母 j,q,x 拼的时候,写成 ju(居),qu(区),xu(虚),ü 上两点也省略;但是跟声母 n,l 拼的时候,仍然写成 nü(女),lü(吕)。

(5)iou,uei,uen 前面加声母的时候,写成 iu,ui,un。例如 niu(牛),gui(归),lun(论)。

(6)在给汉字注音的时候,为了使拼式简短,ng 可以省作 ŋ。

四 声调符号

阴平　阳平　上声　去声
　-　　　´　　　ˇ　　　`

声调符号标在音节的主要母音上,轻声不标。例如:

妈 mā	麻 má	马 mǎ	骂 mà	吗 ma
(阴平)	(阳平)	(上声)	(去声)	(轻声)

五 隔音符号

a,o,e 开头的音节连接在其他音节后面的时候,如果音节的界限发生混淆,用隔音符号(')隔开,例如 pi'ao(皮袄)。

二、拼音字母歌

1 = C　　4/4　　　　　　　　　　　　　张定和　作

3. 2　3　1｜5　6　5　—｜6. 5　3　5　｜2　3　2　—｜

a　b　c　d　e　f　g　　h　i　j　k　　l　m　n

a　bê　cê　dê　e　êf　gê　　ha　i　jie　kê　　êl　êm　nê

5　3　5　—｜i. 5　6　0｜5　6　3　—　｜2　3　1　—‖

o　p　q　　r　s　t　　u　v　w　　　x　y　z

o　pê　qiu　　ar　ês　tê　　u　vê　wa　　　xi　ya　zê

三、声母诗(采桑)

春	日	起	每	早,
ch	r	q	m	z

采	桑	惊	啼	鸟。
c	s	j	t	n

风	过	扑	鼻	香,
f	g	p	b	x

花	开	落,	知	多	少。
h	k	l	zh	d	sh

四、韵母歌(捕鱼)

人	远	江	空	夜,
en	üan	iang	ong	ie

浪	滑	一	舟	轻。
ang	ua	i	ou	ing

儿	泳	欸	唷	调,
er	iong	ê	io	iao

橹	和	嗳	啊	声。
u	e	ai	a	eng

网	罩	波	心	月,
uang	ao	o	in	üe

竿	穿	水	面	云,
an	uan	uei	ian	ün

鱼	虾	留	瓮	内,
ü	ia	iou	ueng	ei

快	活	四	时	春。
uai	uo	-i[ʅ]	-i[ɿ]	uen

课外阅读

孔夫子与山西方言

山西方言为什么这么复杂?晋东南地区流传着这样一个故事:

孔夫子当年带弟子周游列国,推行他的仁政学说。有一天,他们来到晋国的大门——如今的娘子关,正要进入国境时,发现有几只老鼠排成一行在地上站立着,对着孔子和他的弟子们又是点头作揖,又是手舞足蹈,做着人类的动作。孔子看了非常吃惊,对弟子们说:"晋国一定是一个山川秀丽、百姓聪颖的地方,你们看,小小生灵尚且如此彬彬有礼,何况是作为万物之灵长的人呢!像这样的国家我们不用去游说,他们也一定能施行仁政、尊崇礼教的。"说完,便掉回头,领着弟子们到其他国家去了。

现在山西有人说,由于孔子当时没有到晋国来,山西的语言没有人去统一,所以山西话才会这么复杂,造成了"十里乡音不一般"的现象。

评注: 方言的差异是历史形成的,它同地理、人文、政治、社会等因素密切相关,任何一个人都不可能去统一某种语言或方言。

单韵母、声调

一、单韵母

　　普通话韵母共有 39 个,按构成成分可分为三类:单韵母、复韵母和鼻韵母。

　　由一个元音构成的韵母叫单韵母。普通话的单韵母共有十个:七个舌面元音(a、o、e、ê、i、u、ü),两个舌尖元音(- i[ʅ]、- i[ʅ]),一个卷舌元音(er)。这些元音的不同是由口腔共鸣器的不同形状决定的,而口腔的不同形状又决定于舌头的位置和嘴唇的形状。

　　舌面元音:发音时,舌面起主要作用而发出的元音叫舌面元音。舌头的上升或下降(舌位的高低),舌头的前伸或后缩(舌的前后),嘴唇的拢圆或展开(唇的圆展)是构成不同舌面元音的三个重要条件。下面就从这三个方面来分析七个舌面元音。

　　舌位的高低:舌位的高低是指舌头的上升或下降,即舌面隆起部位和上腭距离的大小。舌位高就是舌头上升、舌面隆起的部位与上腭的距离小;舌位低就是舌头下降、舌面隆起的部位与上腭的距离大。舌位的高低与口腔的开闭是相连的。舌位高，口的开度当然就小；舌位低，口的开度当然就大。舌位的高低与口腔的开闭是渐变的，从舌位的最高到最低，中间有许多过渡音，根据舌位的高低、口的开闭，通常把舌面元音分成四度：高元音（如 i、u、ü）、半高元音（如 e、o）、半低元音（如 ê）、低元音（如 ɑ）。

舌的前后：舌的前后是指舌面隆起部位的前后。舌面隆起部位在前，对着硬腭发出的元音叫前元音（如 i、ü）；舌面隆起部位在后，对着软腭发出的元音叫后元音（如 o、u）。舌头的前后也是渐变的，根据舌的前后，把舌面元音分成三度：前元音（如 i、ü）、中元音（如 e[ə]）、后元音（如 u、o）。

唇的圆展：唇的圆展是指发音时嘴唇拢圆或是展开的形状。嘴唇拢圆发出的元音叫圆唇元音（如 ü、u、o）；嘴唇向两旁展开发出的元音叫不圆唇元音（如 i、e[ɤ]、ê、ɑ）。

分析任何一个舌面元音都离不开这三个条件。根据这三个条件，绘出下面的舌面元音舌位图。

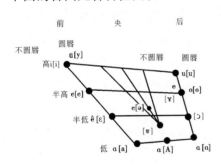

图 2　舌面元音情况简图

根据舌位图，我们就可以称说普通话中的七个舌面元音。称说的顺序是：①舌的前后；②舌位的高低；③圆唇和不圆唇。

ɑ[A]——舌面、央、低、不圆唇元音。

o[o]——舌面、后、半高、圆唇元音。

e[ɤ]——舌面、后、半高、不圆唇元音。

ê[ɛ]——舌面、前、半低、不圆唇元音。

i[i]——舌面、前、高、不圆唇元音。

u[u]——舌面、后、高、圆唇元音。

ü[y]——舌面、前、高、圆唇元音。

舌尖元音：发音时舌尖起作用而发出的元音叫舌尖元音。舌尖元音的舌位都很高。不同的舌尖元音是由舌尖活动部位的前后和唇的圆展决定的。普通话里有两个舌尖元音：

-i[ɿ]——舌尖前、高、不圆唇元音。

-i[ʅ]——舌尖后、高、不圆唇元音。

卷舌元音:这个元音是在央元音 e[ə]上加卷舌动作形成的,r 在 er 韵母中不代表音素,只是表示卷舌动作的形象性符号。

er[ər]——卷舌、央、中、不圆唇元音。

二、声调

声调是音节的长短、高低、升降、曲直的变化。即贯穿于整个音节的音高变化。汉语的声调是一种相对音高,它是人们对声带的松紧度进行调整而造成的。如,在一个音节的发音过程中,声带可以保持一定的松紧度,这样发出来的音就是平直调,也可以由松到紧或由紧到松,这样发出来的音就分别是升调和降调。如果声带先松后紧,松紧相间,发出来的音便是曲折调。声调是音节中不可缺少的组成要素,它有区别意义的作用,如 jiao hua 这两个音节,念为"jiāo huā"意为"浇花",念为"jiǎo huá"意为"狡猾",念为"jiāo huà"意为"焦化",念为"jiào huā"意为"叫花(子)",念为"jiào huà"则为"教化"。由于声调不同,意义也就不同。所以学好普通话的声调对发准每一个音节来说是至关重要的。

声调有调类和调值之分。调类是指音高形式相同的声调的归类,按照汉语传统的语音分析方法,普通话的全部字音可以归纳为阴平、阳平、上声和去声四个调类,统称"四声"。如"中华伟大"、"山河美丽"、"金银铁矿"、"资源满地",每组中的四个字的单字调都分别属于阴、阳、上、去四声。所谓调值,是指声调的实际读法,即音节发音时的高低升降长短曲直的实际音高变化形式。普通话的四个调类有各自不同的调值形式。如果用五度标记法来记录普通话的声调,可以从右图看出:

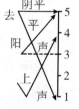

阴平调值为 55(高平调)

阳平调值为 35(中升调)

上声调值为 214(降升调)

去声调值为 51(高降调)

上图右边的一条垂直线叫音高比较线,1、2、3、4、5 表示声音由低到高的变化。竖线左边是调形线,连在音高线上,从左开头到右边音高线收尾的横线、斜线、曲线就表示声音高低曲直长短升降的具体形式。在《汉语拼音方案》里所规定的四个声调符号"ˉˊˇˋ"就是从这些线条演化出来的。例如:

阴平调(55)	春　天　花　开 chūn tiān huā kāi	东　风　飘　香 dōng fēng piāo xiāng
阳平调(35)	人　民　团　结 rén mín tuán jié	牛　羊　成　群 niú yáng chéng qún
上声调(214)	打　井　引　水 dǎ jǐng yǐn shuǐ	远　景　美　好 yuǎn jǐng měi hǎo
去声调(51)	奋　力　跃　进 fèn lì yuè jìn	胜　利　在　望 shèng lì zài wàng

语｜音｜训｜练

1.舌面元音、卷舌元音配四声练习

a　ā á ǎ à

ā　啊,下雨了! 　　　　　　　啊嚏,好凉啊!

á　啊,你说什么? 　　　　　　啊,什么,下雨了?

ǎ　啊,这是怎么啦? 　　　　　啊,你是记者?

à　啊,好吧,你走吧。 　　　　啊,原来是你。

o　ō ó ǒ ò

ō　哦,就是他呀。 　　　　　　哦唷,真了不起。

ó　哦,是他吗? 　　　　　　　哦,你决定不去啦?

ǒ　哦,原来是你。 　　　　　　哦,我早就知道了。

ò　哦,我就来。 　　　　　　　哦,我知道了。

e[ɤ]　ē é ě è

ē　阿谀奉承,招人讨厌。　　　　　　娿娜多姿,令人赞叹。

é　鹅毛大雪,纷纷扬扬。　　　　　　额外收获,满心喜欢。

ě　恶心不恶心?　　　　　　　　　　恶心死了。

è　扼守要塞,抵御强敌。　　　　　　饿虎扑食。

ê　ê̄ ế ê̌ ề

ê̄　欸,你来吧。　　　　　　　　　　欸,你还来不来?

ế　欸,你怎么还不来?　　　　　　　欸,你不是要走吗?

ê̌　欸,这话可不对。　　　　　　　　欸,说的不是你。

ề　欸,我这就来。　　　　　　　　　欸,就这么办!

i　ī í ǐ ì

yī　一二三四五六七。　　　　　　　　依依不舍。

yí　咦,你什么时候来的?　　　　　　怡然自得。

yǐ　椅子坏了。　　　　　　　　　　　以身作则。

yì　意见不一,难以行动。　　　　　　异曲同工。

u　ū ú ǔ ù

wū　污染环境,影响卫生。　　　　　　乌烟瘴气。

wú　蜈蚣能做药。　　　　　　　　　　无论如何要学会。

wǔ　五十步笑百步。　　　　　　　　　午饭时间到了。

wù　误差不能太大。　　　　　　　　　物以类聚,人以群分。

ü　ǖ ǘ ǚ ǜ

yū　淤泥满地,无法行走。　　　　　　迂回曲折的山路。

yú　娱乐场所太少。　　　　　　　　　鱼米之乡在江南。

yǔ　雨季已经过去了。　　　　　　　　语重心长。

yù　玉米是高产作物。　　　　　　欲速则不达。

er　ér ěr èr

ér　儿童公园绿草如茵。　　　　　而今迈步从头越。

ěr　耳机不响了。　　　　　　　　尔虞我诈。

èr　二话没说，就走了。　　　　　贰拾伍万元。

2.把下面几个字的声音延长，练习舌尖元音的发音

资 zī——i[ɿ] 资源丰富。　　　　　　孜孜不倦。

疵 cī——i[ɿ] 吹毛求疵。　　　　　　刺溜一下滑倒了。

思 sī——i[ɿ] 司空见惯。　　　　　　私心杂念太多。

知 zhī——i[ʅ] 知识面太窄。　　　　支援灾区，发展生产。

吃 chī——i[ʅ] 痴心妄想。　　　　　嗤之以鼻。

诗 shī——i[ʅ] 失败是成功之母。　　施展威风。

3.认读音节

yīwù　衣物　　wǔyì　武艺　　yú'ěr　鱼饵　　yǔyī　雨衣

wúzhī　无知　　ěryǔ　耳语　　yīshī　医师　　yīwù　医务

èyú　鳄鱼　　sīyì　思议　　yú'é　余额　　yǐzi　椅子

yíyì　疑义　　yǔyì　羽翼　　wúsī　无私　　wùzī　物资

shīzī　师资　　èyì　恶意　　yìwù　义务　　èrshí　二十

朗　读

咏　鹅　　　骆宾王

É, é, é,　　　　　　　　　　　　鹅，鹅，鹅，

Qū xiàng xiàng tiān gē.　　　　曲项向天歌。

Bái máo fú lù shuǐ,　　　　　　白毛浮绿水，

Hóng zhǎng bō qīng bō.　　　　红掌拨清波。

<h1>山　中　　王　维</h1>

Jīng xī bái shí chū,	荆溪白石出,
Tiān hán hóng yè xī.	天寒红叶稀。
Shān lù yuán wú yǔ,	山路元无雨,
Kōng cuì shī rén yī.	空翠湿人衣。

课外阅读

<h2>道德准则　　富兰克林</h2>

一、节制欲望：在吃饭和喝酒上要有节制。

二、自我控制：对待人要能克制忍让，不可怀有仇恨。

三、沉默寡言：少说废话。

四、有条不紊：所有的物品都要井然有序，所有的事情，都要按时去做。

五、信心坚定：遵守诺言，出色地完成你所承诺的任务。

六、节约开支：把钱用在对自己对别人都有益的事情上，不要错花一文钱。

七、勤奋努力：永远要抓紧时间做有益的事情，不要浪费时间。

八、忠诚老实：不要说有害于人的谎话，要表里一致。

九、待人公正：不以不端的行为或者办事不诚实去伤害他人。

十、保持清洁：保持身体、衣服及房间的清洁卫生。

十一、心胸开阔：不要为令人不快韵区区琐事而心烦意乱，悲观失望。

十二、慎言谨行：要使你的言行符合每一条道德标准。

十三、谦虚有礼。

【第 三 讲】

直读单韵母 a 构成的音节

学说普通话,首先要掌握汉语拼音这个正音工具。过去用传统的拼读法是先学声、韵、调,再学拼音认读音节,用这种方法学习汉语拼音存在不少困难。首先,由于辅音大都是声带不振动、气流受阻而发出的音,普通话21个辅音声母的音值(本音)多数念出来不响亮,为了教学方便,学声母时念的是"呼读音",如 b 念 bo,p 念 po,m 念 mo,d 念 de 等,学拼音认读音节时,声母念不出本音,用呼读音难以拼读音节。其次,用传统的拼读法把主要精力放在声、韵、调教学上,音节认读只是在教完零件(声、韵、调)之后念念音节表。由于拼音难,音节又认读得少,学完声、韵、调,拿起拼音读物不是念不出来,就是现拼现读,结结巴巴难成音节。再次,学习普通话要掌握北京音系声韵配合规律,以便与方言音系作比较,进行类推,提高学习效率。传统的拼读法以声、韵、调的学习为中心,声韵的配合只总结几条规律,干巴巴的好像几条筋,难以具体而有效地运用。现在我们采用汉语拼音直读法的教学方法,即把音节始终作为一个整体来教,而不是把它的零件拆开来孤立地教。比如,用音节教学代替声母教学,就可以避开孤立教学声母的困难。音节的零件只是在学到相当数量的音节以后所进行的分析、总结和提高。另外,直读法以音节教学为中心,通过展示和认读音节,让我们只要看见一个音节(带调)就能正确而迅速地读出来;听见一个音节(带调)就能正确地书写出来,它不再用呼读音,避开了拼读音节的弊病。由于整体音节认读的意识强了,音节认读量大大增加,所以看到拼音读物不感到眼生,也不必现拼现读。此外,我们运用直读法展示所有的音节,使学生对普通话声韵配合规律也有了具体而形象的了解,便于方言辨正,便于类推。音节直读教学适合汉语的特点,汉语就是以音节为自然语音单位的语言,一般地说一个汉字就是一个音节。学习了音节马上可以应用于正音记字,进而连词、组句、朗读、学话,充分发挥了汉语拼音正音工具的作用。

　　直读法有两种类型:一种是横排法,即教同声不同韵的音节,如 ba、bo、bi、bu、bai、bei……一种是竖排法,即教同韵不同声的音节,如 ba、pa、ma、fa、da、ta……我们采用竖排法,以韵母为主线认读所有的音节,同时附上常用同韵字表,展示所有的汉字,便于练四声、正音、记字和连词组句。准确认读带调音节,除了根据音节声母、韵母的组合摆好舌位,做好发音活动的准备外,更重要的是要看准调号,根据音节上所标调号想到它所表示的声调的具体念法,如念 bá,除做好双唇紧闭的准备外,想到阳平是中升调,声音由低向高扬,根据阳平调的念法去念,就能念出 bá 的声音。念准声调是认读带调音节的关键。所以我们学单韵母的同时就学普通话声调,从这一讲开始就进行直读带调音节的学习和训练。

语 音 训 练

1.学习单韵母 a 构成的音节及声韵拼合规律

　　a　ba　pa　ma　fa　da　ta　na　la　ga　ka　ha
　　　　za　ca　sa　zha　cha　sha

常用同韵字表 **a**

声母＼声调	阴 平	阳 平	上 声	去 声
Ø	啊阿	啊	啊	啊
b	巴芭笆疤吧 粑叭扒八捌	**拔跋**	把靶	爸把刀~儿 霸坝罢
p	趴	爬杷杷琶扒 ~手		怕帕
m	妈抹~布	麻蟆	马码蚂~蚁	骂蚂~蚱
f	**发**	**伐阀筏罚乏**	**法砝**	**发**理~**珐**
d	**搭答**~应	**答**~复**瘩达** **打**十二个	打	大
t	他她它塌踏 ~实		**塔獭**	**沓踏**~步**榻** **拓**~碑
n		拿	哪~里	那纳钠捺呐
l	拉啦哗~垃	拉~了一刀	**喇**	**辣刺癞蜡腊**
g	嘎~吱旮~旯	轧	尕~娃嘎	尬尴~
k	咖喀		卡~车	
h	哈	蛤~蟆	**哈**~达	
z	**扎**包~**咂**	呵杂		
c	擦嚓			
s	撒~手		洒撒~种	**萨卅飒**
zh	楂山~渣扎~针	**炸**油~**铡扎**挣~ **札轧**~钢**闸**	**砟眨**	乍**炸**诈**蚱榨栅** ~栏儿
ch	叉差~错喳**插**	茶搽茬碴查察	镲衩	差~劲岔权树~ 诧刹古~
sh	沙鲨痧纱砂杉 ~木杀刹~车	啥	傻	厦大~霎煞

(注)轻声:啊(a)、吧(ba)、疙瘩(da)、啦(la)、嘛、吗(ma)、哪(na)。表中的黑体字都是古入声字,下同。

a 韵母有 17 个音节(零声母音节未算),没有 ra 音节,不与声母 j、q、x 相拼。

2. 学习 a 音节构成的词语

bābǎ 八把　　　pázi 耙子　　　mǎdá 马达　　　fàlà 发蜡

dālǐ 搭理　　　náqù 拿去　　　Tǎlǐmù 塔里木　　làbā 腊八

háma 蛤蟆　　　kǎchē 卡车　　　cāshì 擦拭　　　zázhì 杂志

sǎshuǐ 洒水　　　sàshuǎng 飒爽　　zhāzǐ 渣滓　　　cházi 碴子

shǎzi 傻子　　　shàshí 霎时

词语选用

拔草 bácǎo	搽粉 chāfěn	茶杯 chábēi	打架 dǎjià
法律 fǎlù	尴尬 gāngà	哈腰 hāyāo	咯血 kǎxiě
拉破 lápò	抹布 mābù	拿事 náshì	扒手 páshǒu
沙漠 shāmò	洒水 sǎshuǐ	踏实 tāshi	杂志 zázhì
眨眼 zhǎyǎn	理发 lǐfà	大爷 dàye	辣椒 làjiāo

朗　读

〔天净沙〕秋思　　马致远

Kū téng lǎo shù hūnyā,　　枯藤老树昏鸦，

Xiǎo qiáo liú shuǐ rén jiā.　　小桥流水人家。

Gǔ dào xī fēng shòu mǎ,　　古道西风瘦马，

Xīyáng xī xià,　　夕阳西下，

Duàncháng rén zài tiānyá.　　断肠人在天涯。

山村烟雨画　　潘仲龄

Dōng piāopiāo, xī sǎsǎ,　　东飘飘，西洒洒，

Chūnyǔ rúyān mì mámá.　　春雨如烟密麻麻。

Yǔ mámá, yānmámá,　　雨麻麻，烟麻麻，

Yānyǔ huàchū dànmòhuà.　　烟雨画出淡墨画。

Huà shān, shān nóngnóng,　　画山，山浓浓，

Huà tián, bái huāhuā.　　画田，白花花。

Fēng lái la, yǔ tíng la,　　风来啦，雨停啦，

Cái jiàn shān'ào yǒu rénjiā.　　才见山坳有人家。

Fēng lái la, yǔ xià la,　　风来啦，雨下啦，

Shānzhōng zhǎngchū duǒduǒ huā——　　山中长出朵朵花——

Mùtóng yǔzhōng fàng gēngniú,　　牧童雨中放耕牛，

Tóu dàide dǒulì shì huánghuā.　　头戴的斗笠是黄花。

Xiǎogūniang shānzhōng shí mógu,
Hóng'ǎo lù yī yě shì huā.

小姑娘山中拾蘑菇，
红袄绿衣也是花。

她是我女儿
Tā shì wǒ nǚ ér

思 惠

火车要开了，车厢里坐满了人。一个小
Huǒ chē yào kāi le, chē xiāng lǐ zuò mǎn le rén. Yī ge xiǎo

伙子占了两个人的座位。一位老大爷走过
huǒ zi zhàn le liǎng ge rén de zuò wèi. Yī wèi lǎo dà ye zǒu guò

来轻轻地对他说："小伙子，请你往里一
lái qīng qīng de duì tā shuō: "Xiǎo huǒ zi, qǐng nǐ wǎng lǐ yī

点儿，让我也坐一坐。"小伙子大声地说："这儿
diǎnr, ràng wǒ yě zuò yī zuò." Xiǎo huǒ zi dà shēng de shuō: "zhèr

有人坐!"老大爷只好站在他身后。一会儿一
yǒu rén zuò!" lǎo dà ye zhǐ hǎo zhàn zài tā shēn hòu. yī huìr yī

位年轻美丽的姑娘朝这里走来。小伙子
wèi nián qīng měi lì de gū niang cháo zhè·lǐ zǒu lái. Xiǎo huǒ zi

看见了，笑着站起来，说："请坐，这个座位
kàn jiàn le, xiào zhe zhàn qǐ lái, shuō: "qǐng zuò, zhè ge zuò wèi

没人。"老人生气地问："你刚才不是说这儿
méi rén." lǎo rén shēng qì de wèn: "nǐ gāng cái bù shì shuō zhèr

有人坐吗?"小伙子立刻回答："我说的就是她，
yǒu rén zuò ma?" Xiǎo huǒ zi lì kè huí dá: "wǒ shuō de jiù shì tā,

她是我妹妹。"老大爷更生气了，说："你胡
tā shì wǒ mèi mei." lǎo dà ye gèng shēng qì le, shuō: "Nǐ hú

说! 她是我女儿，我是什么时候有你这么个儿
shuō! tā shì wǒ nǚ ér, wǒ shì shén me shí hou yǒu nǐ zhè me ge ér

子的?"
zi de?"

直读单韵母 o、e 构成的音节

　　单韵母是由一个元音构成的韵母,它的发音特点是唇舌的位置始终不变,口腔共鸣器的形状不变,音值也没有变化,声音可以拉长。单韵母的不同就在于舌位的高低、舌的前后和唇的圆展上。

　　单韵母 o、e[ɤ]都是舌面、后、半高元音,不同的是:o 是圆唇元音,e[ɤ]是不圆唇元音。学习 o、e 韵母构成的音节一定要掌握住发音的要领。念 bo、po、mo、fo 时,收尾的唇形是圆的,不能将双唇展开念成 be、pe、me、fe,也不能让唇形有变化,念成 buo、puo、muo、fuo,口形变了,音值也就变了。

　　单韵母 o、e[ɤ]除了发音上的不同以外,它们与声母配合的情况也不同。o 韵母一般只有 bo、po、mo、fo 四个音节(另有特殊音节 yo),就是说,o 韵母只与声母 b、p、m、f 相拼;e 韵母与 o 韵母相反,不与声母 b、p、m、f 相拼。掌握了这一规律,就能指导我们的拼写,如“破格”的“破”一定是 pò,“格”一定是 gé;“国歌”的“歌”不是 gō,“多少”的“多”不是 dō,因为 o 不与 b、p、m、f 以外的声母相拼,所以“歌”应念 gē,“多”应念 duō。

语 音 训 练

1. 学习单韵母 o、e 构成的音节及声韵拼合规律

| o | bo po mo fo |

| e[ɤ] | de te ne le ge ke he ze ce se zhe che she re |

常用同韵字表 o

声母＼声调	阴 平	阳 平	上 声	去 声
Ø	噢	哦		哦
b	玻波菠饽播拨剥~削钵	伯泊箔舶脖勃渤博搏膊薄~弱驳铵帛	跛簸~米	簸薄~荷
p	坡颇泼	婆	叵笸	破迫强~魄气~粕
m	摸	模摹馍磨蘑魔摩膜	抹	磨~面末沫抹~灰茉陌莫寞漠默墨没殁
f		佛		

(注) 轻声：卜(bo)，哟、唷(yo)

常用同韵字表 e

声母＼声调	阴 平	阳 平	上 声	去 声
Ø	阿~谀婀~娜	讹俄蛾鹅额	恶~心	饿恶~劣遏厄扼轭鄂鳄颚
d		得德		
t				特忒忑
n		哪~吒		讷
l	肋~胁			乐勒~令
g	哥歌搁胳疙割鸽	格阁蛤~蚧革膈隔葛~布骼骨~	葛姓	个各铬
k	科蝌苛棵颗磕瞌	咳壳	可渴	课克刻客恪
h	喝	禾和河何荷合核涸盒貉一丘之~劾弹~阂		贺赫褐鹤吓恐~喝~采

声母＼声调	阴 平	阳 平	上 声	去 声
z		则择泽责		仄
c				侧测厕恻策册
s				塞涩色瑟嗇
zh	遮螫蜇	折哲辙轹磔谪	者褶	蔗这浙
ch	车		扯	撤彻澈掣
sh	奢赊	蛇舌折~耗佘	舍~弃	射麝社舍赦设 涉摄慑
r			惹	热

(注)轻声:地、底、的、得(de)、了(le)、呢(ne)、么、末、嚜(me)、着(zhe)

o韵母有4个音节,它不与b、p、m、f以外的任何声母相拼。e韵母共有14个音节,它不与b、p、m、f、j、q、x 7个声母相拼。

2.学习o音节、e音节构成的词语

bō 播　　　bō 钵　　　pò 破　　　mǒ 抹　　　mò 墨
fó 佛　　　gē 割　　　hē 喝　　　zè 仄　　　sè 塞
shé 蛇　　　rě 惹　　　bōli 玻璃　　　fóye 佛爷　　　pǒluo 笸箩
mòhé 墨盒　　　lēte 肋膘　　　déyì 得意　　　tèsè 特色　　　lèhe 乐和
gēzi 鸽子　　　héfǎ 合法　　　kěyǐ 可以　　　hèsè 褐色　　　zébèi 责备
cèlüè 策略　　　cèzi 册子　　　sèsù 色素　　　zhēbì 遮蔽　　　shétou 舌头
chěpò 扯破　　　rèliè 热烈

词语选用

簸箕 bòji　　　搏斗 bódòu　　　车站 chēzhàn　　　撤职 chèzhí
得力 délì　　　德育 déyù　　　佛像 fóxiàng　　　格式 géshì
个别 gèbié　　　何苦 hékǔ　　　合适 héshì　　　乐呵呵 lèhēhē
磨不开 mòbukāi　　　默读 mòdú　　　热辣辣 rèlālā　　　塞责 sèzé
奢侈 shēchǐ　　　社交 shèjiāo　　　迫不得已 pòbùdéyǐ
婆婆妈妈 pópomāmā

回乡偶书二首(其二)　　　贺知章

Líbié jiāxiāng suìyuè duō,　　　离别家乡岁月多,

Jìnlái rénshì bàn xiāomó.　　　近来人事半消磨。

Wéiyǒu ménqián Jìnghú shuǐ,　　　惟有门前镜湖水,

Chūnfēng bùgǎi jiùshíbō.　　　春风不改旧时波。

送魏万之京　　　李颀

Zhāo wén yóuzǐ chàng lí gē,　　　朝闻游子唱离歌,

Zuó yè wēishuāng chū dù hé.　　　昨夜微霜初渡河。

Hóngyàn bùkān chóu lǐ tīng,　　　鸿雁不堪愁里听,

Yún shān kuàng shì kè zhōng guò.　　　云山况是客中过。

Guānchéng shù sè cuī hán jìn,　　　关城树色催寒近,

Yùyuàn zhēnshēng xiàng wǎn duō.　　　御苑砧声向晚多。

Mò jiàn Cháng'ān xínglè chù,　　　莫见长安行乐处,

Kōng lìng suìyuè yì cuōtuó.　　　空令岁月易蹉跎。

岂有此理

Qǐ yǒu cǐ lǐ

有 一 个 人 很 喜 欢 学 习 语 言, 听 到 别 人 说
Yǒu yī ge rén hěn xǐ huān xué xí yǔ yán, tīng dào bié rén shuō

了 什 么 精 彩 的 话 就 记 下 来; 有 一 次 听 到 一 个
le shén me jīng cǎi de huà jiù jì xià lái; Yǒu yī cì tīng dào yī ge

人 说 了 句: "岂 有 此 理。" 他 觉 得 这 个 词 语 很 好,
rén shuō le jù: "qǐ yǒu cǐ lǐ." tā jué de zhè ge cí yǔ hěn hǎo,

就 时 时 记 在 心 里。 一 次 过 河 的 时 候, 因 为 忙
jiù shí shí jì zài xīn·lǐ. Yī cì guò hé de shí hou, yīn wèi máng

乱, 忽 然 把 它 忘 记 了。 过 河 后, 别 的 人 都 下
luàn, hū rán bǎ tā wàng jì le. Guò hé hòu, bié de rén dōu xià

船 走 了, 只 有 他 还 在 船 上 这里那里地 找
chuán zǒu le, zhǐ yǒu tā hái zài chuán shàng zhè·lǐ nà·lǐ de zhǎo

什 么。 船 主 问 他 掉 了 什 么 他 回 答 说: "掉
shén me. Chuán zhǔ wèn tā diào le shén me, tā huí dá shuō: "diào

了 一 句 话。" 船 主 生 气 地 说: "话 也 有 丢 掉
le yī jù huà." chuán zhǔ shēng qì de shuō: "huà yě yǒu diū diào

的 吗? 岂 有 此 理!" 这 个 人 听 了, 高 兴 地 说: "啊,
de ma? qǐ yǒu cǐ lǐ!" Zhè ge rén tīng le, gāo xìng de shuō: "à,

原 来 是 你 拾 去 了, 怎 么 不 早 告 诉 我。"
yuán lái shì nǐ shí qù le, zěn me bù zǎo gào su wǒ."

课外阅读

大学校训选

北京林业大学：养青松正气 法竹梅风骨

北京舞蹈学院：文舞相融 德艺双馨

复旦大学：博学而笃志 切问而近思

福州大学：明德至诚 博学远志

广东外语外贸大学：学贯中西 明德尚行

哈佛大学：与柏拉图为友 与真理为友

韩国青江文化产业大学：人间之爱 自然之爱 文化之爱

霍普金斯大学：真理使你成为自由人

清华大学：自强不息 厚德载物

日本庆应大学：笔比剑强

四川大学：海纳百川 有容乃大

台湾东吴大学：养天地正气 法古今完人

耶鲁大学：光明与真理

中国海洋大学：海纳百川 取则行远

中国政法大学：厚德明法 格物致公

直读单韵母 u 构成的音节

单韵母 u 是舌面、后、高、圆唇元音。u 与 o 都是后元音、圆唇元音。不同的是 u 比 o 的舌位高，开口度稍小，念 u 音节如 bu、pu、mu 等比 o 音节 bo、po、mo 等收尾时唇形拢得更小、更圆。

u 韵母比以 u 开头的其他韵母如 ua、uo、uai、uei 等能拼合的音节要多，因为 b、p、m、f 这四个声母只与 u 韵母相拼，而不与以 u 开头的其他韵母相拼。所以普通话里没有 bua、puai、muo、fuang 之类的音节。

语 音 训 练

1. 学习 u 韵母构成的音节及声韵配合规律

u bu pu mu fu du tu nu lu gu ku hu zu cu su
zhu chu shu ru

常用同韵字表 u

声母＼声调	阴 平	阳 平	上 声	去 声
Ø	乌呜钨诬污屋	吾梧吴蜈无芜	五伍午侮武舞	坞恶可~悟晤误戊务雾勿物
b	逋晡	醭	补捕哺卜堡(用于地名)	布怖步部簿埠不
p	铺扑	葡蒲仆	普谱浦朴~素蹼	铺~板 堡(用于地名)暴一~十寒瀑~布曝
m		模~子	亩母拇姆牡	暮墓募慕幕木沐睦目苜穆牧
f	夫肤麸孵敷	扶符俘浮匍弗佛仿~拂伏袱服幅福辐	府俯腑腐甫辅抚斧釜	付附赴妇负赋父副富傅缚复腹蝮鳆馥覆
d	都首~督	读牍犊独毒	堵赌睹肚羊~子	杜肚度渡镀妒
t	秃突凸	途涂屠徒图	土吐	兔吐呕~
n		奴	努弩	怒
l	噜~苏	芦庐炉卢沪颅	鲁橹房掳卤	路赂露~骨鹭鹿漉辘麓录绿~林禄碌陆戮
g	估姑沽菇辜孤箍骨~朵		古鼓股谷骨~髓	故固雇顾梏
k	枯窟哭		苦	库裤酷
h	乎呼忽	胡湖葫蝴糊狐弧壶斛囫	虎唬浒	户沪护互
zh	朱珠株蛛诸猪	竹烛逐竺术白	主煮嘱	住注驻柱蛀苎贮助著铸祝筑
ch	初出	除厨橱锄刍蹰	楚础处~理储杵褚	处触畜牲~矗绌黜
sh	梳疏蔬抒舒输枢殊书叔淑	赎孰塾熟	暑署薯曙鼠数~一~黍属蜀	树竖漱恕数戍墅术述束
r		如茹儒孺蠕	汝乳辱	入褥
z	租	足族卒	阻组祖	
c	粗	徂		醋促簇
s	苏酥	俗		素诉塑肃速宿粟夙

(注)轻声:吩咐(fu),辘轳(lu)

　　u韵母有18个音节(零声母音节未算),除了不与声母 j、q、x 相拼外,与其他声母都能相拼。

2.学习 u 音节构成的词语

pūdǎ 扑打　　　búr 醭儿　　　mǔdān 牡丹　　　fùyù 富裕

dūshì 都市　　　túbù 徒步　　　nǔlì 努力　　　lùsù 露宿

gūdú 孤独　　　húpō 湖泊　　　kǔsè 苦涩　　　hùzhù 互助

cūlǔ 粗鲁　　　zúsè 足色　　　zǔfù 祖父　　　sùdù 速度

zhūrú 诸如　　　chúfǎ 除法　　　shǔjià 暑假　　　rùzi 褥子

词语选用

木耳 mù'ěr　　　　　　胡同儿 hútongr　　　　　胡萝卜素 húluóbosù

路过 lùguò　　　　　　骨骼 gǔgé　　　　　　　毒蛇 dúshé

苦口婆心 kǔkǒu－póxīn　补课 bǔkè　　　　　　　负责 fùzé

粗俗 cūsú　　　　　　　出入 chūrù　　　　　　　普洱茶 pǔ'ěr chá

大拇指 dàmǔzhǐ　　　　束缚 shùfù　　　　　　　入伍 rùwǔ

塑造 sùzào　　　　　　土豆 tǔdòu　　　　　　　注册 zhùcè

祖国 zǔguó　　　　　　组合 zǔhé

朗　读

煮　书

Zhùmíng zuòjiā Rú Zhìjuān de jiā·lǐ guàzhe yī zhāng tiáofú, shàngmian xiězhe
liǎng ge gāngjìng yǒulì de dà zì—"zhǔ shū". Bùshǎo kèrén kàndào zhè zhāng
tiáofú hòu yīshí míhuò bù jiě, biàn qǐng zhǔrén shìyí.

Rú Zhìjuān shēn yǒu gǎnchù de shuō: "Shū, guāng kàn shì bù xíng de, zhǐ kàn
gùshi qíngjié, děngyú húlúntūnzǎo. Shū yīnggāi dú, dú jiù zǐxì duō le, rán'ér dú hái
bù gòu, hái yào zhǔ shū. 'Zhǔ' jiùshì bǎ shū dú de lànshú、tòuchè, zhè bù shì dú yī
biàn liǎng biàn jiù kěyǐ wánchéng de."

Hǎo yī ge "zhǔ" zì! Tóngxuémen dúshū, rúguǒ yě néng dádào "zhǔ" de
chéngdù, jiāng huì shòuyì fěi qiǎn.

著名作家茹志鹃的家里挂着一张条幅，上面写着两个刚劲有力的大
字——"煮书"。不少客人看到这张条幅后一时迷惑不解，便请主人释疑。

茹志鹃深有感触地说："书，光看是不行的，只看故事情节，等于囫囵吞
枣。书应该读，读就仔细多了，然而读还不够，还要煮书。'煮'就是把书读
得烂熟、透彻，这不是读一遍两遍就可以完成的。"

好一个"煮"字！同学们读书，如果也能达到"煮"的程度，将会受益匪浅。

顾老头儿

有个老头儿本姓顾，上街打醋带买布。
打了醋，买了布，抬头忽见鹰叼兔。
顾老头儿放下布和醋，去捉鹰和兔。
回来不见布和醋，
飞了鹰，跑了兔，少了布，翻了醋。

Gù lǎotóur

Yǒu ge lǎotóur běn xìng Gù, shàngjiē dǎ cù dài mǎi bù.
Dǎ le cù, mǎi le bù, táitóu hū jiàn yīng diāo tù.
Gù lǎotóur fàng xià bù hé cù, qù zhuō yīng hé tù.
Huílái bùjiàn bù hé cù,
Fēi le yīng, pǎo le tù, shǎo le bù, fān le cù.

服务部

早晚服务部，服务好态度，
学习刻苦有觉悟，严肃认真不马虎。
货物架上的东西真丰富，有烟酒，有油醋，
有鞋袜，有衣裤，有纸笔，有图书。
还有多式多样的红布、白布、蓝布、条绒平绒布，
竹黄、古铜、熟绿、葡萄紫的大花小花布。
什么苏绸、蜀缎、卡叽布、人造布、线绨床单布。
要问货物有多少种，有人顺路数了数，
足足数了五百五十五遍五，越数越糊涂，
数没数清楚，却翘起拇指夸服务！

【第 六 讲】

直读单韵母 i、ü 构成的音节

单韵母 i 和 ü 都是舌面前元音、高元音,不同的是 i 是不圆唇元音,ü 是圆唇元音。所以念 ü 音节 ju、qu、xu 等收尾时唇形要拢圆,念 i 音节收尾时唇形展开。

单韵母 i 和 ü 除了发音不同以外,它们与声母的拼合情况也不同,ü 韵母只能和 n、l、j、q、x 5 个声母相拼,i 韵母除与这 5 个声母相拼外,还能与声母 b、p、m、d、t 相拼。

语｜音｜训｜练

1.学习单韵母 i、ü 构成的音节

| i | bi pi mi di ti ni li ji qi xi |
| ü | nü lü ju qu xu |

常用同韵字表 i

声母＼声调	阴 平	阳 平	上 声	去 声
Ø	衣依伊医一壹揖	夷姨胰移遗宜贻怡疑仪迤	以已矣倚椅蚁尾马~罗乙	异意肄义议艺谊诣毅易蜴亦邑役疫益溢翼逸译驿亿忆屹抑轶
b	逼	鼻荸	比彼鄙笔	庇篦痹蔽币弊毙避闭壁璧必毕碧辟复~愎秘~鲁
p	批砒坯劈霹	皮疲脾啤枇琶	痞匹劈~柴癖	譬屁辟僻
m	眯	迷谜弥靡奢~	米靡萎~	泌秘密蜜觅
d	低堤滴	笛敌的~确	底抵	弟第递帝缔蒂地的目~
t	梯锑剔踢	提题啼蹄	体	涕剃替嚏屉惕
n	妮~子	尼呢~子泥霓	你拟	腻匿溺逆
l		离漓璃篱梨犁黎藜厘狸罹	李里理鲤礼	吏利俐莉痢荔厉励丽隶例立粒笠栗砾力历沥雳
j	基箕几~乎肌饥讥机叽奇~数鸡稽激击唧积缉通~圾	及级极吉急棘即集籍辑亟疾	己几挤给供~脊~梁济~南	季技忌记纪计寄既冀祭继际剂济鲫寂迹绩
q	欺妻凄栖期七柒漆缉~鞋口戚	其旗棋奇骑齐脐祈歧畦	起岂启企乞	气汽弃器砌泣讫迄
x	希稀溪熹嘻西牺兮熙犀吸膝蟋息熄析蜥淅晰昔惜夕汐悉锡	习席媳袭檄	洗铣喜徙	系戏细隙

(注)轻声:哩(li)

常用同韵字表 ü

声母＼声调	阴 平	阳 平	上 声	去 声
Ø	迂淤	于盂余予俞愉榆鱼渔娱愚舆渝	羽予~以与屿宇雨语	誉预豫喻谕愈裕吁芋寓遇御育域浴欲玉狱郁毓
n			女	衄鼻~
l		驴	吕侣铝旅缕屡履	虑滤律氯率效~绿

声调　　声母	阴　平	阳　平	上　声	去　声
j	居拘**鞠**	**局菊桔**	矩举咀沮	巨拒距炬句具俱惧飓锯据踞聚剧
q	区驱躯蛆趋**曲屈**	渠	取娶曲**歌**~	去趣
x	虚墟须需	徐	许	序叙婿絮绪**续畜**~牧**蓄恤旭**

i 韵母有 10 个音节,它不与 g 组(g、k、h)、z 组(z、c、s)、zh 组(zh、ch、sh、r)声母相拼。
ü 韵母只有 5 个音节,它不与 n、l、j、q、x 以外的声母相拼。

2.学习 i、ü 音节构成的词语

yī 衣	xì 戏	bǐ 笔	tī 梯
xū 虚	jù 句	qū 屈	lǚ 吕
bīpò 逼迫	pífū 皮肤	mǐlì 米粒	mìmì 秘密
dībà 堤坝	tíkū 啼哭	nǐrén 拟人	lìkè 立刻
jīqì 机器	qímǎ 骑马	xǐdí 洗涤	xìmí 戏迷
lúzi 驴子	nǚér 女儿	lǚlì 履历	lùsè 绿色
jūzhù 居住	qúdào 渠道	xǔkě 许可	xùshù 叙述

词语选用

壁橱 bìchú	笔误 bǐwù	敌意 díyì
地址 dìzhǐ	给养 jǐyǎng	利息 lìxī
律师 lǜshī	绿茶 lùchá	迷糊 míhu
米饭 mǐfàn	逆差 nìchā	奴隶主 núlìzhǔ
女主人 nǚzhǔrén	疲乏 pífá	譬如 pìrú
汽车 qìchē	驱逐机 qūzhújī	体育馆 tǐyùguǎn
稀客 xīkè	吸取 xīqǔ	

朗　读

江畔独步寻花　　　　杜甫

Huáng sì niáng jiā huā mǎn xī,　　　　黄四娘家花满溪,

Qiān duǒ wàn duǒ yā zhī dī.　　　千朵万朵压枝低。

Liúlián xìdié shíshí wǔ,　　　　留连戏蝶时时舞,

Zìzài jiāoyīng qiàqià tí.　　　　自在娇莺恰恰啼。

乌夜啼　　　　李　白

Huángyún chéng biān wū yù qī,　　　黄云城边乌欲栖,

Guī fēi yāyā zhī shàng tí.　　　　归飞哑哑枝上啼。

Jī zhōng zhī jǐn qínchuān nǚ,　　　机中织锦秦川女,

Bì shā rú yān gé chuāng yǔ.　　　碧纱如烟隔窗语。

Tíng suō chàngrán yì yuǎnrén,　　　停梭怅然忆远人,

Dú sù kōng fáng lèi rú yǔ.　　　独宿空房泪如雨。

卖鱼和牵驴

老齐去卖鱼,巧遇老吕去牵驴。

老齐要用老吕的驴去驮鱼。

老吕说老齐要用我的驴驮鱼就得给我鱼,

要不给我鱼就别用我老吕的驴去驮鱼。

二人争来争去都误了去赶集。

Mài　Yú　hé　Qiān　Lú

Lǎo Qí qù mài yú, qiǎo yù Lǎo Lǚ qù qiān lú,

Lǎo Qí yào yòng Lǎo Lǚ de lú qù tuó yú.

Lǎo Lǚ shuō Lǎo Qí yào yòng wǒ de lú tuó yú jiù děi gěi wǒ yú.

Yào bù gěi wǒ yú jiù bié yòng wǒ Lǎo lǚ de lú qù tuó yú,

Èr rén zhēnglái zhēngqù dōu wùle qù gǎnjí.

【第 七 讲】

直读单韵母 – i[ɿ]、– i[ʅ]、er 构成的音节

普通话的舌尖元音有两个：一个是舌尖、前、高、不圆唇元音 – i[ɿ]，一个是舌尖、后、高、不圆唇元音 – i[ʅ]。它们都是高元音、不圆唇元音，但发音部位的前、后有区别。发舌尖前元音 – i[ɿ]时，舌头平伸，接近上门齿背；发舌尖后元音时，舌尖向上微翘同时向后缩，接近齿龈与硬腭相接的地方（念"资"zi——i[ɿ]、枝 zhi——i[ʅ]，声音拉长，体会它们的发音）。舌尖前元音也叫平舌音，因为发音时舌尖是平伸的；舌尖后元音也叫翘舌音，因为发音时舌尖往上翘。

舌尖前元音与舌尖后元音除了发音不同以外，它们与声母配合的情况也不同，舌尖前元音只和声母 z、c、s 相拼，舌尖后元音只和声母 zh、ch、sh、r 相拼，与其他声母都不相拼。这里要说明的是，舌尖元音 – i[ɿ]、– i[ʅ]在与 z 组和 zh 组声母相拼时，" – i"前的短横要去掉，写成 zi、ci、si 和 zhi、chi、shi、ri。这样，从表面上看，zhi、zi 中的"i"与 bi、di、ji 等韵母中的"i"没什么区别，而实际上这仅仅是用一个字母来代表三个不同的音素，zi、zhi 中的"i"分别代表舌尖前元音和舌尖后元音，属于开口呼韵母，而 bi、di、ji 中的"i"是舌面前、高、不圆唇元音，属于齐齿呼韵母。所以我们就不能把 sìshìjì(四世纪)的韵母看成是同一个韵母。

普通话的卷舌元音只有一个 er,是卷舌、央、中、不圆唇元音。er 只能自成音节,不与任何声母相拼。

语 音 训 练

1.学习 i 韵母构成的音节

a	za	ca	sa	zha	cha	sha	
e	ze	ce	se	zhe	che	she	re
i	zi	ci	si	zhi	chi	shi	ri

常用同韵字表 – i(舌尖前元音)

声母 \ 声调	阴 平	阳 平	上 声	去 声
z	姿资咨兹滋辎吱孜		子仔籽姊滓紫	字自恣
c	差参~疵	词辞慈磁瓷雌	此	次赐伺刺
s	私思司斯撕丝鸶蛳		死	四肆似相~寺饲

(注)轻声:茅厕(si)

常用同韵字表 – i(舌尖后元音)

声母 \ 声调	阴 平	阳 平	上 声	去 声
zh	之芝支枝肢知蜘脂只织汁吱	直值植殖执侄职	止址趾纸指只	志痣智至致治痔制置滞稚挚帜秩掷质蛭窒炙
ch	痴蚩吃	池迟匙持弛驰	耻侈豉齿尺	翅炽斥赤叱饬
sh	尸诗师狮施虱湿失	时十什拾石识食蚀实	史使驶始屎矢	是士示视世似~的市柿恃试誓逝事势氏室释适饰式试弑

声母＼声调	阴平	阳平	上声	去声
r				日

(注)轻声：钥匙、骨殖(shi)

常用同韵字表 er

声母＼声调	阴平	阳平	上声	去声
Ø		儿而	耳尔饵	二贰

2.学习 i 音节构成的词语

zīsè 姿色	cíqì 瓷器	sǐlù 死路	sìhū 似乎
zhīfù 支付	zhíwù 植物	zhǐbù 止步	zhìcí 致词
chīfàn 吃饭	chíyí 迟疑	chǐrǔ 耻辱	chìrè 炽热
shīdù 湿度	shípò 识破	shǐcè 史册	shìgù 事故
rìqī 日期	rìjì 日记	rìlì 日历	rìzi 日子

词语选用

食堂 shítáng	吃醋 chīcù	尺码 chǐmǎ	次序 cìxù
此刻 cǐkè	司法 sīfǎ	死得其所 sǐdéqísuǒ	是否 shìfǒu
四舍五入 sìshě－wǔrù	事故 shìgù	示范 shìfàn	市区 shìqū
始末 shǐmò	时局 shíjú	治理 zhìlǐ	指责 zhǐzé
执笔 zhíbǐ	知趣 zhīqù	自习 zìxí	资格 zīgé

朗　读

欢 迎 你 再 来
Huānyíng Nǐ zài lái

一 天 夜 里， 一 个 小 偷 儿 来 到 一 个 商 店， 顺
Yī tiān yè li， yī ge xiǎo tōur lái dào yī ge shāng diàn， shùn

利 地 偷 走 了 很 多 东 西。
lì de tōu zǒu le hěn duō dōng xi.

过 了 些 日 子， 小 偷 儿 又 在 夜 深 人 静 的 时 候
Guò le xiē rì zi， xiǎo tōur yòu zài yè shēn rén jìng de shí hou

来 这 个 商 店 行 窃，结 果 被 巡 逻 的 警 察 抓
lái zhè ge shāng diàn xíng qiè, jié guǒ bèi xún luó de jǐng chá zhuā

住 了。
zhù le.

　　在 拘 留 所 里，一 个 警 官 审 问 他："第 一 次 没
Zài jū liú suǒ li, yī ge jǐng guān shěn wèn tā: dì-yī cì méi

被 抓 住，为 什 么 你 又 偷 第 二 次？"
bèi zhuā zhù, wèi shén me nǐ yòu tōu dì-èr cì?"

　　小 偷 儿 回 答 说："因 为 我 看 见 橱 窗 上 写
Xiǎo tōur huí dá shuō: "yīn wèi wǒ kàn jiàn chú chuāng shàng xiě

着 '欢 迎 你 再 来'。"
zhe 'huān yíng nǐ zài lái'."

课外阅读

　　我喜欢听市声。比我较有诗意的人在枕上听松涛，听海啸，我是非得听见电车响才睡得着觉的。在香港山上，只有冬季里，北风彻夜吹着常青树，还有一点电车的韵味。长年住在闹市里的人大约非得出了城之后才知道他离不了一些什么。城里人的思想，背景是条纹布的幔子，淡淡的白条子便是行驶着的电车——平行的，匀净的，声响的河流，汩汩流入下意识里去。

（节选自张爱玲《公寓生活记趣》）

普通话的声母

普通话有 21 个辅音声母。辅音是气流在口腔受到阻碍而发出的音。受阻的部位不同,发出的声音就不同;受阻的方法不同,发出的声音也不同。气流受阻的部位叫发音部位。普通话 21 个辅音声母根据发音部位可分为七组:

双唇音:b、p、m。发这三个声母时,由上唇和下唇接触形成阻碍。

唇齿音:f。发这个声母时,上齿轻轻接触下唇的内沿形成阻碍。

舌尖前音(平舌音):z、c、s。发这三个声母时,舌头平伸,舌尖抵住下齿背,由舌面最前端抵住或接近上齿背形成阻碍。

舌尖中音:d、t、n、l。发这四个声母时,舌尖抵住上齿龈形成阻碍。

舌尖后音(翘舌音):zh、ch、sh、r。发这四个声母时,舌尖上翘,与硬腭前部接触或接近形成阻碍。

舌面音:j、p、x。发这三个声母时,舌面前部与硬腭前部接触或接近形成阻碍。

舌根音:g、k、h。发这三个声母时,舌根与软腭接触或接近形成阻碍。

气流在口腔里受到阻碍和克服阻碍的方法,叫发音方法。辅音声母的发音方法,包括发音时形成阻碍和克服阻碍的方法即阻碍方式,气流的强弱

和声带是否颤动这三个方面。普通话21个辅音声母,根据阻碍方式可分为五组:

塞音:b、p、d、t、g、k。发音时阻碍的部位突然打开,气流从口腔中迸出所发出的一种爆破音。

擦音:f、h、x、s、sh、r。发音时气流从受阻部位形成的窄缝中挤出,摩擦成声。

塞擦音:j、q、z、c、zh、ch。发音时气流一开始先受到阻碍,随后从受阻部位所形成的窄缝中挤出来。

在普通话里,塞音、塞擦音和擦音声母都是6个。

鼻音:m、n。发音时声带颤动,气流不从口腔中出来,而从鼻腔流出。普通话只有这两个鼻音声母。

边音:l。发音时声带颤动,气流从舌头两边通过。普通话里只有这一个边音声母。

根据发音时声带是否颤动,可以把普通话辅音声母分为清音(声带不颤动)和浊音(声带颤动)两类。普通话21个辅音声母只有 m、n、l、r 4个声母是浊音,其余17个声母全是清音。根据气流的强弱,把塞音、塞擦音分为送气音和不送气音两类:

不送气音(气流较弱):b、d、g、j、z、zh

送气音(气流较强):p、t、k、q、c、ch

普通话里送气和不送气声母也各是6个。

根据普通话声母的发音部位和发音方法,我们列一个普通话声母表。从表中我们可以看清每一个声母的发音部位和发音方法,比如 b 是"双唇不送气清塞音",ch 是"舌尖后送气清塞擦音"。这既是对 b、ch 这两个声母的称说,又是我们要发准这两个声母必须掌握的发音要领。

普通话声母表

发音方法 声母 发音部位	塞音		塞擦音		擦音		鼻音	边音
	清音		清音		清音	浊音	浊音	浊音
	不送气音	送气音	不送气音	送气音				
双唇音	b 标兵	p 批评					m 美妙	

发音方法\发音部位	塞音		塞擦音		擦音		鼻音	边音
	清音		清音		清音	浊音	浊音	浊音
	不送气音	送气音	不送气音	送气音				
唇齿音					f 丰富			
舌尖中音	d 电灯	t 团体					n 牛奶	l 理论
舌根音	g 改革	k 开垦			h 欢呼			
舌面音			j 奖金	q 气球	x 学习			
舌尖前音			z 总则	c 粗糙	s 松散			
舌尖后音			zh 周转	ch 长城	sh 山水	r 柔软		

普通话里绝大多数音节是以辅音声母开头的,也有一部分音节的开头没有辅音声母(韵母自成音节),这些音节的声母叫做"零声母"。普通话零声母音节有四组:"i"或以"i"起头的;"u"或以"u"起头的;"ü"或以"ü"起头的;以 i、u、ü 以外的元音起头的。

语音训练

1.认读下列音节,体会辅音声母的发音部位

b p m　bābù　pápō　mǔmǎ　mìbì

f　fāfú　fófǎ　fùfā　fúfǎ

z c s　zīsè　cǐcì　sèsù

zh ch sh r　zhēzhù　chíchú　shǔshí　rùshè(入社)

d t n l　dàdí　tītàwǔ　nǔnú　lùlù

j q x　jīqì　qíxí　qǐjū　xìjù

g k h　gūkǔ　hékǔ　gǔgé　kèkǔ

2.认读下列音节,体会声母的发音方法

| b d g | bǐbó bódà dàgē gēbo bù gūdú |

| p t k | pípa pàkǔ píkù pà tíkū |

bóbo – pópo　dīgū – tíkū　gēge – kēkè

| j z zh | jízi jīzhì zìjù zhájì júzizhīr |

| q c ch | qíqū cíqù qùchē qíchē qùcāchē |

jíjù　qíqū　zìjǐ – cìji　zhúzi – chúzi

| f h x s sh r | fùhé Xī Hú xīfú shūfu shūhu rúshí shūrù sīshú |

xìsī sìshū fúshì

| m n l | mǔnǚ nǔlì móní lāmò Mǎnílā |

3.认读零声母音节

āyí	èyì	àihù	ānyì	ēnzé	òuqì
yíyì	yāpò	yǒuyì	yèshì	yányǔ	yǐngzi
wūyā	wǔnǚ	wàzi	wàishì	wénjù	wàngjì
yùyì	yuèjù	yuànyì	yùnqi		

词语选用

织布机 zhībùjī	离合器 líhéqì	地质系 dìzhìxì
打谷机 dǎgǔjī	理发室 lǐfàshì	食宿自理 shísù zìlǐ
母子候车室 mǔzǐ hòuchēshì	洗衣机 xǐyījī	汽车司机 qìchē sījī
基础课 jīchǔkè	法律系 fǎlùxì	魔术师 móshùshī
捕鼠器 bǔshǔqì	书法大师 shūfǎ dàshī	自治区 zìzhìqū
大踏步 dàtàbù	地图集 dìtújí	四步曲 sìbùqǔ
艺术系 yìshùxì	历史课 lìshǐkè	

4.读下列四字格并注出每个字的声母

包罗万象	满面春风	普天同庆	谈虎色变
老当益壮	歌功颂德	奇耻大辱	势如破竹

钱塘江春行　　　白居易

Gūshānsì běi Jiǎtíng xī,　　　孤山寺北贾亭西，
Shuǐmiàn chū píng yúnjiǎo dī.　　水面初平云脚低。
Jǐchù zǎoyīng zhēng nuǎn shù,　　几处早莺争暖树，
Shuíjiā xīnyàn zhuó chūnní.　　谁家新燕啄春泥。
Luànhuā jiàn yù mí rén yǎn,　　乱花渐欲迷人眼，
Qiǎncǎo cáinéng mò mǎtí.　　浅草才能没马蹄。
Zuì ài hú dōng xíng bù zú,　　最爱湖东行不足，
Lǜ yáng yīn lǐ bái shādī.　　绿杨阴里白沙堤。

饮茶歌

Tàngchá yì shāng rén,　　　烫茶易伤人，
Jiāngchá néng zhì lì,　　　姜茶能治痢，
Cōngchá zhì gǎnmào,　　　葱茶治感冒，
Tángchá yǎng píwèi;　　　糖茶养脾胃；
Fàn hòu chá xiāo shí,　　　饭后茶消食，
Jiǔhòu chá jiě zuì,　　　酒后茶解醉，
Wǔchá zhù jīngshen,　　　午茶助精神，
Wǎnchá nán rùshuì;　　　晚茶难入睡；
Kōngdù chá huāng xīn,　　　空肚茶慌心，
Géyè chá shāng wèi,　　　隔夜茶伤胃，
Guòliàng chá shòu rén,　　　过量茶瘦人，
Wēndàn chá shuǎng yì.　　　温淡茶爽意。

【第 九 讲】

声母辨正(一)

　　方言区的人学习普通话声母主要有两个问题:一是发音问题,二是辨字问题。发音问题是指普通话里有而方言中没有的声母。比如普通话里有翘舌音 zh、ch、sh 和平舌音 z、c、s,而许多地方却只有平舌音而没有翘舌音。又如普通话里有舌尖中鼻音 n 和边音 l,而有些地方却只有 l 没有 n,这就要求这些方言区的人要学会发准翘舌音和舌尖中鼻音。要发准某一个声母,既要掌握它的发音部位,还要掌握它的发音方法。z 和 zh 的区别是发音部位的问题,z 是舌尖前音,zh 是舌尖后音;n 和 l 的区别是发音方法的问题,n 是鼻音,l 是边音。所谓辨字就是要搞清楚哪些字属于哪一类声母。能发准音不一定能辨字。比如会发 z、c、s 和 zh、ch、sh,还要弄清资、材、算三字分别属于 z、c、s 声母,而支、柴、涮三字分别属于 zh、ch、sh 声母。

　　山西各地方言从声母看,与普通话大同小异。山西方言区的人学习普通话声母的主要难点是:1.零声母音节的发音;2.翘舌音声母的发音以及翘舌音声母字同平舌音字的分辨;3.送气音与不送气音的分辨;4.f 与 h、n 与 l 的分辨。这些难点有的是全省性的问题,有的是地区性问题。发准这些声母并弄清它们的归字,是山西人学好普通话声母的关键。

分辨 zh、ch、sh 与 z、c、s——"小张"不是"小臧", "木柴"不是"木材","商业"不是"桑叶"

这两组声母在山西方言中的大体分合情况是：

1. z、c、s 与 zh、ch、sh 不分，即资＝知、此＝齿、寺＝事

这有两种类型：一是都念成翘舌音 zh、ch、sh，一是都念成平舌音 z、c、s。属于第一类的方言很少，只有晋东南的晋城、陵川、高平等少数县市；属于第二类的全省共有 37 个县市，其中包括中部方言区的 12 个县市(太原、阳曲、清徐、榆次、太谷、交城、文水、祁县、寿阳、榆社、灵石、盂县)，西部方言区 7 个县市(离石、中阳、柳林、岚县、静乐、兴县、汾西)，北部方言区的 10 个县市(怀仁、应县、平鲁、五台、浑源、五寨、宁武、神池、灵丘、广灵)，南部方言区的 2 个县市(曲沃、闻喜)和东南部方言区的 6 县市(长治、屯留、长子、沁县、武乡、襄垣)。

2. 能分 z、c、s 与 zh、ch、sh 的

这有几种不同情况：

(1)归字同普通话大致相当的有临汾、阳城和沁源 3 县市。

(2)z 组字比 zh 组字多的，即把在普通话里念翘舌音 zh、ch、sh 的字念成了平舌音 z、c、s 的。如"争、茶、诗"的声母分别念成 z、c、s。属于这类情况的有 39 个县市，包括中部平遥、介休、孝义、昔阳、左权等 8 县市，西部汾阳、大宁、离石、隰县等 9 县市，北部大同、左云、繁峙、忻州、原平等 16 县市和南部的乡宁、垣曲、霍州等 6 县市。

(3)把 zh 组字念成舌面音 j、q、x 的。如潞城、黎城两县，"张昌商"的声母分别念成 j、q、x。

(4)把普通话里 zh、ch、sh、r 同合口呼韵母相拼的字变为唇齿音声母[pf][pfʻ][f][v]，如"猪出书入"分别念成[pfu、pfʻu、fu、vu]，南部方言的大部分县市有这一特点(其中有些地方虽然"猪出"的声母不念[pf、pfʻ]，但"书入"的声母仍念[f、v])。

练习翘舌音和平舌音，首先要掌握发音要领。这两组音发音方法是两两相同的。不同的只是发音部位。发 zh、ch、sh 时，舌尖向上向后微翘，嘴

微开。如果对着镜子观察口形,可以看到舌尖翘起后的底面;发 z、c、s 时,嘴张不开,门齿对齐,舌尖向前平伸,抵住或接近上门齿,对着镜子看不到舌尖的位置。

下列单字的声母是不同的,每组两个字,横线"-"前边的是平舌音声母字,后边的是翘舌音声母字。

zī 资 - zhī 支　　　　zé 则 - zhé 折　　　　zǔ 祖 - zhǔ 主

zuàn 钻 - zhuàn 赚　　cū 粗 - chū 出　　　cái 材 - chái 柴

cǎn 惨 - chǎn 产　　　cuàn 窜 - chuàn 串　　sī 司 - shī 师

sú 俗 - shú 熟　　　　sǎo 嫂 - shǎo 少　　　suàn 算 - shuàn 涮

学会了平翘舌音的发音,就应该分辨平翘舌音的字了。在 3000 多个常用的汉字中,声母是 zh、ch、sh 和 z、c、s 的字就有约 900 个,其中平舌音字约占 30%,翘舌音字约占 70%。要一个个记住这些字是很不容易的,我们在这里给大家提供几种分辨的方法。

1.利用形声字的声旁类推

(1)记住某几个常用简单字的读音来类推

汉字中约有 90% 的形声字,一般来说形声字的声旁有注音作用,因此,我们可以利用一部分声旁来类推某些字的读音。

例如:

朱 zhū - zhū 侏 诛 邾 茱 洙 珠 株 铢 蛛,shū 殊 姝

昌 chāng - chāng 菖 阊 猖 娼 鲳,chàng 倡 唱

申 shēn - shēn 伸 呻 绅 砷,shén 神,shěn 婶

子 zǐ - zī 孜,zǐ 仔 籽,zì 字

次 cì - zī 姿 咨 资,cí 瓷,zì 恣

司 sī - cí 词 祠,sì 伺 饲

(2)声旁读 d、t 声母的字,大都读翘舌音

例如:

"滞绽澄橙侈蝉阐禅说税磢终鸥铛(烙饼铛)膻擅颤",声旁声母都是 d;

"治笤始朏纯社撞幢瞠蛇",声旁声母都是 t。

(3)声旁的声母虽然不读 d、t,但是这个声旁和读 d、t 的字有关(包括一些较生偏旁),大都也读翘舌音。例如:

寺(等、待、特):诗恃侍峙持痔

也(地、他、拖):池驰弛施

尤(耽、眈):枕忱沈鸩

耑(端、湍):揣踹喘惴

商(滴):摘谪

隹(堆、推):稚椎锥翟准谁

享(敦):淳醇谆鹑

2.利用声韵拼合规律

例如:z、c、s绝不和韵母 ua、uai、uang 相拼,所以"抓刷耍揣踹拽甩帅率~领摔庄桩妆装壮状撞窗疮床闯创双霜爽"等字就可以放心地读翘舌声母了。再如:普通话里,翘舌声母 sh 绝不和韵母 ong 相拼,这样"松淞忪嵩竦悚怂宋讼颂送诵"等字也可放心地读平舌声母了。

3.利用某些字形辨别字音

如汉字中以"亠"当头的是翘舌音。如"主市产章商畜率衰衷斋"都念翘舌音。只有"卒"念平舌音。再如用"卜"和"小"当头的也念翘舌音。如"上占桌贞"和"尚常裳掌少省"等。

4.利用记少不记多的办法

普通话里平翘舌音字共约 900 个,其中平舌音字只有 200 多个。同是跟韵母 ou 相拼,平舌音 c 声母字只有一个"凑"字,其余如"抽仇丑臭"等都念翘舌音声母 ch;同是跟韵母 a 相拼,平舌音 c 声母只有一个"擦"字,其他的如"察叉查岔"等许多字都读翘舌音 ch 声母;跟韵母 en 相拼的平舌音声母字只有 4 个,它们是"怎参差岑森",其余的像"真镇陈衬深神"等字都读翘舌音声母;跟韵母 eng 相拼的,平舌音声母字只有"曾憎增赠层蹭僧"7 个字,其他像"争成生"以及以它们为声旁的许多字都念翘舌音声母。和其他一些韵母相拼也有平舌音少翘舌音多这一特点。我们可以用记少不记多的方法来帮助记忆。

5.口诀记忆法

(1)根据普通话声韵配合规律编口诀

①uang、uai、ua 翘舌不用怕。(平舌声母不与这三个韵母相拼)

②sōng(松)、sǒng(耸)、sòng(宋)翘不动。(翘舌声母 sh 不与 ong 相拼)

(2)选出最有代表性的翘舌音字编口诀,以便类推。如:

"少者周中尚,壮者朱召昌,长者章主丈。"这个口诀中的13个字的声母都是翘舌音,用这13个字作声旁构成的100多个形声字,声母也都是翘舌音。

6.利用《zh、ch、sh 和 z、c、s 对照辨音字表》全面记忆

前5种办法都是记忆部分字的办法,要想全面掌握平翘舌音声母的字,最好的办法就是利用《zh、ch、sh 和 z、c、s 对照辨音字表》,这个表不但把常用的平翘舌音字全部包括了进去,而且对于形声字声旁类推、类推时的例外字以及声韵拼合规律均可一目了然。

zh、ch、sh 和 z、c、s 对照辨音字表

说明:表中的数字表示声调,①是阴平,余类推。黑体字是代表字。

声母 韵母 例字	zh	z
a	①扎驻~渣②闸铡扎挣~札信~眨④乍炸诈榨蚱栅	①扎包~匝②杂砸
e	①遮②折哲辙③者④蔗浙这	②泽择责则
u	①朱珠蛛株诸猪②竹烛逐③主煮嘱④注蛀住柱驻贮祝铸筑箸	①租②族足卒③组阻祖
-i	①之芝支枝肢知蜘汁只织脂②直植殖值侄执职③止址趾旨指纸只④至室致志治质帜挚掷秩滞制智稚痔	①兹滋孳姿咨资孜龇锱辎③子仔籽梓滓紫④字自恣渍
ai	①摘斋②宅③窄④寨债	①灾哉栽③宰载④再在载~重
ei	这	②贼
ao	①昭招朝②着③找爪沼④照召赵兆罩	①遭糟②凿(统读)③早枣澡④造皂灶躁燥
ou	①州洲舟周粥②轴③帚肘④宙昼咒骤皱	①邹③走④奏揍
ua	①抓③爪~子	
uo	①桌捉拙②卓着酌灼浊镯啄琢	①作~坊②昨③左④坐座作柞祚做
uai	①拽④拽	
ui	①追锥④缀赘坠	③嘴④最罪醉
an	①沾毡粘③盏展斩④占站战栈绽蘸	①簪②咱③攒④赞暂
en	①贞侦祯桢真帧③疹诊枕缜④振震阵镇	③怎
ang	①张章樟彰②长掌涨~潮④丈仗杖帐涨头昏脑~瘴障	①赃脏肮~④葬藏脏

例字\声母\韵母	zh	z
eng	①正～月征争睁筝挣③整拯④正政症证郑挣～命	①曾憎增④赠
ong	①中盅忠钟衷终②肿种～子④中打～种～植仲重众	①宗踪棕综鬃③总④纵粽
uan	①专砖③转④传转～动撰篆赚	①钻③纂④钻～石
un	①谆②准	①尊遵
uang	①庄桩装妆④壮状撞	

例字\声母\韵母	ch	c
a	①叉杈插差～别②茶搽查察③衩④岔诧差～错	①擦
e	①车③扯④彻撤掣	④册策厕侧测恻
u	①出初②除厨橱锄躇刍雏③楚础杵储处～分④畜触矗处	①粗④卒仓～猝促醋簇
-i	①吃痴嗤②池弛迟持匙③尺齿耻侈豉④斥炽翅赤叱	①疵差参～②雌辞词祠瓷慈磁③此④次伺刺赐
ai	①差拆钗②柴豺	①猜②才财材裁③采彩踩④菜蔡
ao	①抄钞超②朝潮嘲巢③吵炒	①操糙②曹漕嘈槽③草
ou	①抽②仇筹畴踌绸稠酬愁③瞅丑④臭	④凑
uo	①踔戳④绰～号辍惙啜	①搓蹉撮④措错挫锉
uai	③揣踹	
ui	①吹炊②垂锤捶槌	①崔催摧④萃悴淬翠粹脆
an	①搀掺②蝉禅谗馋潺缠蟾③铲产阐④忏颤	①餐参②蚕残惭③惨④灿
en	①琛嗔②辰晨宸沉忱陈臣④趁衬称相～	①参～差②岑
ang	①昌猖娼伥②常嫦尝偿场肠长③厂场敞氅④倡唱畅怅	①仓苍舱沧②藏
eng	①称撑②成诚城盛～水呈程承乘澄橙惩③逞聘④秤	②曾层④蹭
ong	①充冲舂②重～新虫崇宠③宠	①匆葱囱聪②从丛淙
uan	①川穿②船传椽③喘④串钏	①蹿②窜篡
un	①春椿②唇纯淳醇③蠢	①村②存③忖④寸
uang	①窗疮创～伤②床③闯④创～造	

例字 声母 韵母	sh	s
a	①沙纱砂痧杀杉～木③傻④煞厦大～	①撒③洒撒～种④卅萨飒
e	①奢赊②舌蛇佘③舍施～④社舍宿～射麝设摄涉赦	④色瑟啬涩塞
u	①书梳疏蔬舒殊叔淑输抒纾枢②孰熟成～塾赎③署暑薯曙鼠数属黍④树竖术述束漱恕数	①苏酥②俗④素塑诉肃粟宿速
-i	①尸师狮失施诗湿虱②十什拾石时识实食蚀③史使驶始屎矢④世势誓逝市示事是视室适饰士氏恃式试拭轼弑	①司 私 思 斯 线 鸶③死④四 肆 似 寺 伺～机
ai	①筛④晒	①腮鳃塞④塞要～赛
ao	①捎稍艄烧②勺芍杓韶③少④少哨绍邵	①臊骚搔③扫嫂④扫臊害～
ou	①收②熟～了③手首守④受授寿售兽瘦	①溲嗖飕搜艘馊③叟擞④嗽
ua	①刷③耍	④刷
uo	①说④硕烁朔	①缩娑蓑梭唆③所锁琐索
uai	①衰③甩④帅率蟀	
ui	②谁③水④税睡	①虽尿荽②绥隋随遂半身不～③髓④岁碎穗隧燧遂～心邃
an	①潸山舢删衫杉珊姗栅跚扇煽③闪陕④扇善膳缮擅赡	①三叁③伞散～文④散
en	①伸伸呻身深参人～②神③沈审婶④慎肾甚渗	①森
ang	①商墒伤③晌垧赏上④上尚	①桑丧～事③嗓④丧～失
eng	①生牲笙甥升声②绳③省④圣胜盛剩	①僧
ong		①松③悚怂耸④送宋讼颂诵
uan	①拴栓④涮	①酸④算蒜
un	④顺	①孙③笋损
uang	①双霜③爽	

语 音 训 练

1.分辨 zh、ch、sh 和 z、c、s,注意发音部位的不同,对比练习

z – zh

zǔlì 阻力 – zhǔlì 主力   zǎodào 早稻 – zhǎodào 找到

zīshì 姿势 – zhīshi 知识   zìxù 自序 – zhìxù 秩序

zàopiàn 皂片 – zhàopiàn 照片   Xiǎo Zōu 小邹 – Xiǎo Zhōu 小周

zīyuán 资源 – zhīyuán 支援

c – ch

mùcái 木材 – mùchái 木柴   cūnzhuāng 村庄 – chūnzhuāng 春装

yúcì 鱼刺 – yúchì 鱼翅   cāozòng 操纵 – chāozhòng 超重

èrcéng 二层 – èrchéng 二成   cāshǒu 擦手 – chāshǒu 插手

cóngchàng 从唱 – chóngchàng 重唱

s – sh

sīrén 私人 – shīrén 诗人   sāngē 三哥 – shāngē 山歌

sōují 搜集 – shōují 收集   sāngyè 桑叶 – shāngyè 商业

sùmiáo 素描 – shùmiáo 树苗   shàngsù 上诉 – shàngshù 上树

wǔsuì 五岁 – wǔshuì 午睡

2. 读出下列单音节字词

z	zá 砸	zài(zǎi) 载	zán 咱	zàn 暂	zǎo 藻
zh	zhǎ 眨	zhǎn 盏	zhāng 张	zhào 赵	zhē 遮
	zhèng 郑	zhì 质	zhòu 皱	zhú 竹	zhī 只
c	cán 残	cí 辞	cì 赐	cù 簇	cuàn 窜
ch	chán 缠	cháo 巢	chě 扯	chén 陈	chēng 撑
	chéng 程	chī 吃	chì 赤	chǔ 楚	chuàn 串
s	sāi 鳃	sú 俗	sù 速	suǐ 髓	suì(suí) 遂
sh	shé 蛇	shèn 肾	shì 适	shì 室	shù 束

3. 词语练习

zh、ch、sh 连用

zh + zh	zhēnzhū 珍珠	zhòngzhí 种植	zhízhào 执照
	zhùzhái 住宅		

ch + ch	chāochǎn 超产	chéngchóng 成虫	cháng·chù 长处
	chēchuáng 车床		
sh + sh	shàngshì 上市	shǒushù 手术	shuìshōu 税收
	shǎnshuò 闪烁		
zh + ch	zhǎnchì 展翅	zhāngchéng 章程	zhāichú 摘除
zh + sh	zhēngshōu 征收	zhīshi 知识	zhuāngshì 装饰
ch + zh	chuānzhuó 穿着	chángzhù 常住	chéngzhèn 城镇
ch + sh	chénshù 陈述	chángshòu 长寿	cháoshuǐ 潮水
sh + zh	shèzhì 摄制	shénzhōu 神州	shīzhǎn 施展
sh + ch	shāngchǎng 商场	shěngchéng 省城	shuōchàng 说唱
多音节	zhíxiáshì 直辖市	zhēngliúshuǐ 蒸馏水	shénjīngzhì 神经质
	zhǔchírén 主持人		

z、c、s 连用

z + z	zǔzōng 祖宗	zìzai 自在	zòngzi 粽子
c + c	céngcì 层次	cāicè 猜测	cāngcuì 苍翠
s + s	sīsuǒ 思索	sùsòng 诉讼	sèsù 色素
z + c	zìcóng 自从	zīcái 资财	zǔncóng 遵从
z + s	zǐsūn 子孙	zànsòng 赞颂	zǔsè 阻塞
c + z	cāozòng 操纵	cūnzi 村子	cáozá 嘈杂
c + s	cǎisù 彩塑	cānsài 参赛	cèsuàn 测算
s + z	suǒzài 所在	sāizi 塞子	sèzé 色泽
s + c	sùcái 素材	suícóng 随从	sīcǔn 思忖

zh、ch、sh 和 z、c、s 混用

zh + z	zhènzi 镇子	zhǔzǎi 主宰	zhuīzōng 追踪

zh + c	zhùcè 注册	zhōngcéng 中层	zhòngcái 仲裁
zh + s	zhěnsuǒ 诊所	zhúsǔn 竹笋	zhùsù 住宿
ch + z	chēngzàn 称赞	chēzi 车子	chuàngzuò 创作
ch + c	chǔcún 储存	chúncuì 纯粹	chàngcí 唱词
ch + s	chǎngsuǒ 场所	chénsī 沉思	chūsè 出色
sh + z	shǐzǔ 始祖	shǒuzé 守则	shuǐzāi 水灾
sh + c	shōucáng 收藏	shùncóng 顺从	shǒucè 手册
sh + s	shūsàn 疏散	shìsú 世俗	shūsōng 疏松

4.读汉字写出拼音

终身制　　　　　　　　出入证　　　　　　　　申请书

振振有词　　　　　　　绰绰有余　　　　　　　姗姗来迟

5.句子练习

(1)朗读下列句子,用汉语拼音拼写带点的字

①太原晋祠的圣母殿中有42尊仕女泥塑像。

②介休绵山有许多古代建筑和碑刻彩塑。

③山西长治,秦为上党,所产的参,世称党参。

④山西恒山黄芪是驰名中外的珍贵药材。

(2)认读下列句子

①Wǒ xìng Zhāng bù xìng Zāng.

②Shí jiàn chū zhēnzhī.

③Tā shì yī wèi shīrén de sīrén mìshū.

④Zhè shì shàngděng de mùcái.

⑤Nǐjiā zhù zài sì lóu ma?

6.朗读下面绕口令

　　报纸是报纸,刨子是刨子,报纸能包刨子,不能包桌子;刨子能刨桌子,不能刨报纸。

　　Bàozhǐ shì bàozhǐ, bàozi shì bàozi, bàozhǐ néng bāo bàozi, bùnéng bāo zhuōzi; bàozi néng bào zhuōzi, bùnéng bào bàozhǐ.

这是蚕,那是蝉。蚕常在叶里藏,蝉藏在树里唱。

Zhè shì cán, nà shì chán. Cán cháng zài yèli cáng, chán cáng zài shùli chàng.

狮子山上狮子寺,山寺门前四狮子。狮子看守狮子寺,山寺保护石狮子。

Shīzishān shàng shīzisì, shānsì mén qián sì shīzi. Shīzi kānshǒu shīzisì, shānsì bǎohù shíshīzi.

课 外 阅 读

饮食与社交

有一次,在剑桥大学同一位英国朋友谈起"食文化"。他讲道,法国人夸耀法国大菜,而贬低英国饭菜,说英国人是 EAT TO LIVE(吃是为了活)。英国人便反唇相讥,说法国人是 LIVE TO EAT(活是为了吃)。依我之见,双方虽都有失偏颇,却也都不乏一定道理。

"吃是为了活",说明饮食与生活是紧紧相关的。所以,我国经济发展"三步走"战略的第一步就是解决温饱问题。公正地说,英国的"吃"在世界上是排不上的。然而,英国早餐(ENGLISH BREAKFAST)很有特色:炸咸肉、煎鸡蛋、煮黄豆(加番茄酱)、香肠、蘑菇、西红柿,外加黄油面包、牛奶咖啡、鲜橘汁、多种杂粮薄脆片,既可口又经济。还有英国快餐,炸鳕鱼和土豆条 FISH AND CHIPS,至今想起,口里还流涎水呢。

"活是为了吃","吃"不是活的目的。法国人同样有自己的理想和追求。但是,法国人像中国人一样讲究吃。法国大菜也像中国饭菜誉满全球。法式宴席上不仅讲究菜,还特别讲究酒:海鲜配白色酒,鸡肉配粉色酒,牛羊猪肉配红色酒。还有什么饭前酒、饭后酒,令人眼花缭乱。

(节选自蔡佩仪《朝思暮记》)

【 第 十 讲 】

声母辨正(二)

读准普通话的零声母字——"恩爱"不是"能耐"，
"疑心"不是"泥心"

普通话中的很多零声母字，在山西方言中加上了辅音(或者半元音)声母，大致情况如下：

1.在某些开口呼零声母音节(如 e、ai、ao、ou、an、en、ang 等)的前面加鼻音声母 ng、n 或浊擦音[ɣ]

(1)加 ng 声母的

这种情况在全省有 81 个县市，包括晋中的 20 个县市(不包括太原市)，吕梁的 25 个县市，晋东南 6 个(长治、长子、沁县、武乡、襄垣等)，晋北 16 个(阳高、天镇、应县、忻州、左云、五台、宁武、五寨等)，晋南几乎全部县市。这些地区的人把"挨饿"说得近似 ngainge，把"恩爱"说得近似 ngen(或 ngeng)ngai。

(2)加 n 声母的

这种情况主要表现在晋北，像大同、怀仁、右玉、应县、忻州、平鲁、浑源、灵丘、山阴等地。这些地方的人把"挨饿"说成 nainuo，把"恩爱"说成 nengnai。

(3)加浊擦音[ɣ]的

这种情况存在于太原市、晋东南的潞城、黎城、平顺、壶关、屯留、晋城、阳城、陵川、高平。

2.在某些齐齿呼零声母音节(如 yi、ya、yan、yin、yao、ying)前加[ȵ]声母([ȵ]是一个舌面前浊鼻音，它和 j、q、x 的发音部位相同，普通话中没有这个声母)

这种情况在山西中部和南部方言中十分普遍。像平遥、介休、灵石、文水、汾阳、临汾、运城等地方言把"疑、椅、严、硬"分别念得和当地方言"泥、你、年、宁"同音。

3.在某些合口呼零声母音节读 v 声母

v 是和 f 同部位的一个浊擦音，普通话中没有这个音，但在山西方言中合口呼韵母读 v 声母是十分普遍的，如山西中部的太原市、清徐、榆次、太谷、寿阳、榆社、娄烦、盂县、阳曲、阳泉、平定、昔阳、左权、汾阳、临县、静乐等地，晋东南的武乡、沁县，晋北的朔县、代县、神池、宁武、偏关、河曲、广陵等地，这些地区把"五"wǔ 读成 vu，把"娃"wá 读成 va。

4.在某些撮口呼零声母音节前加[ȵ]

在晋中、晋南许多县市，把"鱼"yú、"语"yǔ 等撮口呼韵母字前面加[ȵ]。

在零声母音节前加辅音声母，纠正起来是比较容易的。凡是加了普通话中没有的声母如 ng、[ɣ]、[ȵ]、v 的，注意把它们去掉就好了；加了 n 声母的应该记住普通话中的开口呼零声母字，注意下列单字的发音，它们都是零声母音节：

ē 阿 ~ 谀	ái 癌	ǎo 袄	òu 沤	ēn 恩	áng 昂	ǎn 俺
àn 按	yā 鸭	yán 严	yǐ 椅	yì 义	yín 银	yìng 硬
wēi 威	wá 娃	wǎn 碗	wàng 忘	yǔ 语	yuè 岳	

在记忆零声母字时也可以利用形声字声旁类推法。如："妪区 ōu－欧殴讴鸥呕怄沤"等一系列字都是零声母音节。

语 音 训 练

熟记普通话中的零声母字,去掉自己方言比普通话多的声母。

1.读下列单音节字词

开口呼　āo(áo)熬　ā(ē)阿　é俄　é额　ēn恩

　　　　　ě(è)(wù)恶　ér而　ěr尔　ái癌　ān庵

齐齿呼　yā鸭　yá芽　yà亚　yán严　yán炎

　　　　　yǎn眼　yǎng仰　yǎo咬　yè业　yín银

合口呼　wǎ(wà)瓦　wán完　wǎn挽　wāng汪

　　　　　wǎng网　wěi伪　wěn吻　wū巫

撮口呼　yú鱼　yǔ语　yù遇　yuē曰

　　　　　yú愚　yù狱　yù寓　yuè岳

2.开口呼音节词语练习

　　ái'é 挨饿　　　　āidào 哀悼　　　　áibiàn 癌变　　　　àifǔ 爱抚

　　Ānlǐhuì 安理会　　ángyáng 昂扬　　Àoyùnhuì 奥运会　　Gǎng'Ào 港澳

　　shuì'é 税额　　　　ōugē 讴歌　　　　ōudǎ 殴打　　　　ǒu'ěr 偶尔

3.齐齿呼音节词语练习

　　yāpò 压迫　　　　yánmì 严密　　　　yánhǎi 沿海　　　　yèwù 业务

　　yíqì 仪器　　　　yíwèn 疑问　　　　yínháng 银行　　　　Yàzhōu 亚洲

　　yáyín 牙龈　　　　yānmò 淹没　　　　yáncéng 岩层　　　　yǎnjiǎn 眼睑

　　yèzhǔ 业主　　　　yèjì 业绩　　　　yínxìng 银杏　　　　yìngjiàn 硬件

　　yánjiūshēng 研究生　　　　　　yíngguāngpíng 荧光屏

4.合口呼音节词语练习

　　wājué 挖掘　　　　wáwa 娃娃　　　　wāiqū 歪曲　　　　wàihuì 外汇

　　wàishāng 外商　　　wàizī 外资　　　wàiwén 外文　　　wǎnqī 晚期

wéifǎ 违法　　wéirào 围绕　　wéixiū 维修　　wěituō 委托

wénwù 文物　　wányìr 玩意儿　　wǎngqiú 网球　　wàngjì 旺季

wēiwǔ 威武　　wēi'é 巍峨　　wéiyuē 违约　　wēnxīn 温馨

wēnyì 瘟疫　　wénběn 文本　　wúwèi 无畏　　wǔqǔ 舞曲

wǔtīng 舞厅　　wàng'ēn – fùyì 忘恩负义

5. 撮口呼音节词语练习

　　yǔwén 语文　　yùyán 预言　　yúléi 鱼雷　　yúcūn 渔村

　　yùchí 浴池　　yuēdìng 约定　　yuèfù 岳父　　yùnniàng 酝酿

6. 读汉字写出拼音

偶像	偶然性	恶劣	癌症	澳门	爱国
黑暗	姓区	鸭绒	牙刷	语言	轧道机
严肃	砚台	燕子	大雁	仪表	蛙泳
女娲	弯路	灭亡	网兜	伟人	五线谱

7. 拼读下列句子

　　(1) Ōuyáng Ài huáiyí wūli yǒu rén.

　　(2) Wǔ wèi ēnrén de ēnqíng jué bù wàng.

　　(3) Wǒ huáiyí tā názǒule wǒ de yíqì.

　　(4) Nǐ yào dào Ōuzhōu qù, wèishénme bù zǎo gàosu wǒ ya?

8. 拼读下面的古诗, 注出汉字并说出这首诗的题目

　　Lǐ Bái chéng zhōu jiāng yù xíng,

　　hū wén àn shàng tà gē shēng.

　　Táo huā tán shuǐ shēn qiān chǐ,

　　bù jí Wāng Lún sòng wǒ qíng.

分辨 f 与 h——"姓冯"和"姓洪"不一样,"公费"、"工会"也不同

　　山西的祁县、平遥、介休、灵石、孝义、汾阳、交城、文水、方山、交口、石楼、中阳、柳林、离石等县的方言中没有 f 声母, 所以, 他们说的"姓冯"和"姓洪"同音,"纷乱"和"昏乱"同音。

没有 f 声母的地区首先要学会 f 的发音。f 和 h 都是清擦音,不同的是气流在口腔里受阻的部位不同。发 f 时,气流从下唇和上门齿的窄缝中挤出,它是个唇齿摩擦音,而 h 是舌根摩擦音。试读下面的每组字,比较声母的发音部位。

fā 发 – huā 花　　　　fū 夫 – hū 呼　　　　佛 fó – huó 活

fēi 非 – huī 灰　　　　fān 番 – huān 欢　　　分 fēn – hūn 昏

fáng 房 – huáng 黄　　　féng 逢 – hóng 红

下面我们介绍几种分辨 f、h 声母字的方法:

1.利用形声字偏旁类推

从两组韵母相同的汉字中,分别记住简单的常用字,作为形声字类推的依据。如用"非"fēi 带"菲啡绯扉霏蜚匪"等字;用"会"huì 带"绘烩荟桧桧"等字。

2.利用声旁推导法记忆

我们知道,b、p、f 都是唇音,g、k、h 都是舌根音。

(1)一个字或它的声旁,如果加上或改换它的形旁,声母能读成 b、p 的,那么,我们就可以推导出这个字的声母是 f 而不是 h,也就是由 b、p 可推导出 f 来。如:

b 贬—f 乏泛　　　　　　　p 排—f 非匪诽痱

b 逼—f 富幅副　　　　　　p 喷—f 溃愤偾

b 扮—f 昐氛汾份　　　　　p 盆—f 分芬纷粉

p 沛—f 肺　　　　　　　　p 朴—f 赴讣

(2)一个字或它的声旁,如果加上或改换它的形旁,声母能读成 g、k 的,那么,我们就可以推导这个字的声母是 h 而不是 f,即由 g、k 推导出 h 来。如:

g 故 – h 湖蝴葫糊怙　　　k 盔 – h 灰诙恢

g 孤 – h 狐弧瓠　　　　　k 空 – h 红虹讧

3.利用普通话声韵拼合规律类推

(1)普通话里,声母 f 不跟 ai 韵母相拼,因此,方言中念 huai 的字如"怀槐淮踝坏"等仍可以念 huai。

(2)普通话里,声母 f 和单韵母 o 相拼的字只有一个"佛"字,因此,方言中除了"佛"字外,念 huo 音的字如"豁活和泥伙夥豁亮祸霍获惑货"等仍可念 huo。

4.利用《f、h 对照辨音字表》全面记忆

f、h 对照辨音字表

例字韵母／声母	h	例字韵母／声母	f
u	①呼乎忽惚 ②胡湖糊狐壶 ③虎唬琥浒 ④户沪护戽扈互	u	①夫肤麸敷孵②扶芙孚浮伏弗拂怫福幅辐蝠符服③甫辅斧府俯腐腑抚④付咐驸赴复腹父富傅缚负赋妇
ua	①花哗②华划铧滑猾④画划化华桦话	a	①发②伐筏阀乏罚砝③法④发
uo	①豁粝攉②活③火伙夥④或惑霍藿获货祸	o	②佛
uai	②怀徊淮槐④坏		
ui	①灰恢诙挥辉徽②回茴蛔③悔毁④会绘烩汇海晦惠憓慧卉贿秽讳	ei	①非扉霏菲绯蜚飞妃②肥淝③匪诽翡④费沸吠废肺痱
uan	①欢獾②还环桓④缓③唤换痪焕幻患豢宦	an	①番翻幡帆②凡矾烦樊繁③反返④饭贩犯范梵泛
un	①昏婚荤②浑魂馄混~蛋④混	en	①分芬吩氛纷②坟焚③粉④愤粪奋忿份
uang	①荒慌②皇惶蝗徨凰黄潢磺簧③晃－~幌恍谎④晃~动	ang	①方芳坊牌~②防房坊粉~肪③访仿纺④放
ong	①烘轰②红虹鸿洪宏蕻③哄~骗④哄起－讧	eng	①风疯丰烽峰锋蜂封②逢缝冯③讽④奉俸缝凤

语 音 训 练

1.f、h 对比练习,区别 f、h,注意发音部位不同

fúshuǐ 浮水 – húshuǐ 湖水　　　gōngfèi 公费 – gōnghuì 工会

kāifā 开发 – kāihuā 开花　　　xìngFéng 姓冯 – xìngHóng 姓洪

fēngliú 风流 – hóngliú 洪流　　　kāifāng 开方 – kāihuāng 开荒

fānténg 翻腾 – huānténg 欢腾　　　fēnluàn 纷乱 – hūnluàn 昏乱

fángxiàn 防线 – huángxiàn 黄线

2.词语练习

f + f	fāfàng 发放	fǎnfù 反复	fángfàn 防范	fēifǎ 非法
h + h	hānhòu 憨厚	hánhùn 含混	hánghuì 行会	hónghuo 红火
f + h	fánghóng 防洪	fǎnháng 返航	fánhuá 繁华	fēihóng 绯红
h + f	hǎifēng 海风	háofàng 豪放	huāfèi 花费	huànfā 焕发
多音节	fánghùlín 防护林		hèfà – tóngyán 鹤发童颜	

3.写出下列词语的声母

发疯　犯法　繁复　方法　花卉　缓和　航海　呼唤

发挥　防护　防寒　饭盒　华发　化肥　花粉　荒废

4.读出下列单音节字词

f　发 罚 法 番 凡 繁 反 范 粉 夫

　　饭 房 丰 封 蜂 奉 佛 否 伏 富

h　胡 壶 虎 互 沪 患 慌 挥 毁 婚

5.朗读下列句子和古诗,注意带点的字的读音

(1)2003 年春季,很多地方非常流行非典型肺炎。

(2)今天我要做理化习题,不去理发了。

(3)你快别说废话了,我还要练习会话呢。

(4)司机工作起来不能图舒服,一疏忽就会出事故。

(5)他在花卉市场上花费了上百元。

(6)这不是我的饭碗,谁给我换碗了?

清　明

杜牧

Qīng míng shí jié yǔ fēn fēn,　　　清明时节雨纷纷,

Lù shàng xíng rén yù duàn hún.　　　路上行人欲断魂。

Jiè wèn jiǔ jiā hé chù yǒu?　　　借问酒家何处有?

Mù tóng yáo zhǐ xìng huā cūn.　　　　　牧童遥指杏花村。

分辨 j、q、x 与 z、c、s——"公鸡"不是"工资","棋盘"不是"磁盘","洗脸"不是"死脸"

晋东南的武乡、沁县,晋中的祁县、盂县、寿阳、文水、汾阳,晋北的偏关等地,把普通话一部分读 ji、qi、xi 的字(古入声字如"集、七、习"等字以外的字)念成了 zi、ci、si。如把"计划"说成"字画",把"起来"说成"此来",把"洗脸"说成"死脸"。

ji、qi、xi 和 zi、ci、si 的不同,首先是声母的发音部位不同,z、c、s 是舌尖前音(发音要领见"分辨 zh、ch、sh 与 z、c、s");j、q、x 是舌面音,发音时舌头平伸稍稍后缩,舌面的前部和硬腭前部接近。其次是韵母的发音也不同,和 z、c、s 相拼的是舌尖前元音 –i[ɿ],而和 j、q、x 相拼的是舌面元音 i[i]。注意分清下列各字的发音:jī 机 – zī 姿、qí 齐 – cí 瓷、xǐ 喜 – sǐ 死,体会每组声母在发音部位上的不同。

普通话里念 zi、ci、si 的字比念 ji、qi、xi 的字要少,只有 40 多个,可参见本书《zh、ch、sh 和 z、c、s 对照辨音字表》中的 –i(舌尖前元音)韵母的字。只要把这 40 多个字记住,其余在方言中读 zi、ci、si 的字,除了一部分 zh、ch、sh 声母字以外都可以全部改读为 ji、qi、xi。

语 音 训 练

1. ji、qi、xi 和 zi、ci、si 对比练习,体会它们的声母发音部位的不同

jījīn 基金 – zījīn 资金　　　　　huànjì 换季 – huànzì 换字

jǐyè 几夜 – zǐyè 子夜　　　　　jìcè 计策 – zìcè 自测

gōngjī 公鸡 – gōngzī 工资　　　　jìmǔ 继母 – zìmǔ 字母

jìxìn 寄信 – zìxìn 自信　　　　　shíjì 实际 – shízì 识字

qírén 旗人 – círén 瓷人　　　　qídài 脐带 – cídài 磁带

qǐshì 起事 – cǐshì 此事　　　　shíqì 石器 – shícì 十次

xīfāng 西方 – sīfāng 私方　　　　xǐxùn 喜讯 – sǐxùn 死讯

xìyuàn 戏院 – sìyuàn 寺院　　　　gānxǐ 干洗 – gānsǐ 干死

lǎojǐ 老几 – lǎozǐ 老子　　　　jìfù 继父 – zìfù 自负

jìshī 技师 – zìsī 自私　　　　xīyǒu 稀有 – sīyǒu 私有

2.记住下列单音节字词的读音

j	jī 鸡	jī(jǐ)几	jǐ 挤	jì 计	jì 记
	jì(xì)系	jì 季	jì 剂	jì 既	jì(jǐ)济

q	qī 期	qí 齐	qí 其	qí(jī)奇	qí 旗
	qǐ 起	qǐ 启	qì 气	qì 弃	qì 契

x	xī 西	xī 溪	xī 稀	xǐ 喜	xǐ 铣
	xì 戏	xì 细			

3.词语练习

j	jījiàn 肌腱	jījiàn 基建	jījīn 基金	jìlǜ 纪律
	jìjié 季节	jìjū 寄居	jīqì 机器	jìxù 继续
	jītǐ 肌体	jídù 嫉妒		

q	qíqū 崎岖	qíbīng 骑兵	qīhuò 期货	qǐdòng 启动
	qípán 棋盘	qǐjiàn 起见	qǐyuán 起源	qìzhòng 器重
	qìchē 汽车	qǐyè 企业	qìtǐ 气体	qìxū 气虚
	qìzhì 气质	qīzi 妻子	qìcái 器材	

x	xī·guā 西瓜	Xī'ōu 西欧	xīfú 西服	xījì 希冀
	xīshǎo 稀少	xīfàn 稀饭	xīqí 稀奇	xìqǔ 戏曲

多音节	jīběngōng 基本功	jìchéngquán 继承权
	réncái jǐjǐ 人才济济	rújī – sìkě 如饥似渴
	qǐyǒu cǐlǐ 岂有此理	qiānfāng – bǎijì 千方百计
	nòngxūzuòjiǎ 弄虚作假	

4.拼写下列词语,说说每组内带点的字声母是否相同

基本——资本　　计划——字画　　汽车——次车
起家——此家　　犀利——私利　　戏票——四票
西瓜——丝瓜　　棋盘——瓷盘　　猜忌——猜字

朗　读

朗读和拼写

(1)你家姊妹几个？我记得有一个是记者。

(2)我家住在晋西机器厂西边。

(3)你先洗，我后洗，你洗了我再洗。

(4)冀喜琪很喜欢山西闻喜的瓷器。

(5)Wǒ yǒu sì zhāng xìpiào.

(6)Xiànzài de jīdàn duōshaoqián yījīn?

(7)Xiǎo fūqī jiàqī li jīngcháng yīqǐ xiàqí.

(8)Qíguài, tā wèishénme bù qí zìjǐ de zìxíngchē?

绕口令

Qīngqìqiú, qìqiúqīng, qīngqīng qìqiú qīng qíngqǐ, qíngqǐ qìqiú xīn huānxǐ.

氢气球，气球轻，轻轻气球轻擎起，擎起气球心欢喜。

己 jǐ 已 yǐ 巳 sì 卩 fàn 分辨歌

己开已半巳全封，卩下有钩不是横。

它们到底怎么用？要领一定要记清：

己字上边不出头，配词部件都可用，

自己知己与舍己，忌起改凯纪和记。

巳字不和部件配，专和词语在一起。

已经已然不得已，已走已过巳牢记。

巳字这个独体字,经常搭配合本字,
包异熙祀和辅导,大街小巷常见到。
巳是专门配部件,范犯苑仓卷危宛。
使用要领要记牢,认真书写别乱套。

谁先死?

老张和老李到晋中某县落实查房政策,他们刚进县政府大院的接待室坐定,就有县里的通讯员出来接待。通讯员指着里屋对他们说:"你们俩谁先死? 快跟我来!"老张老李一听,大吃一惊,心想:怎么一进门就叫我们去死? 果真不让上级来查房吗? 于是老张开口道:"同志,你刚才说什么? 要我们去死?"通讯员已经意识到什么,连忙说:"是的,死……死,啊,不,不是死,是死——死死脸。"他一边解释一边做出洗脸的动作。这下客人弄明白了,哈哈大笑说:"是洗脸! 对,对,我们马上就去洗。"通讯员尴尬地说:"好,你们一块去死……洗吧!"

评注:

晋中有些县的方言把普通话里 ji、qi、xi 音节念成了 zi、ci、si,所以,"公鸡"说成了"工资","汽车"就成了"次车","洗脸"也就成了"死脸"了。从这个故事中可以看出,晋中人学习普通话时,如果不克服这组音,会带来多大的误会啊。

声母辨正(三)

分辨送气音与不送气音——"辫子"不是"骗子"，
"肚子"不是"兔子"，"赵县"不是"朝鲜"

　　普通话里的塞音和塞擦音有成对的送气音和不送气音。山西人都会发这两个音，但是有的县市方言把一部分送气音和不送气音的字读乱了。例如：晋南很多地方把"拔草"bácǎo 读成"爬草"pácǎo，"鼻子"bízi 读成了"皮子"pízi，"辫子"biànzi 读成"骗子"piànzi，就是把不送气音字读成了送气音字。与此相反，晋中很多地方把"葡萄"pútao 读成 budao，把"铜钱"tóngqián 读成 dongjian，这又是把送气音读成了不送气音字。比较一下下面排列的几组字，它们的声母都有送气与不送气的区别：

bā 八 – pā 趴　　　　　　bí 鼻 – pí 皮
bó 脖 – pó 婆　　　　　　bù 布 – pù 铺
dāo 刀 – tāo 掏　　　　　duó 夺 – tuó 驼
zhú 竹 – chú 锄　　　　　juàn 卷试~ – quàn 入场券
zuò 坐 – cuò 锉　　　　　zòu 奏 – còu 凑

jié 洁 – qié 茄子

如何分辨这两类字,下面我们提供几种便捷的办法。

1.利用声韵拼合规律

例如:b、p 对比,无 bou,有 pōu(剖);d、t 对比,无 tiu,有 diū(丢);zh、ch 对比,无 chua,有 zhuā(抓);z、c 对比,无 cei,有 zéi(贼)。

2.利用方言与普通话的对应关系

山西大多数县市有入声,这类字中很多念为普通话的阳平调,不送气,例如"鼻 bí"、"蝶 dié"、"菊 jú"。如果方音声调是阳平的,就对应读为普通话的阳平,要送气。例如"葡 pú"、"桃 táo"、"铜 tóng"。如果方音声调是去声的,则声调对应为普通话的去声,不送气。例如"辨 biàn"、"大 dà"、"柜 guì"。

如果具有古音韵学的知识,可以这样来分辨:把方言里读塞音、塞擦音声母的古全浊声母平声字,如"爬、谈、前、强、查、才、曹"等都读成送气音声母;把方言里读塞音、塞擦音声母的全浊声母非平声字,如"笨、待、技、赚、赵、杜、局"等都读成不送气音声母。

语 音 训 练

区别送气音和不送气音,注意气流强弱的不同。

1.对比练习

b – p

bízi 鼻子 – pízi 皮子   bùzi 步子 – pùzi 铺子

bèiliào 备料 – pèiliào 配料   biànzi 辫子 – piànzi 骗子

d – t

duìhuàn 兑换 – tuìhuàn 退换   dǎnzi 掸子 – tǎnzi 毯子

dùzi 肚子 – tùzi 兔子   hédào 河道 – hétào 河套

diàochū 调出 – tiàochū 粜出

g – k

tóugǎo 投稿 – tóukǎo 投考   guìhuā 桂花 – kuíhuā 葵花

kègǔ 刻骨 – kèkǔ 刻苦   mǐgāng 米缸 – mǐkāng 米糠

bùguì 不贵 – bùkuì 不愧

j – q

juézi 橛子 – quézi 瘸子   dàjú 大局 – dàqú 大渠

jīnghuá 精华 – qīnghuá 清华   dàjì 大计 – dàqì 大气

biéjí 别急 – biéqí 别骑

zh – ch

zhùlǐ 助理 – chǔlǐ 处理   lǎoZhái 老翟 – lǎoChái 老柴

zhāzhēn 扎针 – chāzhēn 插针   zhěngzhì 整治 – chéngzhì 惩治

zhídào 直道 – chídào 迟到

z – c

méizuò 没做 – méicuò 没错   zuòwèi 座位 – cuòwèi 错位

qīngzǎo 清早 – qīngcǎo 青草   yīzì 一字 – yīcì 一次

2.字词训练

（1）读下列单音节字词，分辨不送气音和送气音

b	bēi 杯	bèi 倍	bì 痹	bì 避	bìng 病	bài 败
	bàn 办	bù 簿				
p	pái 牌	pén 盆	pí 皮	péng 蓬		
d	dù 杜	dí 笛	dú 读	dù 肚	dié 碟	
	dǎo 导	dào 稻				
t	tián 田	tāng 汤	tái 台	tuán 团		
g	guì 跪	guì 柜	guī 规			
k	kuī 亏	káng 扛	kuàng 矿			
j	jú 局	jiù 就	jí 集			
q	qīng 青	qiáng 强	quán 全			
z	zá 杂	zuò 坐	zào 造			

z	cái 才	cún 存	cí 慈
zh	zhào 赵	zhí 侄	zhé 辙
ch	chú 除	chún 纯	chí 迟

(2)读下列词语,说说哪些是送气音,哪些是不送气音

拔除	白菜	伴奏	颁布	被子	笨拙	鼻尖
遍地	别致	波动	脖子	大地	豆子	夺取
口袋	板凳	垫子	鸡蛋	跪拜	柜台	规矩
正直	侄子	宝座	杂志	造字	独自	条件
就近	旧街	局长	集体	杰出	忌妒	轿车
技巧	洁净					

3.用普通话读出下列句子

(1)现在台湾同胞到祖国大陆做生意的人越来越多了。

(2)读书读书,就要读出声来。

(3)最近,我们年级搞了一次拔河比赛。

(4)你吃过我们山西清徐县的葡萄吗? 清徐还有葡萄干儿和葡萄酒,在全国很有点儿名气呢。

(5)晋祠之水闻名全国,晋祠大米在历史上一直作为"贡品"进奉朝廷。

4.给下列几句话写出汉字

(1)Wǒ de pópo shēntǐ hěn dānbó.

(2)Zhè jǐtiān wǒ tài píláo le, bízi cháng gǎnjué téng de hěn.

(3)Nǐ de dàgē hái zài dú bóshì ma? Tā shénme shíhou bìyè?

(4)Zhè tiáo jiēshang yòu xīn kāi le yīge bùpùzi.

(5)Wǒmen gébì de tùzi néng pá zhùzi, zhēn ràngrén xiào pò dùzi.

5.把培根的这段名言朗读出来,注意加点的字的声母是送气音还是不送气音

读书使人充实,谈话使人敏捷,　　讨论使人机智,笔记使人准确,
读史使人明智,读诗使人灵秀,　　数学使人周密,科学使人深刻,
伦理使人庄严,修辞使人善辩。

分辨 n 与 l——"男西服"和"蓝西服"不可混，"洗脸"和"洗碾"音不同

普通话以 n 和 l 做声母的字,有些方言分辨不清,有的方言是全部相混,有的方言是部分相混。山西方言属于后者。例如山西吉县话以及山西闻喜以南地区,n 和 l 的相混就是有条件的,这些方言中 n、l 和齐齿呼、撮口呼韵母相拼时不混,与开口呼、合口呼韵母相拼时相混。例如把"男人"读做"蓝人","农民"读做"龙民"。可以看出,这些方言把 n 声母字读成 l 声母字了。晋东南的高平县则正好相反,他们把普通话中的一些 l 声母齐齿呼字读成了 n 声母字。如把"洗脸"读成了"洗碾"。

分辨 n 和 l,首先要弄清二者发音方法的不同,不同点在于 n 是鼻音,l 是边音。发 n 时,软腭下垂,气流不能从口腔流出,必须改道从鼻腔来;发 l 时,软腭上升,堵住鼻腔通路,气流从舌头的两边流出。

注意区别下列两组字的声母:

nǎ 哪里 – lǎ 喇叭	nài 耐 – lài 赖	náo 挠 – láo 劳
nèi 内 – lèi 类	nù 怒 – lù 路	lán 蓝 – nán 男
léng 棱 – néng 能	lóng 龙 – nóng 农	láng 狼 – náng 囊
liǎn 脸 – niǎn 碾	luǎn 卵 – nuǎn 暖	lüè 略 – nüè 虐

其次,要记住常用的 n 声母字和 l 声母字,我们在这里提供一些记忆的办法。

1.利用形声字的声旁进行类推

比如:声旁是"尼"的字,声母往往是 n,如"妮泥怩呢旎"等;声旁是"里"的字,声母往往是 l,如"厘狸浬理鲤俚娌量"等。也有个别的字属例外,可参照附录《n、l 偏旁类推字表》作全面的了解和记忆。

2.利用记少不记多的办法来记忆

跟 ü 相拼的音节,n 声母只有"女、衄 nǜ 鼻~:鼻子流血"等五六个字。l 声母字却很多,如"驴、吕、侣、旅、律、绿"等,可以只记"女、衄"几个字,剩余的都是 l 声母字。

跟 ei 相拼的音节,n 声母只有"馁、内"两个字,l 声母却有"雷、累、类、

泪"等字。

跟 ang 相拼的音节, n 声母只有"囊"以及用它作声旁的个别字, l 声母字却有"狼、瑯、琅、朗、浪"等。

跟 in 相拼的音节, n 声母只有一个"您"字, 而 l 声母字却有"林、麟、赁、檩"等。

跟 iang 相拼的音节, n 声母字只有"娘、酿"两个字, l 声母字却有"良、凉、两、谅"等。

跟 uan 相拼的音节, n 声母字只有一个"暖"字, 而 l 声母字较多, 如"孪、卵、乱"等。

跟 ou 相拼的音节, 没有 n 声母字, l 声母字较多, 如"搂、楼、篓、陋"等。

跟 uen(un)相拼的音节, 也没有 n 声母字, l 声母字很多, 如"仑、轮、论"等。

3.利用形声字声旁读音类推

(1)普通话里, 声母念鼻音 n 的字, 它的声旁有一部分和 er、r、zh、ch、i(y)有关。如:

"倪、霓、睨、你(您)、腻、耐、聂、镊、蹑"等形声字的声旁"儿(兒)、尔、贰、而、耳"以及"糯、懦"的右下部的"而", 都念 er 音, 所以, 这些字都念鼻音声母 n;

"匿、溺、搦、诺"等形声字的声旁"若、弱"的声母都是 r, 所以, 这些字都念鼻音声母 n("赁"例外, 念 lìn);

"妞、扭、钮、纽、忸、拈、鲇、黏、粘(性)、碾、嫩、淖、啮"等形声字的声旁"丑、占、展、敕、卓、齿"的声母都是 zh 或 ch, 所以, 这些字都念鼻音声母 n;

"挠、蛲、铙、拟、蔫、凝、暖、拗(niù)"等形声字的声旁"尧、以、焉、疑、爰、幼"都以 i(y)开头, 所以, 这些字都念鼻音声母 n。

(2)普通话里, 有些读边音声母 l 的字, 它的声旁和 g、j、q 有关("念"例外, 读 niàn)。如:

"烙、酪、络、洛(落)、骆、路(露、鹭)、赂、略、裸"等字的声旁"各、果"的声母都是 g, 所以, 这些字都念边音声母 l;

"蓝、篮、滥、褴(览)、廉(镰)、炼、练、凉、晾、谅、绺、敛、脸、硷"等字的声旁"监、兼、京、咎、金"的声母都是 j 或 q, 所以, 这些字也都念边音声母 l。

n、l 偏 旁 类 推 字 表

n 声 母

乃——nǎi 乃、奶、艻、氖。

奈——nài 奈、萘;nà 捺。

内——nèi 内;nè 讷;nà 呐、纳、衲、钠。

宁——níng 宁、拧、咛、狞、柠,nìng 宁(宁可)、泞。

尼——ní 尼、泥、呢(呢绒)、伲,nì 泥(拘泥)。

倪——ní 倪、霓、猊、輗。

奴——nú 奴、孥、驽,nǔ 努、弩,nù 怒。

农——nóng 农、浓、脓、侬。

那——nǎ 哪,nà 那;nuó 挪、娜(婀娜)。

纽——niǔ 妞,niǔ 扭、忸、纽、钮。

念——niǎn 捻,niàn 念、埝。

南——nán 南、喃、楠。

虐——nüè 虐、疟、谑。

诺——nuò 诺、喏、锘;nì 匿。

懦——nuò 懦、糯。

捏——niē 捏,niè 涅。

聂——niè 聂、蹑、镊、嗫。

脑——nǎo 恼、瑙、脑。

l 声 母

力——lì 力、荔;liè 劣;lèi 肋;lē 勒。

历——lì 历、沥、雳、呖、枥。

立——lì 立、粒、笠;lā 拉、垃、啦。

厉——lì 厉、励、疠、蛎。

里——lí 厘、狸，lǐ 里、理、鲤；liàng 量。

利——lì 梨、犁、蜊，lì 利、痢、俐、莉、猁，·li 蜊（蛤蜊）。

离——lí 离、漓、篱，li 璃（玻璃）。

仑——lūn 抡，lún 仑、伦、沦、轮，lùn 论。

兰——lán 兰、拦、栏，làn 烂。

览——lǎn 览、揽、缆、漤、榄（橄榄）。

蓝——lán 蓝、篮，làn 滥。

龙——lóng 龙、咙、聋、笼、胧、珑，lǒng 陇、垄、拢。

隆——lóng 隆、癃、癃，long 窿（窟窿）。

卢——lú 卢、泸、栌、颅、鸬、胪、鲈、舻、轳。

录——lù 录、禄、碌；lù 绿、氯。

鹿——lù 鹿、漉、麓、辘。

鲁——lǔ 鲁、橹。

路——lù 路、鹭、露、潞、璐。

戮——lù 戮。

令——líng 伶、玲、铃、羚、聆、蛉、零、龄，lǐng 岭、领、令（一令纸），
　　　lìng 令；lěng 冷；lín 邻；lián 怜。

菱——líng 凌、陵、菱；léng 棱。

乐——lè 乐；lì 砾、栎（栎树）。

老——lǎo 老、佬、姥。

劳——lāo 捞，láo 劳、痨、崂、唠（唠叨），lào 涝。

列——liě 咧，liè 列、烈、裂；lì 例。

吕——lǚ 吕、侣、铝。

虑——lù 虑、滤。

良——liáng 良、粮；láng 郎、廊、狼、琅、榔、螂，lǎng 朗，làng 浪。

两——liǎng 两、俩（伎俩）、魉，liàng 辆；liǎ 俩。

凉——liáng 凉，liàng 谅、晾；lüè 掠。

梁——liáng 梁、粱。

连——lián 连、莲、涟、鲢，liǎn 琏，liàn 链。

炼——liàn 练、炼。

恋——liàn 恋;luán 峦、娈、孪、鸾、滦。

脸——liǎn 脸、敛,liàn 殓、检、潋。

廉——lián 廉、濂、镰。

林——lín 林、淋、琳、霖;lán 婪。

鳞——lín 嶙、璘、辚、潾、鳞、麟。

罗——luó 罗、逻、萝、锣、箩。

洛——luò 洛、落、络、骆;lào 烙、酪;lüè 略。

娄——lóu 娄、喽、楼、髅,lǒu 搂、篓;lǚ 缕、屡。

刺——lǎ 喇,là 剌、辣、瘌;lài 赖、癞、籁。

腊——là 腊、蜡;liè 猎。

柳——liǔ 柳;liáo 聊。

流——liú 流、琉、硫。

留——liū 溜,liú 留、馏、榴、瘤。

垒——lěi 垒。

累——lèi 累;luó 骡、螺,luǒ 瘰,luò 漯、擽。

雷——léi 雷、擂、镭,lěi 蕾,lèi 擂(擂台)。

语音训练

1.n、l 对比

n – l

n	l
nánzhù 难住 – lánzhù 拦住	nánxié 男鞋 – lánxié 蓝鞋
nàméi 那枚 – làméi 腊梅	nǎole 恼了 – lǎole 老了
yǎnnèi 眼内 – yǎnlèi 眼泪	huángní 黄泥 – huánglí 黄梨
liúniàn 留念 – liúliàn 留恋	xīnniáng 新娘 – xīnliáng 新粮
lǎoniú 老牛 – lǎoliú 老刘	níba 泥巴 – líba 篱笆
yīnián 一年 – yīlián 一连	dànù 大怒 – dàlù 大路

nǔkè 女客 – lǔkè 旅客 　　　　　　　nóngzhòng 浓重 – lóngzhòng 隆重

2. 读读下列词语,分辨它们的声母

n + n	nánnǚ 男女	nánie 拿捏	néng·nài 能耐
n + l	nǎ·lǐ 哪里	néngliàng 能量	nènlù 嫩绿
l + l	láilín 来临	lā·lǒng 拉拢	lùlín 绿林
l + n	lěngnuǎn 冷暖	lǎoniú 老牛	lìniào 利尿

多音节　　linlí – jìnzhì 淋漓尽致　　　　nòngxū – zuòjiǎ 弄虚作假

3. 把下列字和词语用拼音注出来

(1) 拿 那 呐 耐 男 南 难 囊 脑 闹 内 嫩 能 农
　　浓 脓 怒 弩 娜 捺 奶 奴 挪 诺 懦 挠 铙

(2) 恼怒 南宁 农奴 利落 轮流 笼络 耐力 内陆 暖流
　　浓烈 奶酪 冷暖

(3) 来龙去脉 拿腔捏调 难能可贵 恼羞成怒

4. 拼读下面的一首古诗

Bó chuán Guāzhōu

Jīngkǒu Guāzhōu yī shuǐ jiān, Zhōngshān zhǐ gé shù chóng shān.

Chūnfēng yòu lǜ jiāngnán àn, Míngyuè héshí zhào wǒ huán.

5. 读读下列句子,注意带点的字的声母

(1) 念一念,练一练,n、l 的发音要分辨。

(2) 您到南京请给我代买两套男西服,要藏(zàng)蓝色的。

(3) 龙年老农去集贸市场卖新粮。

(4) 梁奶奶的女儿去洗脸,儿子去推碾。

(5) 刘姥姥的孙女离开南宁到兰陵看奶娘去了。

朗　读

Liàn　Tóulán

Dǎ nánbiān láile liǎng duì lánqiú yùndòngyuán, yī duì shì chuān lán de

nánlán yùndòngyuán, yī duì shì chuān lù de nǔlán yùndòngyuán. Liǎng duì lánqiú
yùndòngyuán yīqǐ liàn tóulán, bùpà lèi, bùpà nán, nǔlì liàn tóulán.

练投篮

打南边来了两队篮球运动员,一队是穿蓝的男篮运动员,一队是穿绿的
女篮运动员。两队篮球运动员一起练投篮,不怕累,不怕难,努力练投篮。

课外阅读

他们到底是哪里人

上个世纪 50 年代初,两位山西老乡到北京站买车票。他们操着满口方
言,售票员听不懂他们到哪里? 一个说自己去 chàoxiān, 售票员吃了一惊:
"朝鲜?没有。"接着又问下一位,另一位赶紧说:"yidali。"售票员疑惑地说:
"什么?! 意大利? ……"

那么,您知道他俩是哪里人吗?

评述:

在晋南,许多古浊音声母字,如"淡赵杂字步杜"等,普通话今念不送气声母,晋南大
都读成送气音声母。这两位顾客是山西赵城("赵城"曾用名"赵县")人,他们用家乡话
说"赵县",在北京的售票员听来,当然就理解为"朝鲜"了,"一搭里(一起的、一个地方
的)"则听为是"意大利"了。

【第 十 二 讲】

声母辨正(四)

　　晋北的山阴、应县、朔县、平鲁、神池、右玉、宁武以及晋东南的沁县,晋南的万荣、临猗等地把普通话中的 t 声母齐齿呼字读成了 q 声母齐齿呼字,如把"一天"读成"一千",把"梯子"读成"妻子"。晋南的霍县方言把 d、t 声母的齐齿呼字说成了 j、q 声母的齐齿呼字,如把"垫子"说成了"键子",把"出题"说成了"出奇";而晋南的洪洞、临汾等地却是相反,把 j、q 声母的某些齿呼字读成 d 和 t 声母,如把"教人"说成"刁人",把"敲锣"说成"挑锣",把"鸡叫"说成"低调"。

　　d、t 和 j、q 无论发音部位还是发音方法都是不同的,d、t 发音部位在前,是舌尖中清塞音,而 j、q 发音部位靠后,是舌面清塞擦音。d、j 共同之处是不送气,t、q 共同之处是送气。注意体会下列每组单字声母的不同:

　　dī 低 – jī 鸡　　　　diē 爹 – jiē 街　　　　diān 颠 – jiān 肩

　　diāo 叼 – jiāo 交　　dīng 丁 – jīng 经　　dì 地 – jì 记

tī 梯 – qī 七　　　tiān 天 – qiān 千　　　tíng 停 – qíng 晴

tiě 铁 – qiě 且　　　tiào 跳 – qiào 俏

普通话中 d、t 声母与齐齿呼韵母相拼的常用字分别有 50 多个和 30 多个，从下列字中挑出声旁类推字，用声旁类推法加以记忆。

d 声母

dī 滴 堤 提防 低　　　dí 涤 嫡 敌 迪 的确 狄

dǐ 底 抵 邸　　　　　dì 帝 蒂 弟 第 递 地 目的

diān 滇 掂 颠　　　　diǎn 点 典 碘

diàn 淀 奠 垫 店 惦 玷 电 殿

diāo 刁 碉 貂　　　diào 掉 吊 钓 声调　　　diē 跌 爹

dié 蝶 碟 迭 叠　　　dīng 丁 叮 盯 钉(名词)

dǐng 顶 鼎　　　　dìng 定 订 钉(动词)　　　diū 丢

t 声母

tī 梯 踢 剔　　tí 提 题 蹄 啼　　tǐ 体　　　　tì 替 剃 涕 屉 惕

tiē 贴 服帖　　tiě 铁 字帖　　tiè 碑帖

tiān 天 添　　tián 田 填 甜 恬　　tiǎn 舔

tiāo 挑担子　　tiáo 条 调和 笤　　tiǎo 挑战　　tiào 跳 粜 眺

tīng 听 厅　　tíng 停 亭 廷 庭 蜓　　tǐng 挺 艇 铤　　tìng 梃猪

语音训练

1. 对比练习

d – j

qiāndìng 签订 – qiánjìn 前进

dìxià 地下 – jìxià 记下　　　　　diǎnmíng 点名 – jiǎnmíng 简明

diāohuār 雕花儿 – jiāohuār 浇花儿

jìdiàn 祭奠 – jìjiàn 计件　　　　　túdīng 图钉 – tújīng 途经

diāopí 貂皮 – jiāopí 胶皮

t – q

qīngtīng 倾听 – qīngqīng 轻轻   qiántí 前提 – qiánqī 前期

tīzi 梯子 – qīzi 妻子   tǐlì 体力 – qǐlì 起立

tìgōng 替工 – qìgōng 气功   tiāntī 天梯 – qiánqī 前妻

tiānqiáo 天桥 – tiāntiáo 天条 – qiāntiáo 铅条

tīngjiàn 听见 – qīngjiàn 轻贱   tiǎozhàn 挑战 – qiǎozhàn 巧战

tízǒu 提走 – qízǒu 骑走   tǐyè 体液 – qǐyè 企业

shēntǐ 身体 – shēngqǐ 升起   qiūtiān 秋天 – qiūqiān 秋千

tiáojiàn 条件 – qiáojiàn 瞧见   tiāncái 天才 – qiáncái 钱财

tiānlǐ 天理 – qiānlǐ 千里

2. 正确拼读并熟记下列单音节字词

d	dì 递	diǎn 碘	dī 堤	dì 缔	Diān 滇
	diàn 奠	diāo 貂	diào 钓	dǐng 鼎	dìng 锭
t	tì 替	tián 田	tián 填	tiáo 条	tiě 铁
	tīng 厅	tí 啼	tiǎn 舔	tiè(tiè)帖	tǐng 艇
j	jī 姬	jǐ 脊	jiàn 贱	jiāo 礁	jiǎo 剿
	jiǎo 缴	jié 劫	jiū 揪	jiǔ 灸	jiù 厩
q	qí 骑	qì 弃	qì 砌	qiān 千	qiǎn 浅
	qiāo 敲	qiáo 桥	qiē(qiè)切	qīng 轻	qiú 球

3. 读下列词语,注意各组声母的区别

d + d	dìdài 地带	dìdiǎn 地点	dìngdiǎn 定点
t + t	tiāntǐ 天体	tiāotì 挑剔	tìtóu 剃头
j + j	jiǎjiè 假借	jiānjiǎ 肩胛	jiànjiàng 健将
q + q	qiánqī 前期	qīnquán 侵权	qīqì 漆器
d + j	dìjié 缔结	dìngjià 定价	diànjiězhì 电解质
d + q	díquè 的确	diàoqiǎn 调遣	dìngqī 定期

t + j	tiáojià 调价	tǐjiǎn 体检	tiānjì 天际
t + q	tíqín 提琴	tiānqì 天气	tiēqiè 贴切
q + d	qǐdí 启迪	qiāndìng 签订	qíngdiào 情调
q + t	qiūtiān 秋天	qīngtīng 倾听	qiántǐng 潜艇
多音节	tiānjīng – dìyì 天经地义		qíngbù – zìjīn 情不自禁

4.请给下列词语注音

梯田	体贴	天体	嫁接	监禁	建交
间谍	气球	情结	千金	低级	地基
地窖	典籍	电极	听见	调剂	天井
提取	啼笑皆非				

5.先用自己的方言读下面的几句话,体会带点的字的发音,然后再用普通话
读,注意与方言的区别

(1)请您把提琴和跳棋给我拿来。

(2)瞧我这身体,怎么能和你去操场掷铁饼呢?

(3)那个商店的电烙铁跌价啦。

(4)听人说,他弟弟必须提前做手术。

(5)七天之内,天气不会发生大的变化。

6.给下面这首古诗的每个字注上声母

山房春事　　　岑参

梁园日暮乱飞鸦,极目萧条三两家。

庭树不知人去尽,春来还发旧时花。

---

j、q、x别说成 gi、ki、hi——上党话"京腔"没说对,
g、k、h声母不拼 i

普通话不分尖团,积 = 基(j)、齐 = 骑(q)、洗 = 喜(x),但在晋东南的陵
川、黎城、潞城、壶关、平顺、高平、阳城等县市"积、齐、洗"分别读舌面前音j、

q、x 或舌尖前音 z、c、s,而"基、骑、喜"则读舌面中音声母,这三个字的声母听起来,与 gi、ki、hi 的音色相近,而与 j、q、x 差别较大。所以,上述方言区的人学习普通话时,要把来自古代"见"组声母的"基、骑、喜"等字改读为 j、q、x。

语音训练

1.读下列单音节字词,记住它们的声母

j	jǐ 麂	jì 寂	jiǎn 柬	jiǎng 桨	jiāo 娇
	jiāo 椒	jú 菊	juān 绢	jué 攫	jūn 钧

q	qí 畦	qí 鳍	qià 洽	qiān 签	Qián 黔
	qiāo 锹	qiáo(qiào)翘	qiè 怯	quán 蜷	qué 瘸

x	xiā 虾	xiá 狭	xiāng 乡	xiào 啸	xié 胁
	xié 邪	xiě(xuè)血	xiè 屑	xué 穴	xuǎn 癣

2.下面是山西部分旅游休闲景点的名称,请你正确读出带点的字

Jìngtǔsì 净土寺　　　　　Pǔjiùsì 普救寺

Jiǔlóngbì 九龙壁　　　　　Qícūnwēnquán 奇村温泉

QiáojiāDàyuàn 乔家大院　　Xuánkōngsì 悬空寺

Píngxíngguān 平型关　　　　Xuánzhōngsì 玄中寺

3.熟读下列词语

j+j	jìjià 计价	jiàngjià 降价	jīngjìrén 经纪人
j+q	jiǎngquàn 奖券	jīqì 机器	jiāqín 家禽
j+x	jīngxì 京戏	jīngxiāo 经销	Jièxiū 介休
q+j	quánjú 全局	qǐjū 起居	qiáojuàn 侨眷
q+q	qíqū 崎岖	Qínqiāng 秦腔	quánqiú 全球
q+x	qiánxī 前夕	quēxiàn 缺陷	qìxiè 器械

x + j	xuějiā 雪茄	xiànjīn 现金	xiǎo·jiě 小姐
x + q	xiàngqí 象棋	xiáqū 辖区	xīngqiú 星球
x + x	xìnxī 信息	xīnxiù 新秀	xiānxuè 鲜血

多音节　qiānfāng - bǎijì 千方百计　　　qiánpū - hòujì 前仆后继

　　　　qǐyǒucǐlǐ 岂有此理　　　qiānjūn - yīfà 千钧一发

4.以下是山西的几种特产名称,拼读一下,看看是什么

　Qīngxú　pú·táo　　　　　　　Jìshān　bǎnzǎo

　Jìnchéng　hóngguǒ　　　　　Yuánqū　hóutóu

　"Qìnzhōuhuáng"　xiǎomǐ　　Bīngzhōu　jiǎndāo

　Jièxiū guànxiàntáng　　　　Qíxiàn liùqūxiāngjiǔ

　Xìnghuācūn　jiǔ　　　　　　Héngshān　huángqí

5.拼读下列词语并注上汉字

　jìjū　　jiājié　　jiāojì　　jiǎnjǔ　　qiàqiǎo

　qīngqì　qíngqù　xiāngxiù　jìqiǎo　jǐngqì

　jìnxíng　jiàngxīn　jiǎoxìng　qiáojū　qǐngjià

　qīnjìn　qiānxùn　quèxìn　xióngxìng　xiāngjù

　xiūjià　xūqiú

6.给下面古诗中带点的字注上声母

送元二使安西　　王 维

　　渭城朝雨浥轻尘,客舍青青柳色新。
　　劝君更尽一杯酒,西出阳关无故人。

零声母改读 r 与 l——"姓容(荣)"可不是"姓云","旅大"也不是"雨大"

　　在普通话里,"荣、容、融"等字声母都是 r,"驴、吕、律"等字声母都是 l。但在山西几乎各地都把第一组字念成了零声母撮口呼 iong(yong),而晋南

的运城、永济等七八个县,则把第二组字念成零声母撮口呼 ü(yu)。因此,山西人学习这两组字时,要注意把零声母分别改读为 r 和 l,这两组字的字数都很少,可以利用声旁类推法记忆:

(1)念 rong 的字:

阳平:容 溶 熔 蓉 榕 瑢 戎 绒 荣 蝾 嵘 茸 融

上声:冗

(2)念 lü 的字:

阳平:驴 闾 榈

上声:旅 膂 屡 褛 缕 捋 吕 铝 侣 履

去声:虑 滤 律 氯 绿 率 效~

语 音 训 练

1. 对比练习

yǔnxǔ 允许 – róngxǔ 容许
chóuyún 愁云 – chóuróng 愁容
yōngjūn 拥军 – róngjūn 荣军
mǎilú 买驴 – mǎiyú 买鱼
lùqì 氯气 – yùqì 玉器
shēnglù 声律 – shēngyù 声誉
yīnlù 音律 – yīnyù 音域
bǐlù 比率 – bǐyù 比喻
jìnlù 禁律 – jìnyù 禁欲

xìngYún 姓云 – xìngRóng 姓容(荣)
yúnjí 云集 – róngjī 容积
yúnyún 芸芸 – róngróng 融融
lǚjù 吕剧 – yǔjù 雨具
bìlù 碧绿 – bìyù 碧玉
Lǚdà 旅大 – yǔdà 雨大
yùnlù 韵律 – yùnyù 孕育
lìlù 利率 – lìyù 利欲

2. 熟读下列词语,记住声母是 r 的音节

róngyù 荣誉   róngyào 荣耀   rónghuò 荣获   róngjì 溶剂
róngjiě 溶解   róngyè 溶液   róngdòng 溶洞   rónghuà 溶化
róngxuè 溶血   róngliàng 容量   róngnà 容纳   róngqì 容器

róngyì 容易	róngrěn 容忍	róngyán 容颜	róngdiǎn 熔点
rónghuà 熔化	rónghé 融合	rónghuà 融化	róngqià 融洽
róngzī 融资	róngmáo 绒毛	róngxiàn 绒线	rǒngcháng 冗长

3.熟读下列词语,记住声母是 l 的音节

lǚcì 屡次	lǚxíng 履行	lùshī 律师
kǎolù 考虑	yōulù 忧虑	xiàolù 效率

lǚjiànbùxiān 屡见不鲜

4.用普通话和你的方言各读一次下列单音节字词,记住它们的普通话读音

容 溶 熔 荣 绒 融 驴 旅 铝 缕

率 绿 氯 滤 吕 捋 屡 履 虑 律

5.朗读下列句子

(1)Tāmen de guānxì hěn róngqià.

(2)Wǒmen de zǔguó fánróng – chāngshèng.

(3)Chūntiān dàole bīngxuě kāishǐ rónghuà.

(4)Tā tóubǐ – cóngróng le.

(5)Nǐ qù mǎi diǎnr dòuróng yuèbǐng chángchang.

(6)我刚到旅大就住进了棒槌岛宾馆。

(7)小吕现在是律师了。

(8)办事应该考虑效率。

(9)我们必须具备一定的法律常识。

(10)我们县里建了一个铝厂、一个渔场。

声母有 r 无 v,分清 sh 与 f——"入口"、"软件"别说错,"税务局"不是"废物渠"

晋南人把普通话的 r 声母合口呼字说成了 v 声母字,如:"人"rù 说成 vu,"锐"ruì 说成 vei。普通话里没有 v 这个音,v 是与唇齿清擦音 f 相对的唇齿浊擦音。

普通话中的 r 声母合口呼字不多,下面列出,用形声字声旁类推法很容易记住。

ru	阳平:如 茹 儒 孺 蠕 嚅 襦 濡
	上声:糯 乳 汝 辱　去声:蓐 褥 缛 入
ruan	上声:软 阮
rui	上声:蕊　去声:锐 瑞 芮
run	去声:闰 润
ruo	去声:若 弱

　　晋南许多县还把普通话中的 sh 声母合口呼字说成 f 声母字,例如:他们把"顺便"shùnbiàn 读做"粪便"fènbiàn,把"税务局"shuìwùjú 读做"废物渠"fèiwùqú。晋南人应该把这部分字的发音也改正过来。

　　下面列出普通话中常用的 sh 声母合口呼字,可利用声旁类推法记忆:

shu	阴平:书 梳 疏 蔬 枢 输 殊 抒 舒 叔 淑 菽
	阳平:熟 孰 塾 赎 秫
	上声:数(动词) 暑 署 薯 曙 蜀 黍 鼠 属
	去声:庶 数(名词)树 术 述 束 漱 竖 墅 恕 戍
shua	阴平:刷　上声:耍　去声:刷白
shuai	阴平:衰 摔　上声:甩　去声:蟀 帅 率领
shuan	阴平:栓 拴 闩　去声:涮
shuang	阴平:霜 孀 双　上声:爽
shui	阴平:谁　上声:水　去声:税 睡 游说
shun	上声:吮　去声:舜 瞬 顺
shuo	阴平:说　去声:朔 硕 妁 烁

语音训练

1.读下列单音节字词,写出它们的声母

儒 乳 入 软 若 弱 汝 辱 褥 软 蕊 锐 瑞 闰
润 梳 疏 属 数 束 竖 摔 拴 霜 谁 税 枢 舒
孰 赎 暑 蜀 恕 衰 帅 栓 涮 吮 舜 署

2.对比练习

shūfu 舒服 – fūfù 夫妇　　　　shúle 熟了 – fúle 服了

fángshǔ 防暑 – fángfǔ 防腐　　shùnlì 顺利 – fèilì 费力

shōushuì 收税 – shōufèi 收费　　yìnshuā 印刷 – yìnfā 印发

shuǎrén 耍人 – fǎrén 法人　　　shuànwǎn 涮碗 – fànwǎn 饭碗

shuāngmíng 双名 – fāngmíng 芳名　bāshuāng 八双 – bāfāng 八方

3.读下列词语,记住它们的声母

rúhé 如何　　rùxué 入学　　ruòshì 若是　　rúdòng 蠕动

rùgǔ 入股　　rùjìng 入境　　rùzuò 入座　　ruǎnjiàn 软件

ruǎnruò 软弱　shūběn 书本　　shūjí 书籍　　shūjú 书局

shūzhuō 书桌　shūrán 倏然　　shūhu 疏忽　　shùshuō 述说

shùguān 树冠　shūchū 输出　　shūrù 输入　　shùzhī 树脂

shùmín 庶民　shù'é 数额　　　shùmǎ 数码　　shùfù 束缚

shuàilǐng 率领　shuāiruò 衰弱　shuāngbiān 双边　shuāngyǔ 双语

shuǐjīng 水晶　shuìlǜ 税率　　shuòdà 硕大　　shùnjiān 瞬间

shuǐlóngtóu 水龙头

4.给下列词语注音

如释重负　　若无其事　　焚书坑儒　　妇孺皆知

水乳交融　　入境问俗　　软硬兼施　　珠圆玉润

冷若冰霜　　神经衰弱　　殊途同归　　鼠目寸光

顺手牵羊　　顺水推舟　　闪烁其词　　如梦初醒

5.把下面的几句话用方言和普通话各说一次,看看有何不同

(1)山西省有个芮城县,江西省有个瑞金县。

(2)她的身体很瘦弱,但性格一点儿也不软弱。

(3)我们两人都属鼠。

(4)这个饭店的涮羊肉做得很爽口。

(5)我的牙刷该换了。

"夫、夫、夫"

王:喂,小李,我说一段笑话,请你猜猜是什么意思,好吗?

李:好哇,请讲吧!

王:傅夫夫,爱看夫,端着斧,拿着夫,坐在父底下,看夫又喝斧,你佛父服不夫服。

李:这是什么乱七八糟,我压根儿没听懂。

王:这是我们晋南土话,这段话的意思是说:"傅叔叔,爱看书,端着水,拿着书,坐在树底下,看书又喝水,你说舒服不舒服。"

李:这样说来,普通话里同合口呼韵母相拼的 sh,到了晋南话里全都成了唇齿音 f 了。

王:是的,比如晋南人把事情办得很顺利,说成"事情办得很费力",把"刷牙"说成"发芽"都属于这种情况。

李:那么"猪出入"等字是不是也都变成唇齿音了?

王:是的,这些字在晋南叫"咬嘴唇音",所以他们说普通话时对这些字得做较大的改变。

直读复韵母 ɑi、ei 构成的音节

由两个或三个元音组合而成的韵母叫复韵母。普通话的复韵母有 13 个,即 ɑi、ei、ɑo、ou、iɑ、ie、uɑ、uo、üe、iɑo、iou、uɑi、uei。前 9 个是二合元音(由两个元音构成的),后 4 个是三合元音(由三个元音构成的)。

复韵母的发音和单韵母不同。发单韵母时,舌头、嘴唇和整个共鸣器的形状始终保持不变。发复韵母时,发音器官却要由一个元音的发音状态向另一个元音的发音状态变化,这种变化是渐变的,是滑动的,所以复韵母的声音不像单韵母那样单一,它是两个或三个元音有机结合后产生的一个新的具有自己特殊音色的声音。在二合元音或三合元音中,每个元音的开口度大小不同,元音的响亮度也不同,其中开口度大、声音最响亮的元音叫主要元音。根据主要元音的位置,二合元音又分为前响二合元音(主要元音在前),如 ɑi、ei、ɑo、ou;后响二合元音(主要元音在后),如 iɑ、ie、uɑ、uo、üe;中响三合元音(主要元音在中间),如 iɑo、iou、uɑi、uei。

前响二合元音,主要元音在前,前一个元音的开口度、响亮度都比较大,后一个元音声音比较模糊,发音时舌头不一定真正滑到后一个元音的位置,只表示收尾的趋向。比如二合元音 ɑi、ei 的发音:发 ɑi 时,发音器官从舌面、前、低、不圆唇元音[a]向舌面、前、高、不圆唇元音[i]的方向滑动;发 ei

时,发音器官从舌面、前、半高、不圆唇元音[e]向舌面、前、高、不圆唇元音[i]的方向滑动。显然 ai 和 ei 都是二合元音,都有一个活动过程(动程),它们的收尾趋向是一致的,不同的是 ai 韵母的[a]比 ei 韵母中的[e]开口度要大,所以 ai 韵母比 ei 韵母的开口度也就大,音色也不相同。念 ai 音节和念 ei 音节时一定要掌握这一特点。如果 ai 和 ei 的念法分不清,bai 和 bei、pai 和 pei 就区别不开;如果再把 ai 和 ei 念成没有动程的单韵母[ɛ]或[E],那就更不符合要求,也就影响了意思的表达。ai 和 ei 除了发音上不同外,它们与声母配合的情况也不一样,ei 音节比 ai 音节少,特别是 ei 与 d、n、g、h、z 几个声母相拼的音节只有"得、馁、内、给、黑、嘿、贼"几个字。

语 音 训 练

1.学习 ai、ei 韵母构成的音节及声韵配合规律

| ai | bai pai mai dai tai nai lai gai kai hai zai |

cai sai zhai chai shai

| ei | bei pei mei fei dei nei lei gei hei zei |

常用同韵字表 ai

声母＼声调	阴 平	阳 平	上 声	去 声
∅	哀挨~近埃唉哎	挨~打癌	矮蔼	爱隘艾碍
b	掰	**白**	摆**百**柏	败拜稗
p	**拍**	排徘牌	迫~击炮排~子车	派
m		埋	买	卖迈**麦**脉
d	呆(统读)		歹傣	代袋贷大~夫待怠带戴逮玳
t	胎苔舌~	台苔青~抬		太汰态泰
n			乃奶	奈耐
l		来		赖癞

声母＼声调	阴 平	阳 平	上 声	去 声
g	该		改	盖溉概丐钙
k	开揩		楷凯慨	忾
h	咳	孩还~要	海	害骇
z	灾栽哉		宰载记~	在再载装~
c	猜	才材财裁	采彩踩睬	菜蔡
s	腮鳃 塞瓶~儿			赛塞要~
zh	斋摘	宅翟	窄	债寨
ch	差~遣拆	柴豺		
sh	筛		色掉~	晒

(注)轻声:哎。

(bɑi)黑体字为入声字,下同。

常用同韵字表 ei

声母＼声调	阴 平	阳 平	上 声	去 声
b	卑碑杯悲 背~包袱		北	贝倍备被辈背
p	呸胚	培陪赔		配佩
m		枚玫眉媒煤梅 霉没~有	美镁每	妹昧
f	非啡菲飞妃绯扉	肥	匪诽菲~薄	费沸肺废吠
d			得我~去	
n			馁	内
l	勒~紧	雷镭累~赘	累积~偏全蕾	类泪累劳~ 擂~鼓肋
g			给	
h	黑嘿			
z		贼		

(注)轻声:嘞(lei)

ai 韵母有 16 个音节,它不与舌面音 j、q、x 相拼,也不与 f、r 两个擦音声母相拼。ei 韵母有 10 个音节,除了不与舌面音、舌尖后音相拼外,也不与 t、c、s 声母相拼。

2.学习 ai、ei 音节构成的词语

Āijí 埃及　　　　áidǎ 挨打　　　　ǎigèr 矮个儿　　　　àishì 碍事

bāikāi 掰开　　　páizi 牌子　　　bǎishù 柏树　　　　pàixì 派系

pāimài 拍卖　　　máimò 埋没　　　mǎimài 买卖　　　　màibù 迈步

dāizhì 呆滞　　　táilì 台历　　　nǎichá 奶茶　　　　làipí 赖皮

gāisǐ 该死　　　　háizi 孩子　　　　kǎishū 楷书　　　　gùishì 盖世

zāizhí 栽植　　　cáiwù 财物　　　zǎigē 宰割　　　sàichē 赛车

zhāilù 摘录　　　cháimǐ 柴米　　　zhǎixiǎo 窄小　　　shàitái 晒台

bēibǐ 卑鄙　　　péilǐ 赔礼　　　měilì 美丽　　　fèiwù 废物

lēijǐn 勒紧　　　qìněi 气馁　　　hēisè 黑色　　　zéidǎn 贼胆

3.读成语,并找出 ai、ei 韵母的字

爱莫能助　　　拍手称快　　　悲欢离合　　　费尽心机

塞翁失马　　　背道而驰　　　据为己有　　　开诚布公

词语选用

悲哀 bēi'āi　　　北极 běijí　　　白薯 báishǔ　　　拆台 chāitái

彩带 cǎidài　　　得去 děiqù　　　带徒弟 dàitú·dì　　　菲薄 fěibó

概率论 gàilǜlùn　　　孩子气 háiziqì　　　海菜 hǎicài　　　黑糊糊 hēihūhū

开采 kāicǎi　　　雷阵雨 léizhènyǔ　　　来不及 láibují　　　埋伏 máifú

卖力气 màilìqi　　　奈何 nàihé　　　内海 nèihǎi　　　排斥 páichì

陪侍 péishì　　　塞子 sāizi　　　筛子 shāizi　　　抬举 táiju

态度 tàidu　　　在乎 zàihu　　　债主 zhàizhǔ

眉飞色舞 méifēi – sèwǔ　　　　　贼眉鼠眼 zéiméi – shǔyǎn

朗　读

(1) Zhè fú huàr yīdiǎnr yě bù měi, wǒ bù mǎi le.
　　这 幅 画儿 一点儿 也 不 美, 我 不 买 了。

(2) Xiǎo mèi zhòng de xiǎomài màile wǔ bǎi kuài.
　　小 妹 种 的 小麦 卖了 五 百 块。

(3) Běijīng de Běihǎi Gōngyuán yǒu ge bái tǎ.
　　北京 的 北海 公园 有 个 白 塔。

(4) Měi zhōng bù zú de shì méiyǒu gěi háizi mǎi shū.
　　美 中 不 足 的 是 没有 给 孩子 买 书。

(5) Qù Nánměi de fēijī piào zhēn nán mǎi.
　　去 南美 的 飞机 票 真 难 买。

(6) Bèi kè suī lèi, dàn tā cóng bù yìngfù.
　　备 课 虽 累, 但 他 从 不 应付。

十一月四日风雨大作　　陆　游

Jiāng wò gū cūn bù zì āi,　　　　　　僵卧孤村不自哀,

Shàng sī wèi guó shù lún tái.　　　　尚思为国戍轮台。

Yè lán wò tīng fēng chuī yǔ,　　　　夜阑卧听风吹雨,

Tiě mǎ bīng hé rù mèng lái.　　　　铁马冰河入梦来。

采莲曲二首（其二）　　王昌龄

Hé yè luó qún yī sè cái,　　　　　　荷叶罗裙一色裁,

Fúróng xiàng liǎn liǎng biān kāi.　　芙蓉向脸两边开。

Luàn rù chí zhōng kàn bù jiàn,　　　乱入池中看不见,

Wén gē shǐ jué yǒu rén lái.　　　　闻歌始觉有人来。

白艾艾　张奶奶

Bái Ài'ai, Zhāng nǎinai, liǎng rén shàng jiē zuò mǎimai,

Bái Ài'ài mài pǐchái, Zhāng nǎinai mài hǎidài.

Nǎinai màile hǎidài mǎi báicài,

Ài'ài màile pǐchái mǎi kǒudài.

Nǎinai bāngzhe Ài'ai mài,

Ài'ai bāngzhe nǎinai tái,

Nǎinai Ài'ai xiào kāi huái.

白艾艾,张奶奶,两人上街做买卖,

白艾艾卖劈柴,张奶奶卖海带。

奶奶卖了海带买白菜,

艾艾卖了劈柴买口袋。

奶奶帮着艾艾卖,

艾艾帮着奶奶抬,

奶奶艾艾笑开怀。

【第 十 四 讲】

直读复韵母 ao、ou 构成的音节

　　复韵母 ao、ou 都是前响二合元音,主要元音在前。发 ao 时,发音器官从舌面、后、低、不圆唇元音[a]向舌面、后、半高、圆唇元音[o]滑动(ao 的收尾实际已超过[o],向[u]滑动。ao 的实际发音是 au,为了不与手写体的 an 相混,《方案》规定写为 ao),a－o[u]的有机结合形成了 ao 韵母。发 ou 时,发音器官从舌面、后、半高、圆唇元音[o]向舌面、后、高、圆唇元音[u]滑动,o－u的有机结合形成了 ou 韵母。ao 和 ou 不同的是,ao 韵母中的[a]比 ou 韵母中的[o]开口度要大,所以 ao 韵母比 ou 韵母的开口度也就大,音色也不一样。念 pao、mao、pou、mou 等音节时就要掌握这一特点。ao、ou 能拼合的音节都比较多,只是 ou 韵母与个别声母如 p、m、f、c 相拼的字只有"剖、谋、某、否、凑"很少的几个字。

语 音 训 练

1. 学习 ao、ou 韵母构成的音节及声韵配合规律

ao bao pao mao dao tao nao lao gao kao hao zao cao sao zhao chao shao

ou pou mou fou dou tou lou gou kou hou zou cou sou zhou chou shou rou

常用同韵字表 ao

声母＼声调	阴 平	阳 平	上 声	去 声
ø	熬~菜凹	熬~夜~药翱鳌	袄	奥澳傲
b	包胞苞褒剥~皮儿	雹薄~纸	宝保堡饱	报豹抱鲍刨~子暴爆
p	抛	袍刨~坑	跑	炮泡
m	猫	毛矛茅锚	卯铆	冒帽瑁貌茂贸
d	刀叨唠~		倒打~岛捣导蹈	道稻盗悼到倒~置
t	滔掏涛叨~扰	桃逃萄淘陶	讨	套
n	孬	挠蛲铙	脑恼	闹
l	捞	劳痨牢	老姥	涝烙酪
g	羔糕高篙膏		稿搞镐	告
k			考拷烤	靠铐
h	蒿薅	豪壕嚎毫号~哭	好郝	号~召好爱~耗浩
z	糟遭	凿(统读)	澡蚤早枣	造皂灶燥躁噪
c	操糙	曹漕槽嘈	草	臊害~扫~帚
s	搔骚臊~气		扫嫂	臊害~扫~帚
zh	招昭朝~着高~儿	着烧~了	爪找沼池~	召(统读)照赵兆罩
ch	抄超钞	朝~东潮嘲晁巢	吵炒	
sh	稍捎梢烧	韶勺芍	少	少~年哨绍邵
r		饶娆	扰	绕(统读)

常用同韵字表 **ou**

声母\声调	阴 平	阳 平	上 声	去 声
ø	区姓~欧殴鸥		偶藕呕	沤怄
p	剖			
m		谋	某	
f			否	
d	都~是兜		斗抖蚪陡	斗豆痘逗
t	偷	头投		透
l	搂~柴火	楼耧喽	篓搂~抱	陋漏露~脸
g	勾钩沟		狗苟枸	勾~当构购够垢
k			口	扣寇
h		侯喉猴	吼	候后厚
z	邹		走	奏揍
c				凑
s	搜馊艘			嗽
zh	州洲周舟粥诌	轴	肘帚	皱骤昼宙咒
ch	抽	酬愁稠绸仇筹畴踌	丑瞅	臭
sh	收	**熟**	守手首	受授兽瘦寿售
r		柔揉		**肉**

(注)轻声:喽(ou)

ao韵母有17个音节,除了不与舌面音j、q、x相拼外,还不与f声母相拼。ou韵母有16个音节,除了不与舌面音相拼外,还不与b、n声母相拼。

2.学习 ao、ou 音节构成的词语

āocài 熬菜	áoyóu 遨游	ǎoxiù 袄袖	àoqì 傲气
bāopír 剥皮儿	táopǎo 逃跑	nǎonù 恼怒	gàosu 告诉
zāozāi 遭灾	cáozá 嘈杂	sǎodì 扫地	sàozhou 扫帚
zhāolù 朝露	cháodài 朝代	shǎoshù 少数	ràodào 绕道
ōudǎ 殴打	ōugē 讴歌	ǒushù 偶数	òuqì 怄气
pōuxī 剖析	tóudì 投递	lǒubào 搂抱	kòuzi 扣子
sōují 搜集	késou 咳嗽	zǒulù 走路	còushù 凑数
Zhōucháo 周朝	chóubèi 筹备	shǒushì 首饰	shòuròu 瘦肉

词语选用

包抄 bāochāo	朝拜 cháobài	稻草 dàocǎo

早操 zǎocāo	臭豆腐 chòudòufu	陡坡 dǒupō
稿费 gǎofèi	构造 gòuzào	号脉 hàomài
厚薄 hòubó	靠得住 kàodezhù	口号 kǒuhào
劳模 láomó	漏勺 lòusháo	毛桃 máotáo
谋取 móuqǔ	脑袋 nǎodai	跑道 pǎodào
剖腹 pōufù	绕脖子 ràobózi	柔道 róudào
少白头 shàobáitóu	扫除 sǎochú	受气包 shòuqìbāo
搜捕 sōubǔ	讨好 tǎohǎo	头高头低 tóugāotóudī
找茬儿 zhǎochár	糟糕 zāogāo	走漏 zǒulòu

3.读下列成语,并找出 ao、ou 韵母的字

老态龙钟	饱食终日	臭名远扬	愁眉不展
操之过急	手到病除	少见多怪	报仇雪恨

不能吃

一个人在路上走。他饿了,看见很多人在饭
Yī ge rén zài lù shang zǒu. Tā è le, kàn jiàn hěn duō rén zài fàn

馆儿里吃饭,就进去了。坐下以后,服务员给他拿
guǎnr lǐ chī fàn, jiù jìn qù le. Zuò xià yǐ hòu, fú wù yuán gěi tā ná

来了菜单儿,但是这个人不认识字,又要装出
lái le cài dānr, dàn shì zhè ge rén bù rèn shí zì, yòu yào zhuāng chū

认字的样子,就往菜单儿上一指,说:"要这个。"
rèn zì de yàng zi, jiù wǎng cài dānr shang yī zhǐ, shuō: "yào zhè ge."

一会儿,服务员给他送来了一碗汤。服务员问
Yī huìr, fú wù yuán gěi tā sòng lái le yī wǎn tāng. Fú wù yuán wèn

他:"您还要什么菜?"他又指了一下。这回服务员
tā: "nín hái yào shén me cài?" Tā yòu zhǐ le yī xià. Zhè huí fú wù yuán

拿来的还是一碗汤。他一看,还是汤,就又指了一
ná lái de hái shi yī wǎn tāng. Tā yī kàn, hái shi tāng, jiù yòu zhǐ le yī

下。服务员看了以后笑了,说:"这个不能吃。"
xià. Fú wù yuán kàn le yǐ hòu xiào le, shuō: "zhè ge bù néng chī."

刘老头

六十六岁的刘老头，　　　　　　　修了六十六间走马楼，
楼上摆了六十六瓶苏合油，　　　　门前栽了六十六棵垂杨柳，
垂杨柳上拴了六十六匹大马猴，　　打倒了六十六瓶苏合油，
压倒了六十六棵垂杨柳，　　　　　跑走了六十六匹大马猴，
气坏了六十六岁刘老头。

Liú lǎo tóu

Liù shí liù suì de Liú lǎotóu,

Xiū le liù shí liù jiān zǒu mǎ lóu,

Lóu shàng bǎile liù shí liù píng sū hé yóu,

Mén qián zāi le liù shí liù kē chuí yáng liǔ,

Chuí yáng liǔ shang shuān le liù shí liù pǐ dà mǎ hóu,

Dǎ dǎo le liù shí liù píng sū hé yóu,

Yā dǎo le liù shí liù kē chuí yáng liǔ,

Pǎo zǒu le liù shí liù pǐ dà mǎ hóu,

Qì huài le liù shí liù suì Liú lǎo tóu.

课外阅读

　　生命是那样短暂，如果一朵云的消失可以换来一个绿色的梦，那么，梦里永远会有一个白色的精灵。这个世界最大的损失是我们选择袖手旁观，是我们错误地认为，我们只是为自己活着。

（选自《一朵云》）

直读复韵母 ia、ie、üe 构成的音节

　　普通话的后响二合元音共有 5 个：ia、ie、ua、uo、üe。后响二合元音，主要元音在后，后一个元音的开口度较大，声音响亮清楚，前一个元音声音短而模糊。比如 ia 韵母的发音，发 ia 时，发音器官从舌面、前、高、不圆唇元音 [i] 向舌面、央、低、不圆唇元音 [A] 滑去。收尾 [A] 的开口度大，声音响亮清楚，[i] 只表示发音器官活动的起点，i－a 的有机结合构成了 ia 韵母。ie、üe 韵母的主要元音也在后，发 ie、üe 时，发音器官都是从舌面、前、高元音向舌面前、半低、不圆唇元音 ê[ɛ] 滑去。ê 在介绍单韵母时已谈到，ê 只给"欸"这个字注音，但它更多的用处，是与 i、ü 结合，构成 ie、üe 韵母（ê 与 i、ü 结合后 ê 上的"ˆ"就不写了）。ie、üe 发音的不同，就在于 i 是不圆唇元音，ie 开头的口形平展；ü 是圆唇元音，üe 开头的口形圆敛。i－ê、ü－ê 的有机结合构成了 ie、üe 韵母。ia、ie、üe 这三个韵母在与声母的拼合上有共同之处，它们都能与舌面音 j、q、x 相拼，ie 能拼合的声母更多一些。另外，用这些音节所注的字，大都是入声字。

语 音 训 练

1.学习 ia、ie、üe 韵母构成的音节及声韵配合规律

ia   lia   jia   qia   xia

ie   bie   pie   mie   die   tie   nie   lie   jie   qie   xie

üe   nüe   lüe   jue   que   xue

常用同韵字表 ia

声母 \ 声调	阴 平	阳 平	上 声	去 声
ø	丫呀鸦押鸭压	牙芽蚜崖	哑雅	亚讶轧揠
l			俩	
j	加枷笳袈嘉家佳夹~子	夹~被荚颊铗	假贾甲钾胛岬	稼嫁架驾价假~日
q	掐		卡~子	恰洽
x	虾瞎呷	霞暇瑕狭侠峡狎匣辖		夏厦~门下吓

(注)轻声:呀(ya)

常用同韵字表 ie

声母 \ 声调	阴 平	阳 平	上 声	去 声
ø	椰噎	爷	也冶野	夜腋液掖叶页业谒曳咽呜~
b	鳖憋瘪~三	别蹩	瘪	别~扭
p	撇~开瞥		撇苤~蓝	
m	乜咩			灭蔑
d	爹跌	迭叠碟蝶喋堞		
t	贴		铁帖~子	帖字~
n	捏			聂镊蹑镍孽蘖
l			咧~嘴	列烈裂猎劣冽
j	阶秸街揭接疖皆结~巴	洁结诘劫杰子节竭捷截	解姐	介芥界疥戒届借

声母＼声调	阴 平	阳 平	上 声	去 声
q	切~开	茄	且	怯切密~窃妾挈
x	些歇蝎楔	偕鞋携邪协斜胁挟	写血出~	械懈蟹卸泻谢泄屑亵燮

常用同韵字表 üe

声母＼声调	阴 平	阳 平	上 声	去 声
ø	约曰		哕	悦阅越粤月钺钥锁~跃乐音~岳
n				虐疟
l				略掠
j	撅	决诀抉觉珏绝倔掘崛厥橛蹶攫爵嚼咀~		
q	缺阙~如~疑	瘸		却确鹊雀阙阕
x	靴薛削剥~	学穴噱~头	雪	血~压谑

　　ia 韵母只有 4 个音节，除了 liǎ 音节只有一个"俩"字外，其余都是与舌面音 j、q、x 相拼构成的音节。

　　ie 韵母有 10 个音节，它不和舌根音 g、k、h，舌尖前音 z、c、s，舌尖后音 zh、ch、sh、r 相拼，还不与声母 f 相拼。

　　üe 韵母有 5 个音节，它不与 n、l、j、q、x 以外的声母相拼，与 n、l 相拼的字也不多，只有"虐、疟、略、掠"4 个。

2. 给下列单音节字词注音

　　家 阅 灭 靴 甲 缺 略 下 切
　　斜 峡 绝 哑 节 虐 茄 鞋 压

3. 学习 ia、ie、üe 音节构成的词语

yāpò 压迫	yáchǐ 牙齿	yǎba 哑巴	Yàzhōu 亚洲
jiāqī 佳期	xiá'ài 狭隘	qiǎzi 卡子	jiàrì 假日
yēzi 椰子	yéye 爷爷	yědì 野地	yèsè 夜色
biēqì 憋气	biéshù 别墅	piěnà 撇捺	mièshì 蔑视
diēmā 爹妈	tiěxiù 铁锈	nièrú 嗫嚅	lièqǔ 猎取
jiēdào 街道	jiébái 洁白	érqiě 而且	xièchē 卸车
yuēshù 约束	gānyue 干哕	yuèchū 月初	yuèdú 阅读

nüèji 疟疾	nüèdài 虐待	lüèduó 掠夺	lüèwēi 略微
quēkǒu 缺口	juésè 角色	xuěbái 雪白	xuèyā 血压

词语选用

铁架 tiějià	谍报 diébào	迭起 diéqǐ	接待 jiēdài
结构 jiégòu	加倍 jiābèi	假冒 jiǎmào	俩人 liǎnrén
列席 lièxí	掠美 lüèměi	灭口 mièkǒu	捏造 niēzào
虐杀 nüèshā	撇开 piēkāi	苤蓝 piělan	切除 qiēchú
缺德 quēdé	却步 quèbù	卡脖子 qiǎbózi	恰好 qiàhǎo
瞎扯 xiāchě	峡谷 xiágǔ	亵渎 xièdú	懈怠 xièdài
学费 xuéfèi	雪白 xuěbái	鸭儿梨 yārlí	野葡萄 yěpútao
乐谱 yuèpǔ	锲而不舍 qiè'érbùshě		写字楼 xiězìlóu

朗　读

野鸭邮递员

　　人们常说，"赶鸭子上架"，比喻笨鸭做不了事。其实,鸭子是很聪明的动物。美国著名的动物学家佛曼,驯养了一批野鸭,它们能准确无误地把捆在爪子上的资料和稿件送到研究所和报社。现在,在美国得克萨斯州近20个邮区中,有近100只经过训练的野鸭,从事传递信件的工作。

YEYA　YOUDIYUAN

　　Rénmen cháng shuō,"Gǎn yāzi shàng jià",bǐyù bènyā zuò bù liǎo shì. Qíshí,yāzi shì hěn cōng·míng de dòngwù. Měiguó zhùmíng de dòngwù xuéjiā Fó-màn, xùnyǎngle yī pī yěyā,tāmen néng zhǔnquè wú wù de bǎ kǔn zài zhuǎzi shang de zīliào hé gǎojiàn sòngdao yánjiūsuǒ hé bàoshè. Xiànzài,zài Měiguó Dékèsàsī Zhōu jìn 20 ge yóuqū zhōng,yǒu jìn 100 zhī jīngguò xùnliàn de yěyā,cóngshì chuándì xìnjiàn de gōngzuò.

瘸子和矬子

南边来了个瘸子,腰里别着个橛子;

北边来了个矬子,肩上挑着担茄子。

别橛子的瘸子要用橛子换挑茄子的矬子的一个茄子;

挑茄子的矬子不换给别橛子的瘸子茄子。

别橛子的瘸子抽出腰里橛子打了挑茄子的矬子一橛子;

挑茄子的矬子拿起茄子打了别橛子的瘸子一茄子。

Quézi hé cuózi

Nánbiān láile ge quézi,yāo li biézhe ge juézi;

Běibiān láile ge cuózi,jiān shàng tiāozhe dàn qiézi.

Bié juézi de quézi yào yòng juézi huàn tiāo qiézi de cuózi de yī ge qiézi;

Tiāo qiézi de cuózi bù huàn gěi bié juézi de quézi qiézi.

Bié juézi de quézi chōuchū yāo li juézi dǎle tiāo qiézi de cuózi yī juézi;

Tiāo qiézi de cuózi ná qǐ qiézi dǎ le bié juézi de quézi yī qiézi.

【第 十 六 讲】

直读复韵母 ua、uo 构成的音节

复韵母 ua、uo 也是后响二合元音,主要元音在后,发 ua 韵母时,发音器官从舌面、后、高、圆唇元音[u]向舌面、央、低、不圆唇元音[A]滑去。发 uo 韵母时,发音器官的起点与 ua 相同,不同的是 uo 收尾的开口度没有 ua 大,uo 从舌面、后、高、圆唇[u]元音向舌面、后、半高、圆唇元音[o]滑去。u－a[a],u－o 的有机结合构成 ua、uo 韵母。念 ua 音节和 uo 音节时要掌握这一特点。ua、uo 韵母与声母拼合的情况也不同,ua 能拼合的音节不多,只与舌根音 g、k、h 和舌尖后音 zh、sh 相拼。uo 能拼合的音节较多,uo 韵母与单韵母 o 相反,它能与 b、p、m、f 以外的声母相拼。

语音训练

1.学习 ua、uo 韵母构成的音节及声韵配合规律

| ua | gua | kua | hua | zhua | shua |

| uo | duo | tuo | nuo | luo | guo | kuo | huo | zuo | cuo | suo | zhuo |
| | chuo | shuo | ruo |

常用同韵字表 ua

声母＼声调	阴 平	阳 平	上 声	去 声
ø	蛙哇洼挖娲	娃	瓦	袜
g	瓜刮		寡剐	挂卦褂
k	夸		垮	挎跨胯
h	花哗~啦	华哗喧~铧划~船滑猾		话华~桦划画
zh	抓		爪~子	
sh	刷		耍	刷~白

(注)轻声:哇(wa)。

常用同韵字表 uo

声母＼声调	阴 平	阳 平	上 声	去 声
ø	涡莴窝蜗倭		我	卧握沃斡幄
d	多哆咄掇	夺度猜~踱	朵躲	舵剁堕跺惰堕驮~子
t	拖托脱	坨柁驼驮	妥椭	唾柝拓开~
n		挪		懦糯诺
l	啰~嗦捋	螺骡罗萝锣箩逻	裸	洛落络骆
g	锅郭蝈聒过姓~	国帼	果裹馃椁	过
k				阔括扩廓
h	豁~口	活和~面	火伙	祸货或惑获霍豁~亮
z	作~坊	昨	左	坐座做作柞酢
c	搓磋撮	矬		锉挫措错
s	梭唆蓑缩		锁琐所索	
zh	桌捉拙涿	苗灼酌浊镯着~落啄琢擢濯卓		
ch	戳			绰啜辍龊
sh	说			硕烁铄妁朔搠槊
r				若弱

(注)轻声:咯(luo),嗦(suo)。

ua 韵母能拼合的音节只有 5 个,不与 g、k、h、zh、sh 以外的声母相拼。uo 韵母能拼合的音节有 14 个,能与 b、p、m、f 以外的声母相拼。

2.学习 ua、uo 音节构成的词语

wādì 洼地	wáwa 娃娃	wǎlì 瓦砾	wàzi 袜子
guāgé 瓜葛	huáxuě 滑雪	kuǎtái 垮台	kuàdù 跨度
zhuājǔ 抓举	zhuǎzi 爪子	shuǎhuá 耍滑	shuàbái 刷白
wōtóu 窝头	wǎngluò 网络	wòshǒu 握手	wòshì 卧室
duōshǎo 多少	tuóbèi 驼背	luǒlù 裸露	nuòruò 懦弱
guōgài 锅盖	huó·pō 活泼	kuòdà 扩大	huòhài 祸害
cuōshǒu 搓手	zuómo 琢磨	suǒqǔ 索取	zuòshì 做事
zhuōzi 桌子	zhuórè 灼热	chuòxué 辍学	luòhuā 落花

词语选用

多幕剧 duōmùjù	躲债 duǒzhài	挂图 guàtú	国际歌 guójìgē
花费 huāfèi	华北 Huáběi	豁口 huōkǒu	活该 huógāi
跨越 kuàyuè	阔别 kuòbié	括号 kuòhào	罗锅 luóguō
落后 luòhòu	挪借 nuójiè	刷洗 shuāxǐ	硕士 shuòshì
所在 suǒzài	托儿所 tuō'ér suǒ	抓瞎 zhuāxiā	拙劣 zhuōliè
瓜熟蒂落 guāshú – dìluò		耍无赖 shuǎwúlài	
若无其事 ruòwúqíshì		座无虚席 zuòwúxūxí	

<hr>

朗　读

古从军行　　李颀

Báirì dēng shān wàng fēnghuǒ,　　白日登山望烽火,

Huánghūn yìn mǎ bàng jiāohé.　　黄昏饮马傍交河。

Xíngrén diāodǒu fēngshā àn,　　行人刁斗风沙暗,

Gōngzhǔ pí·pá yōuyuàn duō.　　公主琵琶幽怨多。

Yě yún wànlǐ wú chéngkuò,　　野云万里无城廓,

Yǔ xuě fēnfēn lián dà mò.　　雨雪纷纷连大漠。

Húyàn āimíng yèyè fēi,

Hú'ér yǎnlèi shuāngshuāng luò.

Wéndào Yùmén yóu bèi zhē,

Yìng jiāng xìngmìng zhú qīng chē.

Niánnián zhàn gǔ mái huāng wài,

Kōng jiàn pútáo rù hàn jiā.

胡雁哀鸣夜夜飞，

胡儿眼泪双双落。

闻道玉门犹被遮，

应将性命逐轻车。

年年战骨埋荒外，

空见蒲桃入汉家。

算卦的和挂蒜的

街上有个算卦的，还有一个挂蒜的。

算卦的算卦，挂蒜的挂蒜。

算卦的叫挂蒜的算卦，

挂蒜的叫算卦的买蒜。

算卦的不买挂蒜的蒜，

挂蒜的也不算算卦的卦。

Suànguà de hé Guà Suàn de

Jiēshang yǒu ge suànguà de, hái yǒu yī ge guà suàn de.

Suànguà de suànguà, guà suàn de guà suàn.

Suànguàde jiào guà suàn de suàn guà,

Guàsuànde jiào suànguà de mǎi suàn.

Suànguàde bù mǎi guà suàn de suàn,

Guà suàn de yě bù suàn suànguà de guà.

直读复韵母 iao、iou 构成的音节

普通话的中响三合元音有 4 个：iao、iou、uai、uei。三合元音是在二合元音的基础上又增加了一个动程构成的。三合元音的主要元音在中间，中间的元音开口度、响亮度都较大，首尾两个元音声音比较模糊，只表示发音器官活动的起点和收尾的趋向，三个元音的有机结合形成了一种不同于二合元音的新的音色。比如：iao、iou 两个韵母是在 ao、ou 韵母前加 i 构成的。发 iao 时，发音器官从舌面、前、高、不圆唇元音 i 向舌面、后、低、不圆唇元音 [ɑ] 滑去，再向舌面、后、半高、圆唇元音 o（实际已超过 o 接近 u）的方向收尾，i－ɑ－o 的有机结合形成了 iao 韵母。发 iou 时，发音器官从舌面、前、高、不圆唇元音 i 向舌面后、半高、圆唇元音 o 滑去，再向舌面、后、高、圆唇元音 u 的方向收尾，i－o－u 的有机结合，形成了 iou 韵母。ao 比 ou 的开口度大，iao 和 iou 相比，iao 韵母中间的动程比 iou 的动程大，我们念 iao、iou 音节时要注意这一特点。iao、iou 韵母与声母的配合大体相似，都能与舌尖中音、舌面音相拼，只是 iao 能拼合的音节更多一些。另外，普通话的 iou 韵母不与舌根音 g、k、h 相拼，没有 giu、kiu、hiu 音节，方言里这些音节的字，普通话都念 gou、kou、hou。普通话 iou 韵母与声母 m、d 相拼的字也只有"谬"和"丢"。拼写时 iou 韵母与声母相拼时中间的 o 省去，写成 iu，如 q＋iou＞qiū（秋）。

语音训练

1. 学习 iao、iou 韵母构成的音节及声韵配合规律

iao　biao　piao　miao　diao　tiao　niao　liao　jiao　qiao　xiao

iou　miu　diu　niu　liu　jiu　qiu　xiu

常用同韵字表 iao

声母＼声调	阴 平	阳 平	上 声	去 声
ø	幺吆夭邀妖腰要~求	姚摇遥窑谣肴	舀咬	要**耀药钥**
b	标膘彪飙		表裱	鳔摽俵
p	漂飘	瓢	漂~白	票漂~亮
m	喵	苗描瞄	秒渺藐	庙妙
d	刁叼凋碉雕			吊钓掉调~动
t	挑	条调~和笤迢	挑~拨	跳粜
n			鸟	尿
l	撩	僚缭燎辽疗寥聊	了~然	料廖钉撩
j	交郊茭娇骄胶浇教~书焦蕉礁椒	嚼~碎	佼狡绞铰皎缴侥搅矫脚角剿围~	校~对较叫教~育窖轿醮发~觉睡
q	敲跷锹橇悄	乔侨桥荞翘~首瞧	巧悄~然	俏窍撬壳地~翘~尾巴
x	嚣霄肖姓~消销硝箫萧**削**切~	淆	晓小	肖不~效校笑孝哮(统读)

常用同韵字表 iou

声母＼声调	阴 平	阳 平	上 声	去 声
ø	忧优悠幽	由油邮蚰铀游尤犹疣	友有	又右幼釉诱
m				谬
d	丢			

声调　声母	阴　平	阳　平	上　声	去　声
n	妞	牛	扭纽钮	拗执~
l	溜~走	流琉硫留榴镏~金瘤刘	柳	溜水~馏~子馏遛陆六
j	纠赳鸠究揪阄		久玖灸九韭酒	臼舅旧救就疚枢
q	丘蚯秋鳅	酋遒求球裘囚仇姓~	糗	
x	休羞修		朽宿整~	秀绣锈嗅袖宿星~臭乳~

iao 韵母有 10 个音节, iou 韵母有 7 个音节。iao、iou 韵母除了不与唇齿音 f, 舌根音 g、k、h, 舌尖前音 z、c、s, 舌尖后音 zh、ch、sh、r 相拼外, iou 还不与 b、p、t 声母相拼。

2. 学习 iao、iou 音节构成的词语

yāojí 邀集	yáobǎi 摇摆	yǎozi 舀子	yàocái 药材
biāozhì 标致	piáopō 瓢泼	miǎoshì 藐视	piàojù 票据
diāobǎo 碉堡	tiáohé 调和	niǎowō 鸟窝	liàoxià 撂下
jiāolǜ 焦虑	qiáojū 侨居	xiǎoqiǎo 小巧	xiàoyì 效益
yōulǜ 忧虑	yóuyù 犹豫	yǒuhǎo 友好	yòuhuò 诱惑
diūshī 丢失	niúnǎi 牛奶	liǔxù 柳絮	miùlùn 谬论
jiūchá 纠察	qiúshí 求实	xiǔmù 朽木	zuòxiù 作秀

词语选用

biǎogé 表格	biāochǐ 标尺	diāoluò 凋落
diàobō 调拨	diūchǒu 丢丑	jiǎoyāzi 脚丫子
jiàomǔ 酵母	jiǔcài 韭菜	jiùxù 就绪
liáorào 缭绕	liàoqiào 料峭	miáomó 描摹
miùwù 谬误	niǎokàn 鸟瞰	niàosù 尿素
piāoliú 漂流	piǎobái 漂白	qiáobuqǐ 瞧不起
qiàopíhuà 俏皮话	tiāocìr 挑刺儿	tiǎobō 挑拨
tiáohésè 调和色	条理 tiáolǐ	消瘦 xiāoshòu
小白菜儿 xiǎobáicàir	休学 xiūxué	嗅觉 xiùjué

口占一绝　　　　李大钊

Zhuàng bié tiānyá wèi xǔ chóu,　　　壮别天涯未许愁，

Jìn jiāng líhèn fù dōng liú.　　　尽将离恨付东流。

Hé dāng tòngyǐn Huánglóngfǔ,　　　何当痛饮黄龙府，

Gāo zhù shénzhōu fēngyǔlóu.　　　高筑神州风雨楼。

狱中诗　　　　恽代英

Làngjì jiānghú yì jiù yóu,　　　浪迹江湖忆旧游，

Gùrén shēngsǐ gè qiānqiū.　　　故人生死各千秋。

Yǐ bìn yōuhuàn xúncháng shì,　　　已摈忧患寻常事，

Liúdé háoqíng zuò Chǔqiú.　　　留得豪情作楚囚。

妞妞和六六

Hé biān yǒu kē wānwān liǔ,　　　河边有棵弯弯柳，

Fēng chuī lù liǔ liǔ zhāo shǒu,　　　风吹绿柳柳招手，

Niūniu shēn shǒu zhé lù liǔ,　　　妞妞伸手折绿柳，

Zhélái lù liǔ yòng shǒu niǔ,　　　折来绿柳用手扭，

Biānle liù ge liǔ lǒulou.　　　编了六个柳篓篓。

Shān biān yǒu piàn líshù lín,　　　山边有片梨树林，

Shùlín liánzhe lù shāndiān,　　　树林连着绿山巅，

Liùliu shēn shǒu qù zhāi lí,　　　六六伸手去摘梨，

Zhāilái dà lí zhuāng lǒu lǐ,　　　摘来大梨装篓里，

Niūniu liùliu lái fēn lí.　　　妞妞六六来分梨。

发明家的幽默

提起爱迪生，人人都知道他是个脚踏实地的发明家，恐怕他在很多人的印象中是个严谨、不苟言笑的人。其实，他是个机智、幽默、善于言辞的人。

一次，有一位记者问他是否应该给一座正在修建的大教堂上装一个避雷针，他毫不犹豫地回答说："当然要装。因为上帝往往是粗心大意的嘛！他也许真会一时疏忽，用雷击中自己扬善布道的教堂呢！"

那位记者又问爱迪生是如何想像上帝的。这个问题很难回答，因为对上帝的不恰当的褒贬，会引起人们的不满。但这并没有难住爱迪生，他一等记者说完，就回答道："先生，没有质量，没有重量，没有开关的东西，对于科学工作者来说，是无法想像的。"

Fāmíngjiā de Yōumò

Tíqǐ Àidíshēng, rénrén dōu zhīdào tā shì ge jiǎotàshídì de fāmíngjiā, kǒngpà tā zài hěn duō rén de yìnxiàng zhōng shì ge yánjǐn、bùgǒuyánxiào de rén. Qíshí, tā shì ge jīzhì、yōumò、shànyú yáncí de rén.

Yī cì, yǒu yī wèi jìzhě wèn tā shìfǒu yīnggāi gěi yí zuò zhèngzài xiūjiàn de dà jiàotáng shang zhuāng yī ge bìléizhēn, tā háo bù yóuyù de huídá shuō: "Dāngrán yào zhuāng. Yīnwèi shàngdì wǎngwǎng shì cūxīn - dàyì de ma! Tā yěxǔ zhēn huì yīshí shūhū, yòng léi jīzhòng wèi zìjǐ yángshàn bùdào de jiàotáng ne!"

Nà wèi jìzhě yòu wèn Àidíshēng shì rúhé xiǎngxiàng shàngdì de. Zhè ge wèntí hěn nán huídá, yīnwèi duì shàngdì de bù qiàdàng de bāobiǎn, huì yǐnqǐ rénmen de bùmǎn. Dàn zhè bìng méiyǒu nánzhù Àidíshēng, tā yī děng jìzhě shuōwán, jiù huídá dào: "Xiānsheng, méiyǒu zhìliàng, méiyǒu zhòngliàng, méiyǒu kāiguān de dōngxi, duìyú kēxué gōngzuòzhě lái shuō, shì wúfǎ xiǎngxiàng de."

小偷为什么还不来

小偷偷了一件大衣从一家门口过，看见这家的门没关，就进去了。他放下大衣想再偷点儿什么东西。这时候,这家的老头儿回来了。

小偷听见有人,来不及拿大衣就跳墙跑了。

老头儿看看屋里什么也没丢,桌子上还放着一件大衣,他非常高兴,希望还有这样的机会,从那天起,他每天晚上开着门,到外面去散步。可是小偷再也不来了。老头儿说:"唉,小偷为什么还不来呢?"

Xiǎotōu Wèishénme HáiBùLái

Xiǎo tōu tōule yī jiàn dàyī cóng yī jiā ménkǒu guò, kànjiàn zhè jiā de mén méi guān, jiù jìn qùle. Tā fàng xià dàyī xiǎng zài tōu diǎnr shén me dōng xi. zhè shí hou, Zhè jiā de lǎotóur huílái le.

Xiǎo tōu tīngjiàn yǒu rén, láibují ná dàyī jiù tiào qiáng pǎo le.

Lǎotóur kànkan wū li shénme yě méi diū, zhuōzi shàng hái fàngzhe yī jiàn dàyī, tā fēicháng gāoxìng, xīwàng hái yǒu zhèyàng de jīhuì, cóng nà tiān qǐ, tā měi tiān wǎnshang kāizhe mén, dào wàimian qù sàn bù. kě shì xiǎo tōu zài yě bù lái le. Lǎotóur shuō:

"Ài, xiǎotōu wèishénme hái bù lái ne?"

【第 十 八 讲】

直读复韵母 uɑi、uei 构成的音节

　　复韵母 uɑi、uei 也是中响三合元音，它们是在 ɑi、ei 二合元音的基础上又增加了一个元音 u，也就是又增加了一个动程构成的，整个韵母的主要元音在中间。念 uɑi 时，发音器官从舌面、后、高、圆唇元音 u 向舌面前、低、不圆唇元音[a]滑去，再向舌面、前、高、不圆唇元音 i 的方向收尾，u－a－i 的有机结合构成了 uɑi 韵母。发 uei 时，发音器官也是从舌面、后、高、圆唇元音 u 开始，但是向舌面、前、半高、不圆唇元音[e]滑去，再向舌面、前、高、不圆唇元音 i 的方向收尾，u－e－i 的有机结合，构成了 uei 韵母。ɑi 比 ei 的开口度大，uɑi 和 uei 相比，如果 uɑi 韵母中间的动程不比 uei 韵母中间的动程大，那么 uɑi 和 uei 也就区分不开；如果把二合元音 ɑi 念成单韵母[ɛ]或[E]，少了一个动程，相应地把三合元音的 uɑi 念成[uɛ]或[uE]，也少了一个动程，那听起来就更不对了，所以念 uɑi、uei 音节时一定要念出它们之间的区别。uɑi、uei 除了发音有些不同外，它们与声母拼合的情况也不完全相同。uɑi 韵母只能和舌根音 g、k、h，舌尖后音 zh、ch、sh 相拼；uei 韵母能拼合的声母较多，特别是能与舌尖前音 z、c、s 相拼，uɑi 韵母却不能。拼写时，uei 韵母与声母拼合后，中间的 e 就省去不写，变成 ui，如 g＋uei＞guī(归)。

语音训练

1. 学习 uɑi、uei 韵母构成的音节及声韵配合规律

uɑi　guɑi　kuɑi　huɑi　zhuɑi　chuɑi　shuɑi

uei　dui　tui　gui　kui　hui　zui　cui　sui　zhui　chui　shui　rui

常用同韵字表 uɑi

声母＼声调	阴 平	阳 平	上 声	去 声
Ø	歪		崴~脚	外
g	乖		拐	怪
k			蒯扮	会~计快筷块脍
h		怀槐淮徊徘~	坏	
zh	拽		转~文跩	拽~住
ch	揣~手		揣~测	踹
sh	衰摔		甩	帅率~领蟀

常用同韵字表 uei(ui)

声母＼声调	阴 平	阳 平	上 声	去 声
Ø	威危微巍逶崴	围违惟唯（统读）维为桅韦嵬帏帷	伟苇纬委诿猥尾伪萎（统读）娓	为~什么畏喂胃谓猬尉慰卫位魏未味渭蔚
d	堆			对兑队
t	推	颓	腿	退蜕
g	闺归规龟瑰		诡鬼轨	桂贵柜跪刿
k	亏盔窥岿	葵魁逵奎	傀	愧溃~烂馈
h	灰恢挥辉徽	回茴蛔	毁悔	会绘烩汇慧惠贿秽讳晦海卉
z			嘴	罪最醉
c	崔催摧		璀	悴瘁翠粹脆

声母＼声调	阴　平	阳　平	上　声	去　声
s	虽尿撒~	随绥遂半身不~	髓	岁碎穗遂邃隧
zh	追锥			缀赘坠
ch	吹炊	垂锤捶槌		
sh		谁	水	税睡说游~
r		蕤	蕊	锐瑞睿

　　uai 韵母只有 6 个音节，不与 g、k、h、zh、ch、sh 以外的声母相拼。uei 韵母有 12 个音节，可与 d、t、g、k、h、z、c、s、zh、ch、sh、r 声母相拼。

2. 学习 uai、uei 音节构成的词语

wāixié 歪斜	wāiqū 歪曲	qiánwèi 前卫	wàipó 外婆
guāiqiǎo 乖巧	huáihǎi 淮海	guǎidài 拐带	kuàijì 会计
hǎiguīpài 海归派	shuāilǎo 衰老	chuǎicè 揣测	zhuàizhù 拽住
wēijí 危急	wéibèi 违背	wěisuō 萎缩	wèilái 未来
duīqì 堆砌	tuífèi 颓废	tuǐjiǎo 腿脚	duìwu 队伍
miǎnshuì 免税	kuíhuā 葵花	huǐwù 悔悟	guìbài 跪拜
cuīcù 催促	suíshí 随时	zuǐba 嘴巴	cuìruò 脆弱
zhuīchá 追查	zhuīxīngzú 追星族	shuǐwèi 水位	zhuìluò 坠落
shuàigē 帅哥			

词语选用

堆积 duījī	规格 guīgé	拐肘 guǎizhǒu
对偶 duì'ǒu	诡诈 guǐzhà	怪里怪气 guàiliguàiqì
怀疑 huáiyí	坏处 huàichù	诙谐 huīxié
回嘴 huízuǐ	瑞雪 ruìxuě	锐利 ruìlì
摔跤 shuāijiāo	率直 shuàizhí	水玻璃 shuǐbōli
税收 shuìshōu	虽说 suīshuō	随波逐流 suíbō-zhúliú
推敲 tuīqiāo	退赔 tuìpéi	会计师 kuàijìshī
快乐 kuàilè	追逐 zhuīzhú	罪魁 zuìkuí

你，浪花里的一滴水

Zài zhè·lǐ,	在这里，
Wǒ yào chàng yī ge rén.	我要唱一个人。
Tā bù shì jiāngjūn,	他不是将军，
Què lìle wúshù de gōngxūn;	却立了无数的功勋；
Tā bù shì wénháo,	他不是文豪，
Què xiěxia bùxiǔ de shīwén;	却写下不朽的诗文；
Tā rúcǐ píngfán, rúcǐ niánqīng,	他如此平凡，如此年轻，
Xiàng yī dī xiǎoxiǎo de chūnyǔ,	像一滴小小的春雨，
Què shèntòu yìwàn rén de xīn!	却渗透亿万人的心！
Wèi shénme a wèi shénme?	为什么啊为什么？
Liùyì rénmín de xīn·lǐ,	六亿人民的心里，
Dōu niànzhe zhège	都念着这个
èrshí'èr suì shìbīng de xìngmíng?	二十二岁士兵的姓名？
Tā a,	他啊，
Shì yī dī shuǐ,	是一滴水，
Què néng gòu	却能够
Fǎnyìng zhěng gè tàiyang de guānghuī!	反映整个太阳的光辉！
Tā a	他啊
Shì gāng zhǎnchì de niǎor,	是刚展翅的鸟儿，
Què néng gòu	却能够
Yīxīn xiàngzhe dǎng fēi!	一心向着党飞！
Tā a	他啊
Shì cái diǎnliàng de dēng,	是才点亮的灯，
Zhǐ bùguò	只不过
Měi yīfèn guāng dōu méi làngfèi!	每一分光都没浪费！
Tā a	他啊

Shì gāng qiāoxiǎng de gǔ,　　　是刚敲响的鼓，

Què néng bǎ　　　却能把

Měi yī shēng dōu huàchéng léi!　　每一声都化成雷！

A, Léi Fēng!　　　啊，雷锋！

Nǐ bù wèi zìjǐ biān gēqǔ,　　你不为自己编歌曲，

Nǐ bù wèi zìjǐ zhī luóyī,　　你不为自己织罗衣，

Nǐ bù wèi zìjǐ shū yǔmáo,　　你不为自己梳羽毛，

Nǐ bù wèi zìjǐ liú yīdī lèi.　　你不为自己流一滴泪。

A, Léi Fēng!　　　啊，雷锋！

Nǐ,《Guójìgē》li de yīge yīnfú;　　你，《国际歌》里的一个音符；

Nǐ, hóngqí shàng de yī gēn xiānwéi;　　你，红旗上的一根纤维；

Nǐ, huācóng zhōng de hónghuā yī bàn,　　你，花丛中的红花一瓣，

Nǐ, lànghuā li de yī dī shuǐ!　　你，浪花里的一滴水！

Qīngchūn!　　　青春！

Yǒngshēng!　　　永生！

Zhuànglì　　　壮丽！

Kàn lièbīng Léi Fēng a　　看列兵雷锋啊，

Yī bù yī ge huíyīn,　　一步一个回音，

yī bù yī zhī gēqǔ,　　一步一支歌曲，

Zhí xiǎngtòu　　　直响透

Wèilái de wúqióng shìjì!　　未来的无穷世纪！

怪人和贵人
Guàirén hé Guìrén

Jiǎ: Nǐ zhēn shì ge guàirén, fēnpài nǐ qù wàiguó, nǐ shuō shì wāifēng, hái bù qù.

Yǐ: Shénme? Wǒ shì ge guìrén, fēngpèi wǒ qù Wèiguó, wǒ zěnme qù? Wǒ nǎ shuǎ wēifēng?

Jiǎ: Wǒ bù shì shuō nǐ shì guìrén, shì guàirén; bù shìfēngpèi shì fēnpài, bù shì qù Wèiguó érshì qù wàiguó; bù shì shuǎ wēifēng, shì shuō nǐ fǎn wāifēng. Hài, wǒ shuōlái-shuōqù, yě shuōbuqīng le.

甲：你真是个怪人，分派你去外国，你说是歪风，还不去。

乙：什么？我是个贵人，风配我去魏国，我怎么去？我哪要威风？

甲：我不是说你是贵人，是怪人；不是风配是分派，不是去魏国而是去外国；不是要威风，是说你反歪风。嗐，我说来说去，也说不清了。

孟加拉掠影(节录)   泰戈尔

浩瀚的大海，在不停地翻卷着，翻卷着，泛起一堆堆白色的泡沫。它使我想到一个被捆绑起来的妖怪，在奋力挣脱绳索。正是在它的血盆大口面前，在海岸上，我们建起了住房，看着它抽打自己的尾巴。浪涛汹涌，就像巨人浑身的肌肉，这是怎样的伟力啊！

创世伊始，大地和海洋就在不停地斗争着。焦灼的大地，缓缓地、默默地张开自己的地盘，为自己的儿女展开愈来愈宽阔的怀抱；海洋一步步地退下去，翻腾着，啜泣着，绝望地捶着自己的胸膛。请记住，海曾是独一无二的主宰者，绝对自由自在。大地从它的腹中升起，夺取了它的宝座。从那时候起，这个发狂的老东西，就头戴泡沫的白冠，不停地恸哭着，哀叹着，如同在狂风暴雨中的李尔王。

直读鼻韵母 an、uan 构成的音节

普通话的鼻韵母有 16 个：an、ian、uan、üan、en、in、uen、ün、ang、iang、uang、eng、ing、ueng、ong、iong。鼻韵母是由一个或两个元音带鼻辅音组合而成的。根据元音所结合的鼻辅音 – n 或 – ng 的不同，前 8 个叫带舌尖鼻音韵母，也叫前鼻音韵母，后 8 个叫带舌根鼻音韵母，也叫后鼻音韵母。

鼻韵母的发音过程是由元音的发音状态逐渐向鼻音的发音状态过渡，最后成为纯粹的鼻音。鼻韵母的发音有两个特点：一是发音时，只有成阻阶段和持阻阶段；二是气流不是从口腔出来，而是从鼻腔出来。比如 an 韵母的发音，在发舌面、前、低、不圆唇元音[a]之后，逐渐抬高舌位，舌尖顶住上牙龈，软腭下垂，让气流从鼻子里出来，a – n 的有机结合构成 an 韵母。发前鼻音韵母的尾音 – n(韵尾)时，一定要注意把舌头放在上牙龈的位置上不要松动和后缩，让气流从鼻子里出来，这样发出的才是前鼻音。不注意这一点，an 念不出收尾的鼻音，念成 ai(复韵母)[æ](单韵母)或是 ã(鼻化音)都不符合要求。念其他前鼻音韵母时同样要注意这一点。uan 韵母是在 an 的开头加上 u 构成的。发 uan 时，发音器官从舌面后、高、圆唇元音 u 开始，但是向舌面前、低、不圆唇元音 a[a]滑去，再向 – n 的方向收尾，u – a – n 的有机结合构成了 uan 韵母。uan 比 an 多一个 u 元音，多一个动程，念 uan 音

节要注意这一点。an、uan 韵母与声母拼合的情况大体相同,uan 除了不能与双唇音 b、p、m 和唇齿音 f 拼合以外,其余情况与 an 相同,都不与舌面音相拼。

语音训练

1.学习 an、uan 韵母构成的音节及声韵配合规律

an ban pan man fan dan tan nan lan gan kan han zan
   can san zhan chan shan ran

uan duan tuan nuan luan guan kuan huan zuan cuan suan
     zhuan chuan shuan ruan

常用同韵字表 an

声母 \ 声调	阴 平	阳 平	上 声	去 声
Ø	安桉鞍庵		俺	按案岸暗黯
b	般搬班斑颁		板版	半伴拌绊办瓣扮
p	潘攀	盘胖心广体~		判叛盼畔
m	颟	瞒馒蛮	满	慢漫蔓
f	翻番帆	烦繁樊凡矾	反返	饭贩犯范泛
d	丹单担眈眈		胆掸	旦但弹石一~米诞蛋淡氮担~子
t	摊滩瘫坍贪	弹~琴坛檀谈痰潭谭	坦祖毯忐	叹炭碳探
n		难男南楠	蝻赧	难灾~
l		兰拦栏蓝篮阑澜婪岚	揽榄缆懒	烂滥
g	干姓~杆竿肝甘柑		赶杆~菌秆敢橄感	干~部
k	看~守刊堪勘戡		砍坎侃	看

声母 \ 声调	阴平	阳平	上声	去声
h	顸酣憨	寒韩含函涵邯	罕喊	汗旱悍捍焊汉憾翰瀚
z	簪	咱~们	攒积~	赞暂
c	餐参~加	残惭蚕	惨	灿
s	三叁		伞散~漫	散~会
zh	占~卜粘~贴沾毡瞻		展盏斩	占站战绽栈蘸
ch	搀	禅蝉缠馋谗蟾潺	产铲阐谄	颤忏
sh	山舢删膻衫		闪陕	善膳缮扇擅赡单姓~
r		然燃	染冉	

常用同韵字表 **uan**

声母 \ 声调	阴平	阳平	上声	去声
Ø	弯湾剜蜿豌	丸完玩顽纨烷	宛碗惋皖晚挽	腕蔓瓜~儿万
d	端		短	段缎煅断
t	湍	团		
n		暖		
l		栾滦峦孪	卵	乱
g	官棺观关冠		管馆	灌罐贯惯冠~军
k	宽		款	
h	欢獾	还环	缓	换唤涣痪焕患幻宦豢
z	钻~探		纂	钻~子攥
c	蹿	攒~聚		窜篡
s	酸			算蒜
zh	专砖		转	传~记转~圈子赚篆撰
ch	川穿	船传椽	喘	串
sh	拴栓			涮
r		软		

　　an 韵母有 18 个音节,除了不与舌面音 j、q、x 相拼外,与其他声母都能拼合。uan 韵母有 14 个音节,不与双唇音、唇齿音、舌面音相拼。

　　2.学习 an、uan 音节构成的词语

　　ānshān 鞍山　　　　ānmǎ 鞍马　　　　ǎnmen 俺们　　　　ànzhào 按照

bānfā 颁发	pánzi 盘子	mǎnyì 满意	fànguī 犯规
dānjù 单据	nǎnrán 赧然	làndiào 滥调	gānshè 干涉
hánxù 含蓄	kǎnkě 坎坷	hànyǔ 汉语	zānzi 簪子
cánkuì 惭愧	cǎnbái 惨白	sànhuì 散会	zhānbǔ 占卜
chánzuǐ 馋嘴	rǎnfà 染发	shànzì 擅自	wānqū 弯曲
wányào 丸药	wǎnkuài 碗筷	wànyī 万一	duānwǔ 端午
tuántǐ 团体	nuǎnhuo 暖和	luàntào 乱套	
guāncè 观测	huánqiú 环球	kuǎndài 款待	
guànxǐ 盥洗	zuāntàn 钻探	cuánjù 攒聚	zuǎnjí 纂辑
suànshù 算术	zhuāntóu 砖头	chuántóu 船头	ruǎnruò 软弱

ānjū-lèyè 安居乐业　　　　　　　bànxìn-bànyí 半信半疑

tánhuāyīxiàn 昙花一现　　　　　sānyán-liǎngyǔ 三言两语

guānmiǎn-tánghuáng 冠冕堂皇　　chuānyún-lièshí 穿云裂石

huǎnbīngzhījì 缓兵之计　　　　　yuányuǎn-liúcháng 源远流长

词语选用

斑白 bānbái	参拜 cānbài	蛋白酶 dànbáiméi
赶时髦 gǎnshímáo	观感 guāngǎn	汉白玉 hànbáiyù
缓慢 huǎnmàn	看穿 kànchuān	宽窄 kuānzhǎi
懒散 lǎnsǎn	难怪 nánguài	暖壶 nuǎnhú
攀谈 pāntán	散漫 sǎnmàn	酸溜溜 suānliūliū
忐忑 tǎntè	团拜 tuánbài	然而 rán'ér
软席 ruǎnxí	暂且 zànqiě	转盘 zhuànpán
钻石 zuànshí	涮涮手 shuànshuan shǒu	

产销两旺 chǎnxiāoliǎngwàng　　　慢条斯理 màntiáo-sīlǐ

乱七八糟 luànqī-bāzāo　　　　　善罢甘休 shànbà-gānxiū

不欢而散 bùhuān'érsàn

Yì Jiāngnán　　　　　　忆江南　　白居易

Jiāngnán hǎo, fēngjǐng jiù céng'ān:　　江南好,风景旧曾谙:

Rìchū jiāng huā hóng shèng huǒ,　　日出江花红胜火,

Chūnlái jiāngshuǐ lù rú lán.　　春来江水绿如蓝。

Néng bù yì jiāngnán?　　能不忆江南?

Cháng Xiāngsī　　　　　　长相思　　李白

Cháng xiāngsī, zài Cháng'ān.　　长相思,在长安。

Luòwěi qiūtí jīnjǐng lán,　　络纬秋啼金井阑,

Wēi shuāng qīqī diànsè hán.　　微霜凄凄簟色寒。

Gū dēng bù míng sī yù jué,　　孤灯不明思欲绝,

Juǎn wéi wàng yuè kōng chángtàn。　　卷帷望月空长叹。

Měirén rú huā gé yúnduān,　　美人如花隔云端,

Shàng yǒu qīngmíng zhī gāo tiān,　　上有青冥之高天,

Xià yǒu lùshuǐ zhī bōlán.　　下有绿水之波澜。

Tiān cháng lù yuǎn hún fēi kǔ,　　天长路远魂飞苦,

Mènghún bù dào guānshān nán.　　梦魂不到关山难。

Cháng xiāngsī, cuī xīngān.　　长相思,摧心肝。

Wǎn Chéng Fàn　　　　　　碗盛饭

Hóng fànwǎn, huáng fànwǎn,　　红饭碗,黄饭碗,

Hóng fànwǎn chéng mǎn wǎn fàn,　　红饭碗盛满碗饭,

Huáng fànwǎn chéng bàn wǎn fàn,　　黄饭碗盛半碗饭,

Huáng fànwǎn tiān bàn wǎn fàn,　　黄饭碗添半碗饭,

Xiàng hóng fànwǎn yīyàng mǎn wǎn fàn.　　像红饭碗一样满碗饭。

直读鼻韵母 ian、üan 构成的音节

前鼻音韵母 ian、üan 的发音与 an、uan 有所不同,发 ian 韵母时,发音器官从舌面、前、高、不圆唇元音 i 向舌面、前、半低、不圆唇元音 a[ε]滑去,再向－n 的方向收尾,i－a[ε]－n 的有机结合构成了 ian 韵母。üan 与 ian 的不同,就在于 üan 的开头是个圆唇元音。

舌尖中音 n 既可以处在音节的开头作声母,又可以放在元音的后面作音节的收尾(韵尾)。n 作声母时,受阻的两个部位(舌尖中和上齿龈)马上就分开,当 n 作韵尾时,舌尖抵住上齿龈不能松动和后缩,发的是纯粹的鼻音。前鼻音韵尾 n 是舌尖中音,把双音节词的第二个音节的声母配上舌尖中音 d、t、n、l,可以帮助我们练习前鼻音的发音。

ian 与 üan 韵母与声母拼合的情况不同,üan 只与舌面音 j、q、x 相拼,ian 能拼合的声母较多,除了与 j、q、x 拼合外还与双唇音 b、p、m,舌尖中音 d、t、n、l 相拼。

语 音 训 练

1. 学习 ian、üan 韵母构成的音节及声韵配合规律

ian bian pian mian dian tian nian lian jian qian xian

üan juan quan xuan

常用同韵字表 ian

声母＼声调	阴 平	阳 平	上 声	去 声
Ø	烟咽～喉胭焉淹腌	延蜒筵沿（统读）檐盐炎言研颜严岩阎	衍演掩眼	燕咽吞～宴堰焰厌艳雁谚砚验
b	边蝙编鞭砭		扁匾贬	遍辨辩辫便变弁
p	偏片唱～儿篇	便～宜		片～面骗
m		棉绵眠	免勉娩冕缅	面
d	颠滇掂		典碘点	电佃甸殿靛淀奠店惦垫
t	天添	田填甜恬	舔	
n	蔫拈	年粘～结	碾捻	念廿
l		连莲怜联廉镰帘	脸敛	练炼恋链殓
j	肩奸间坚艰兼监煎尖歼缄菅奸		柬拣简茧减碱俭检捡剪	件间～断涧建健键腱见舰监太～鉴剑践饯贱溅荐渐箭
q	千扦钎迁签铅牵谦	黔钳前钱潜	遣浅	纤拉～欠嵌歉
x	掀锨先仙鲜纤～维	弦闲贤嫌咸衔涎	显险冼	现苋宪限县献陷馅线腺羡

常用同韵字表 üan

声母 \ 声调	阴 平	阳 平	上 声	去 声
Ø	冤渊	元员圆园袁猿 辕援缘原源	远	怨院愿
j	捐		卷～烟	卷倦圈羊～眷 绢
q	圈	全拳权泉	犬	劝券
x	宣喧	旋悬玄	选癣	楦旋～风绚渲 炫眩

ian 韵母有 10 个音节,除了不与舌根音 g、k、h,舌尖前音 z、c、s,舌尖后音 zh、ch、sh、r 相拼外,还不与 f 相拼。üan 有 3 个音节,只与 j、q、x 相拼。

2. 学习 ian、üan 音节构成的词语

yānmò 淹没	yántǎo 研讨	yǎnshì 掩饰	yàntai 砚台
biānpái 编排	piányi 便宜	miǎnhuái 缅怀	biànhuà 变化
diāndǎo 颠倒	yuánmèng 圆梦	rénquán 人权	liànxí 练习
jiānzhí 兼职	qiánfú 潜伏	xiǎnrán 显然	jiànshè 建设
yuān'àn 冤案	yuánzhù 原著	yuǎnlí 远离	yuànqì 怨气
juānkuǎn 捐款	quántou 拳头	xuǎnpài 选派	quànjiě 劝解

词语选用

便捷 biànjié	鞭炮 biānpào	电视 diànshì
艰苦 jiānkǔ	简短 jiǎnduǎn	脸蛋儿 liǎndànr
连环画 liánhuánhuà	棉毛衫 miánmáoshān	年头儿 niántóur
黏膜 niánmó	捐献 juānxiàn	卷烟 juǎnyān
谦虚 qiānxū	全家福 quánjiāfú	圈套 quāntào
线圈 xiànquān	咸菜 xiáncài	

先天不足 xiāntiānbùzú	颠倒黑白 diāndǎohēibái
面目全非 miànmùquánfēi	黔驴之技 qiánlǘzhījì

3. 读成语,找出 ian、üan 韵母的字

年富力强	卷土重来	先礼后兵	鸡犬不宁
鞭长莫及	原封不动	全神贯注	四面楚歌

山中问答　　李白

Wèn yú hé yì qī bì shān,　　　　问余何意栖碧山，

Xiào ér bù dá xīn zì xián.　　　　笑而不答心自闲。

Táohuā liú shuǐ yǎorán qù,　　　　桃花流水窅然去，

Bié yǒu tiāndì fēi rénjiān.　　　　别有天地非人间。

Rìyuètán

Rìyuètán shì wǒguó Táiwān Shěng de yī ge dàhú.

Rìyuètán li yǒu ge xiǎo dǎo, bǎ tán fēnchéng liǎngbànr. Yībiān xiàng yuányuán de tàiyáng, jiào "Rìtán"; yībiān xiàng wānwān de yuèliang, jiào "Yuètán". Liǎng tán húshuǐ xiāng lián, xiàng bìlǜ de dà yùpán, xiǎo dǎo jiù xiàng yù pán zhōng de míngzhū.

Rìyuètán zài Táizhōng fùjìn de gāoshān shàng, sìzhōu shì mìmì de shùlín. Rìyuètán de shuǐ hěn shēn, shānlín dàoyìng zài tán li, húguāng shānsè, fēicháng měilì.

日月潭

日月潭是我国台湾省的一个大湖。

日月潭里有个小岛，把潭分成两半儿，一边像圆圆的太阳，叫"日潭"；一边像弯弯的月亮，叫"月潭"。两潭湖水相连，像碧绿的大玉盘，小岛就像玉盘中的明珠。

日月潭在台中附近的高山上，四周是密密的树林。日月潭的水很深，山林倒映在潭里，湖光山色，非常美丽。

扁斑鸠

西场里晒一席扁鼻子扁眼扁扁豆，
东边飞来一群扁鼻子扁眼扁斑鸠，
要吃这一席扁鼻子扁眼扁扁豆，
我拾起一块扁鼻子扁眼扁砖头，
吓跑那群扁鼻子扁眼扁斑鸠。

Biǎn　Bānjiū

Xīcháng li shài yī xí biǎn bízi biǎn yǎn biǎn biǎndòu,

Dōngbiān fēilái yī qún biǎn bízi biǎn yǎn biǎn bānjiū,

Yào chī zhè yī xí biǎn bízi biǎn yǎn biǎn biǎndòu,

Wǒ shíqǐ yī kuài biǎn bízi biǎn yǎn biǎn zhuāntou,

Xiàpǎo nà qún biǎn bízi biǎn yǎn biǎn bānjiū.

课外阅读

无书的日子　　冯骥才

　　读书是欣赏别人，写书是挖掘自己；读书是接受别人的沐浴，写作是一种自我净化。一个人的两只眼用来看别人，但还需要一只眼对向自己，时常审视深藏自身中的灵魂，在你挑剔世界的同时还要同样地挑剔自己。写作能使你愈来愈公正、愈严格、愈开阔、愈善良。你受益于文学的首先是这样的自我更新和灵魂再造，否则你从哪里获得文学所必需的真诚？

【第二十一讲】

直读鼻韵母 in、ün 构成的音节

前鼻音韵母 in、ün 的发音很相近。发 in 时,先发舌面、前、高、不圆唇元音 i,然后抬高舌位,舌尖抵住上齿龈不要松动和后缩,软腭下垂,让气流从鼻子里出来;i－n 有机地结合构成 in 韵母。ün 和 in 在发音上的不同,就在于 ün 的开头是圆唇元音 ü,念 in、ün 音节时,要掌握它们之间的差别。in、ün 韵母与声母拼合的情况也不完全相同,ün 只与舌面音 j、q、x 相拼,in 除与舌面音相拼外,还能与双唇音 b、p、m 和舌尖中音 n、l 相拼。

语 音 训 练

1.学习 in、ün 韵母构成的音节及声韵配合规律

　　in　bin　pin　min　nin　lin　jin　qin　xin

　　ün　jun　qun　xun

常用同韵字表 in

声母\声调	阴 平	阳 平	上 声	去 声
Ø	因姻殷音阴	淫银寅吟龈垠	尹引蚓隐瘾饮	印饮 ～马荫（统读）～庀
b	宾滨槟 ～子缤斌彬濒			殡鬓
p	拼	贫频	品	聘牝
m		民	敏抿泯悯闽皿	
n		您		
l	拎（统读）	邻磷鳞麟林淋琳临	凛檩	赁吝蔺淋 ～病
j	巾斤筋今矜金禁 ～得住襟津		仅谨紧锦瑾尽 ～早	近劲禁尽进晋浸妗靳姓～
q	钦亲侵	勤芹琴禽擒秦	寝	沁
x	辛锌新薪欣心馨			信衅

常用同韵字表 ün

声母\声调	阴 平	阳 平	上 声	去 声
Ø	晕头～	云匀	允陨	运晕孕韵熨～斗酝蕴
j	均军菌病 ～君龟 ～裂			菌 ～子俊峻竣骏浚
q		群裙		
x	熏勋	旬询循巡寻		训迅讯汛殉（统读）逊驯

　　in 韵母有 8 个音节,除了不与舌根音 g、k、h,舌尖前音 z、c、s,舌尖后音 zh、ch、sh、r 相拼外,还不与 f、d、t 相拼。ün 韵母有三个音节,只与舌面音 j、q、x 相拼。

2.学习 in、ün 音节构成的词语

yīnwèi 因为	yínshī 吟诗	yǐndǎo 引导	yìnshuā 印刷
bīnkè 宾客	pínhán 贫寒	mǐngǎn 敏感	pìnrèn 聘任
nínhǎo 您好	línyè 林业	lǐnliè 凛冽	lìnsè 吝啬
jīnzhāo 今朝	qínshī 琴师	qǐnshì 寝室	xìnrèn 信任
yūndǎo 晕倒	yúnwù 云雾	yǔnxǔ 允许	yùnlù 韵律

| jūnrén 军人 | qúnzi 裙子 | xúnshì 巡视 | jùnmǎ 骏马 |

词语选用

宾馆 bīnguǎn	鬓角 bìnjiǎo	筋疲力尽 jīnpí-lìjìn
军备 jūnbèi	俊俏 jùnqiào	鳞片 línpiàn
民乐 mínyuè	敏锐 mǐnruì	临阵脱逃 línzhèntuōtáo
清晨 qīngchén	裙带 qúndài	沁人心脾 qìnrénxīnpí
辛酸 xīnsuān	薪水 xīnshuǐ	信天游 xìntiānyóu
信息 xìnxī	欣然 xīnrán	熏染 xūnrǎn
循环赛 xúnhuánsài	迅速 xùnsù	群策群力 qúncè-qúnlì

对比练习

均匀－金银	功勋－攻心	音信－音讯	训练－信念
俊秀－进修	羊群－扬琴	严峻－严禁	平均－平津

朗　读

今日诗
Jīnrì Shī

Míngdài xuéshì Wén Jiā（文嘉）xiě de《Míngrì Gē》，wéi zhòngrén suǒ shúxī，dàn《Míngrì Gē》de zǐmèipiān《Jīnrì Shī》，què xiǎnwéirénzhī.《Jīnrì Shī》shì zhèyàng xiě de："Jīnrì fù jīnrì，jīnrì héqí shǎo！ Jīnrì yòu bù wéi，cǐ shì héshí liǎo？ Rénshēng bǎinián jǐ jīnrì，jīnrì bù wéi zhēn kěxī！ Ruò yán gūdài míngzhāo zhì，míngzhāo yòu yǒu míngzhāo shì.Wèi jūn liáo fù《Jīnrì Shī》，nǔlì qǐng cóng jīnrì shǐ！"

明代学士文嘉写的《明日歌》，为众人所熟悉，但《明日歌》的姊妹篇《今日诗》却鲜为人知。《今日诗》是这样写的："今日复今日，今日何其少！今日又不为，此事何时了？人生百年几今日，今日不为真可惜！若言姑待明朝治，明朝又有明朝事。为君聊赋《今日诗》，努力请从今日始！"

直读鼻韵母 en、uen 构成的音节

前鼻音韵母 en、uen 的发音为:发 en 时先发舌面、央、中、不圆唇元音 e[ə],然后抬高舌位,舌尖抵住上齿龈不要松动和后缩,软腭下垂,让气流从鼻子里出来,e[ə]－n 的有机结合,构成了 en 韵母。uen 韵母是在 en 的开头加上 u 构成的。发 uen 时,发音器官先从舌面、后、高、圆唇元音[u]向舌面、央、中、不圆唇元音 e[ə]滑去,再向－n 方向收尾,u－e[ə]－n 的有机结合,构成了 uen 韵母。uen 比 en 多一个动程,念 en、uen 音节时应掌握这一区别。与声母拼合时,en 能拼合的声母比 uen 多,如 en 能与双唇音、唇齿音相拼,uen 则不能。拼写时,uen 与声母拼合后,uen 中的 e 省去不写。

语音训练

1.学习 en、uen 韵母构成的音节及声韵拼合规律

en ben pen men fen nen gen ken hen zen cen sen zhen

chen　shen　ren

uen dun　tun　lun　gun　kun　hun　zun　cun　sun　zhun　chun

shun　run

常用同韵字表 en

声调　声母	阴　平	阳　平	上　声	去　声
Ø	恩			摁
b	奔锛		本	笨奔投~
p	喷	盆		喷~鼻儿香
m	闷~热	门		闷愁~
f	分吩纷芬氛	坟焚汾	粉	分本~份奋愤粪
n				嫩
g	根跟			亘艮
k			肯啃恳垦	掯
h		痕	很狠	恨
z		怎		
c	参~差	岑		
s	森			
zh	贞侦真甄针斟砧珍朕		疹诊枕	振震阵镇
ch	抻嗔	辰晨臣尘沉忱陈	碜	趁衬称相~
sh	申伸呻绅身深参人~	神什~么	审婶沈	慎肾甚渗
r		人壬任姓~仁	忍	刃纫韧认任葚

常用同韵字表 uen(un)

声调　声母	阴　平	阳　平	上　声	去　声
Ø	温瘟	文纹蚊闻	稳吻刎	问
d	敦墩蹲吨		盹趸	顿囤粮食~炖钝盾遁
t	吞	屯臀囤~积	氽	褪~下手镯
l	抡	仑沦伦轮纶		论
g			滚辊	棍
k	昆坤		捆	困
h	昏婚荤	魂浑混~蛋		混~杂

声母＼声调	阴 平	阳 平	上 声	去 声
z	遵尊			
c	村皴	存	忖	寸
s	孙		损笋榫	
zh	谆		准	
ch	春椿	唇纯淳醇	蠢	
sh				顺舜
r				闰润

en 韵母有 15 个音节，除了不与舌面音 j、q、x 相拼外，与舌尖中音 d、t、l 也不拼。zen、cen、sen 音节的字只有很少的几个。uen 韵母有 13 个音节，除了不与舌面音相拼外，还不与双唇音 b、p、m，唇齿音 f 以及舌尖中音 n 相拼。

2. 学习 en、uen 音节构成的词语

ēndé 恩德	ēndiǎn 恩典	ēn'ài 恩爱	ènzhù 摁住
bēnpǎo 奔跑	pénzāi 盆栽	fénhuǐ 焚毁	mēnrè 闷热
gēnbān 跟班	hénjì 痕迹	kěnqiè 恳切	miángèn 绵亘
cēncī 参差	sēnlín 森林	cénjì 岑寂	zěnme 怎么
zhēnchá 侦察	chén'āi 尘埃	shěnhé 审核	rènwù 任务
wēncún 温存	wénxùn 闻讯	wěnhé 吻合	wèntí 问题
dūncù 敦促	túnjī 囤积	lúnyǐ 轮椅	dùnhào 顿号
kūnqǔ 昆曲	húnpò 魂魄	gǔnfān 滚翻	hùnzá 混杂
zūnshǒu 遵守	cúnkuǎn 存款	sǔnshī 损失	cùnxīn 寸心
chūnsè 春色	chúnjié 纯洁	shùnlì 顺利	rùnyuè 闰月

认读音节

rènzhēn 认真	gēnběn 根本	běnrén 本人	shěnshèn 审慎
fènmèn 愤懑	bēnténg 奔腾	méndì 门第	fènduī 粪堆
shēntǐ 身体	zhèndìng 镇定	Lúndūn 伦敦	chūnsǔn 春笋
kūnlún 昆仑	wēncún 温存	zhūnzhūn 谆谆	chūntiān 春天
túntián 屯田	lùndiǎn 论点	hùnluàn 混乱	chūnlián 春联

词语选用

本位 běnwèi	春节 chūnjié	存在 cúnzài
吨海里 dūnhǎilǐ	粉刷 fěnshuā	喷壶 pēnhú

论战 lùnzhàn	狠毒 hěndú	森严 sēnyán
人类 rénlèi	门外汉 ménwàihàn	吞没 tūnmò
顺便 shùnbiàn	润色 rùnsè	恳求 kěnqiú
准则 zhǔnzé	损害 sǔnhài	根据地 gēnjùdì
枕套 zhěntào	遵照 zūnzhào	浑水摸鱼 húnshuǐmōyú
怎么 zěnme	衬衣 chènyī	嫩苗 nènmiáo
神仙 shénxiān	恳求 kěnqiú	滚瓜烂熟 gǔnguālànshú

朗　读

宿紫阁山北村　　白居易
Sù Zǐ gé Shān Běi cūn

Chén yóu Zǐgéfēng, mù sù shānxià cūn.
晨游紫阁峰,暮宿山下村。

Cūnlǎo jiàn yú xǐ, wèi yú kāi yī zūn.
村老见余喜,为余开一樽。

Jǔ bēi wèijí yǐn, bàozú lái rù mén.
举杯未及饮,暴卒来入门。

Zǐ yī xié dāo fǔ, cǎocǎo shí yú rén.
紫衣挟刀斧,草草十余人。

Duó wǒ xíshang jiǔ, chè wǒ pánzhōng sūn.
夺我席上酒,掣我盘中飧。

Zhǔrén tuì hòu lì, liǎn shǒu fǎn rú bīn.
主人退后立,敛手反如宾。

Zhōng tíng yǒu qí shù, zhòng lái sānshí chūn.
中庭有奇树,种来三十春。

Zhǔrén xī bùdé, chí fǔ duàn qí gēn.
主人惜不得,持斧断其根。

Kǒu chēng cǎi zào jiā, shēn shǔ shén cè jūn.
口称采造家,身属神策军。

Zhǔrén shèn wù yǔ, zhōngwèi zhèng chéng ēn.

主人慎勿语,中尉正承恩。

在葛底斯堡的演说　　林肯
Zài Gědǐsībǎo de yǎnshuō

八十七年以前,我们的先辈们在这个大
Bā shí qī nián yǐ qián, wǒ men de xiān bèi men zài zhè ge dà

陆上创立了一个新国家,它孕育于自由之
lù shàng chuàng lì le yī ge xīn guó jiā, tā yùn yù yú zì yóu zhī

中,奉行一切人生来平等的原则。
zhōng, fèng xíng yī qiè rén shēng lái píng děng de yuán zé.

现在我们正从事一场伟大的内战,以
Xiàn zài wǒ men zhèng cóng shì yī cháng wěi dà de nèi zhàn, yǐ

考验这个国家,或者说以考验任何一个孕
kǎo yàn zhè ge guó jiā, huò zhě shuō yǐ kǎo yàn rèn hé yī ge yùn

育于自由和奉行上述原则的国家是否能
yù yú zì yóu hé fèng xíng shàng shù yuán zé de guó jiā shì fǒu néng

够长久存在下去。
gòu cháng jiǔ cún zài xià qù.

我们在这场战争中的一个伟大的战
Wǒ men zài zhè cháng zhàn zhēng zhōng de yī ge wěi dà de zhàn

场上集会。烈士们为使这个国家能够生
chǎng shàng jí huì. Liè shì men wèi shǐ zhè ge guó jiā néng gòu shēng

存下去而献出了自己的生命,我们在此集
cún xià qù ér xiàn chū le zì jǐ de shēng mìng, wǒ men zài cǐ jí

会是为了把这个战场的一部分奉献给他
huì shì wèi le bǎ zhè ge zhàn chǎng de yī bù fēn fèng xiàn gěi tā

们作为最后安息之所。
men zuò wéi zuì hòu ān xī zhī suǒ.

我们这样做是完全应该而且非常恰
Wǒ men zhè yàng zuò shì wán quán yīng gāi ér qiě fēi cháng qià

当的。
dàng de.

但是,从更广泛的意义上来说这块土
Dàn shì, cóng gèng guǎng fàn de yì yì shàng lái shuō zhè kuài tǔ

地，我们不能够奉献，我们不能够圣化，
dì, wǒ men bù néng gòu fèng xiàn, wǒ men bù néng gòu shèng huà,

我们不能够神化。曾在这里战斗过的勇
wǒ men bù néng gòu shén huà. céng zài zhè·lǐ zhàn dòu guò de yǒng

士们，活着的和去世的，已经把这块土地神
shì men, huó zhe de hé qù shì de, yǐ jing bǎ zhè kuài tǔ dì shén

圣化了，这远不是我们微薄的力量所能
shèng huà le, zhè yuǎn bù shì wǒ men wēi bó de lì liang suǒ néng

增减的。
zēng jiǎn de.

　　全世界将很少注意到，也不会长期地
　　Quán shì jiè jiāng hěn shǎo zhù yì dào, yě bù huì cháng qī de

记起我们今天在这所说的话，但全世界永
jì qǐ wǒ men jīn tiān zài zhè suǒ shuō de huà, dàn quán shì jiè yǒng

远不会忘记勇士们在这里所做过的事。
yuǎn bù huì wàng jì yǒng shì men zài zhè·lǐ suǒ zuò guo de shì.

　　毋宁说，倒是我们这些还活着的人，应
　　Wú nìng shuō, dào shì wǒ men zhè xiē hái huó zhe de rén, yīng

该在这里把自己奉献于勇士们已经如此
gāi zài zhè·lǐ bǎ zì jǐ fèng xiàn yú yǒng shì men yǐ jing rú cǐ

崇高地向前推进但尚未完成的事业。
chóng gāo de xiàng qián tuī jìn dàn shàng wèi wán chéng de shì yè.

倒是我们应该在这里把自己奉献于仍留在
Dào shì wǒ men yīng gāi zài zhè·lǐ bǎ zì jǐ fèng xiàn yú réng liú zài

我们面前的伟大任务，以便使我们从这些
wǒ men miàn qián de wěi dà rèn wù, yǐ biàn shǐ wǒ men cóng zhè xiē

光荣的死者身上汲取更多的献身精
guāng róng de sǐ zhě shēn shàng jí qǔ gèng duō de xiàn shēn jīng

神，来完成那种他们已经完全彻底为之
shén, lái wán chéng nà zhǒng tā men yǐ jīng wán quán chè dǐ wèi zhī

献身的事业；以便使我们在这里下定最大
xiàn shēn de shì yè; yǐ biàn shǐ wǒ men zài zhè·lǐ xià dìng zuì dà

的决心不让这些死者白白牺牲；以便使国
de jué xīn bù ràng zhè xiē sǐ zhě bái bái xī shēng; yǐ biàn shǐ guó

家在上帝福佑下得到自由的新生，并且使
jiā zài shàng dì fú yòu xià dé dào zì yóu de xīn shēng, bìng qiě shǐ

这个民有、民治、民享的政府永世长存。
zhè ge mín yǒu、mín zhì、mǐn xiǎng de zhèng fǔ yǒng shì cháng cún.

"见过没?"

前几年,一位山西万荣老乡去北京,一上公交车,掏出一张 50 元的大钞,冲着售票员高声道:"见过没。见过没。"售票员白了他一眼,没理他。过了一会儿,这位老乡又使劲挥动着手里那张钱,大声喊着:"见过没,见过没。"售票员抽出一张百元大钞,厉声回道:"你见过没?"这时,老乡急指窗外一闪而过的"建国门"三个字,售票员恍然大悟。

短评:

在山西晋南部分县市的方言里,一些字的前鼻尾 – n 读成了 – i,如"兰" lán 读"来"lái、"敢"gǎn 读"改"gǎi,"门"mén 读"没"méi,"惯"guàn 读"怪" guài。因此,"建国门"就念成了"见过没"。

直读鼻韵母 ang、iang、uang 构成的音节

普通话的后鼻音韵母有 8 个,后鼻音韵母的发音是先发元音,然后逐渐把舌根抬起,舌根后缩,软腭下垂,舌根抵住软腭,让气流从鼻腔出来,收尾时成为舌根浊鼻音 – ng(韵尾)。发后鼻音韵母时,舌根抬高并后缩抵住软腭,让气流从鼻腔出来是很关键的,否则,就有可能把后鼻音韵母发成了纯元音的[a]或带鼻化的[ɑ̃]。比如后鼻音韵母 ang 的发音,先发舌面、后、低、不圆唇元音 a[ɑ],然后把舌根抬起,让舌根后缩与下垂的软腭接触,让气流从鼻腔出来,a – ng 的有机结合构成了 ang 韵母。ang 所结合的元音 a 是低元音,所以 ang 的开口度较大,如把 ang 韵母念成了开口度稍小的 eng 就不对了。iang、uang 韵母是在 ang 韵母的开头分别加上 i、u 元音构成的。iang 韵母的发音,先发舌面、前、高、不圆唇元音 i,然后向舌面、后、低、不圆唇元音 a[ɑ]滑去,再向 – ng 方向收尾,i – ɑ – ng 的有机结合构成了 iang 韵母。iang 与 ang 比较是多了一个从 i 到 ang 的动程,没有这个动程,把 iang 念成了 ing 就不对了。比如晋南人常常把"像样"(xiàng yàng)念成了"性硬"(xìng yìng)就是没有这个动程的结果。uang 韵母的发音,先发舌面、后、高、圆唇元音 u,然后向舌面、后、低、不圆唇元音 a[ɑ]滑去,再向 – ng 的方向收尾,u – ɑ – ng 的有机结合构成了 uang 韵母。uang 韵母也多了一个从

u 到 ang 的动程,把 uang 念成 ang(少一个动程)或念成 ueng(eng 开口度不够大),比如大同一些县(市)把"光"(guāng)念成"钢"(gāng),晋南人把"望"(wàng)念成"瓮"(wèng)都不符合要求。

前鼻音韵母和后鼻音韵母发音上的不同表现在:一是韵尾的发音部位不同,发前鼻音－n 时,舌尖顶住上齿龈;发后鼻音－ng 时,舌头后部高高隆起,舌根尽力后缩,抵住软腭。二是口形不同,发－n 时上下门齿是相对的,口形较闭;发－ng 时,上下门齿离得远一点儿,口形较开。三是音色不同,前鼻音－n 声音较尖细清亮,后鼻音－ng 的声音则浑厚响亮。

ang、iang、uang 与声母拼合情况也不相同,ang 能拼合的声母较多,除了不与舌面音相拼外与其余声母都能相拼,iang、uang 韵母能拼合的声母却不多。

语 音 训 练

1.学习 ang、iang、uang 韵母构成的音节及声韵配合规律

ang bang pang mang fang dang tang nang lang gang kang
     hang zang cang sang zhang chang shang rang
iang niang liang jiang qiang xiang
uang guang kuang huang zhuang chuang shuang

常用同韵字表 ang

声母＼声调	阴 平	阳 平	上 声	去 声
Ø	肮	昂		
b	帮邦梆		榜膀绑	蚌棒谤磅傍
p	乓	旁膀~胱螃庞		胖

声调 声母	阴 平	阳 平	上 声	去 声
m		忙氓芒(统读) 茫盲	莽蟒	
f	方坊牌~芳	房防肪坊作~ 妨(统读)	仿纺访	放
d	当裆		党挡	档当恰~荡宕
t	汤	唐塘搪糖堂膛 螳棠	倘躺淌	烫趟
n	囊~揣	囊	馕	齉
l		朗廊榔螂琅狼	朗	浪
g	缸肛冈刚钢纲		岗港	杠
k	康糠慷	扛		抗炕
h	夯	杭航行~列		巷~道
z	脏肮~赃藏			葬藏宝~脏内 ~奘
c	仓沧苍舱	藏		
s	丧桑		嗓	丧~失
zh	章彰樟张		长~幼掌涨~ 水	丈仗杖帐胀涨 障瘴
ch	昌猖娼	长场~院肠常 嫦尝偿	敞厂场市~氅	唱畅怅
sh	伤商墒		晌垧上~声赏	尚上绱~鞋
r		瓤	嚷壤	让

(注)轻声:衣裳(shang)

　　ang韵母有18个音节,除不与舌面音j、q、x相拼外,与其他声母都能拼合。iang韵母有5个音节,只与舌面音和舌尖中音的n、l相拼。uang韵母有6个音节,只与舌根音g、k、h,舌尖后音的zh、ch、sh相拼,不与其他声母相拼。

常用同韵字表 iang

声调 声母	阴 平	阳 平	上 声	去 声
Ø	央秧殃	羊洋阳扬杨	养氧痒仰	样恙

声母＼声调	阴　平	阳　平	上　声	去　声
n		娘		酿
l		良凉量粮梁粱	两	晾谅亮辆量数~
j	江豇姜疆僵缰将浆		讲奖桨蒋	降虹出~强倔~将~帅酱匠糨
q	腔枪锵	强~制墙	强勉~抢	呛够~戗
x	相箱厢湘香乡襄镶骧	降~服祥详翔	享响饷想	向巷项像象橡相首~

常用同韵字表 uang

声母＼声调	阴　平	阳　平	上　声	去　声
Ø	汪	王亡	往枉罔网	忘妄望旺
g	光胱		广犷	逛
k	筐诓	狂诳		矿旷况框
h	荒慌肓	皇凰蝗黄磺簧	谎恍晃幌	晃摇~
zh	庄桩装妆		奘身高腰~	壮状撞幢
ch	窗疮创~伤	床幢人影~~	闯	创~造
sh	双霜		爽	

2.学习 ang、iang、uang 音节构成的词语

āngzāng 肮脏	ángguì 昂贵	ángrán 昂然	ángyáng 昂扬
bāngshǒu 帮手	pángmén 旁门	mǎngcāng 莽苍	fàngdàng 放荡
dāngjiā 当家	tángshuǐ 糖水	nángkuò 囊括	lànghuā 浪花
gāngcái 钢材	Hángzhōu 杭州	sǎngyīn 嗓音	zànglǐ 葬礼
zhāngyáng 张扬	chángqī 长期	shǎngwǔ 晌午	ràngwèi 让位
yāngqiú 央求	yángliǔ 杨柳	yǎngmù 仰慕	yàngpǐn 样品
gū niang 姑娘	liáng shi 粮食	liǎngdì 两地	niàng jiǔ 酿酒
jiānghé 江河	qiángzhì 强制	xiǎngshòu 享受	jiàngxīn 匠心
wāngyáng 汪洋	wángguó 亡国	wǎngshì 往事	wàngjì 忘记

guāngliu 光溜　　　kuángrén 狂人　　　huǎngpiàn 谎骗　　　kuàngqū 矿区

zhuāngbàn 装扮　　　chuángbǎn 床板　　　shuǎngkuài 爽快　　　chuàngzào 创造

词语选用

帮助 bāngzhù　　　　猖獗 chāngjué　　　　沧海一粟 cānghǎiyīsù

当然 dāngrán　　　　防范 fángfàn　　　　钢铁 gāngtiě

行家 hángjiā　　　　黄土地 huángtǔdì　　　广播体操 guǎngbōtǐcāo

酱油 jiàngyóu　　　　炕桌儿 kàngzhuōr　　　狂欢 kuánghuān

狼狈 lángbèi　　　　凉水 liángshuǐ　　　　盲肠炎 mángchángyán

攮子 nǎngzi　　　　旁听 pángtīng　　　　墙角 qiángjiǎo

让座 ràngzuò　　　　嗓门儿 sǎngménr　　　赏心悦目 shǎngxīn-yuèmù

双眼皮 shuāngyǎnpí　糖葫芦 tánghúlu　　　香烟 xiāngyān

藏族 Zàngzú　　　　装饰品 zhuāngshìpǐn　状态 zhuàngtài

丰丰和芳芳

丰丰和芳芳,上街买混纺。

红混纺,粉混纺,黄混纺,灰混纺。

红花混纺做裙子,粉花混纺做衣裳。

红、粉、灰、黄花样多,

五颜六色好混纺。

Fēngfeng　hé　Fāngfang

Fēngfeng hé Fāngfang, shàng jiē mǎi hùnfǎng.

Hóng hùnfǎng, fěn hùnfǎng, huáng hùnfǎng, huīhùnfǎng.

Hóng huā hùnfǎng zuò qúnzi, fěn huā hùnfǎng zuò yīshang.

Hóng、fěn、huī、huáng huāyàng duō,

Wǔyánliùsè hǎo hùnfǎng.

闻官军收河南河北　　杜甫
Wén guānjūn shōu HéNán HéBěi

Jiàn wài hū chuán shōu Jìběi,	剑外忽传收蓟北,
Chū wén tìlèi mǎn yīshang.	初闻涕泪满衣裳。
Què kàn qīzǐ chóu hé zài,	却看妻子愁何在,
Màn juǎn shīshū xǐ yù kuáng.	漫卷诗书喜欲狂。
Bái rì fàng gē xū zòng jiǔ,	白日放歌须纵酒,
Qīngchūn zuòbàn hǎo huán xiāng.	青春作伴好还乡。
Jí cóng Bāxiá chuān Wūxiá,	即从巴峡穿巫峡,
Biàn xià Xiāngyáng xiàng Luòyáng.	便下襄阳向洛阳。

画　家　　恩惠
Huàjiā

　　有一天，画家在他朋友家吃饭。朋友请
Yǒu yī tiān, huà jiā zài tā péng you jiā chī fàn. Péng you qǐng
他画一张画儿，画家同意了。但是回到家里，
tā huà yī zhāng huàr, huà jiā tóng yì le. Dàn shì huí dào jiā li,
他着急起来——画什么呢？
tā zháo jí qǐ lái —— huà shén me ne?

　　过了一个月，他朋友来了。画家说："我给
Guò le yī ge yuè, tā péng you lái le. Huà jiā shuō: "Wǒ gěi
你画了一张很大的画儿，请到里面看看吧。"
nǐ huà le yī zhāng hěn dà de huàr, qǐng dào lǐ miàn kàn kan ba."

　　他朋友走进画室一看，墙　上只有一张
Tā péng you zǒu jìn huà shì yī kàn, qiáng shàng zhǐ yǒu yī zhāng
很大的白纸，就问："你画的是什么啊？"
hěn dà de bái zhǐ, jiù wèn: "Nǐ huà de shì shén me a?"

　　画家回答："我画的是牛吃草。""草在哪儿
Huà jiā huí dá: "Wǒ huā de shì niú chī cǎo." "Cǎo zài nǎr
呢？"他朋友问。"草都让牛吃了。""那么牛呢？"
ne?" Tā péng you wèn. "Cǎo dōu ràng niú chī le." "Nà me niú ne?"

　　画家说："草都没了，牛还能在这儿吗？"
Huà jiā shuō: "Cǎo dōu méi le, niú hái néng zài zhèr ma?"

【第二十四讲】

直读鼻韵母 eng、ing、ueng 构成的音节

后鼻音韵母 eng、ing、ueng 的发音稍有不同,发 eng 韵母时,先发舌面、央、中、不圆唇元音 e[ə],然后逐渐抬高舌根,软腭下垂,舌根后缩,抵住软腭,让气流从鼻腔出来,e[ə]－ng 的有机结合构成了 eng 韵母。eng 所结合的元音 e[ə]是央元音,所以 eng 没有 ang 的开口度大(a[ɑ]是低元音),要注意它们的区别。ueng 韵母的发音,是在 eng 的开头加上 u 元音构成的。发 ueng 时,先发舌面、后、高、圆唇元音 u,再向舌面、央、中、不圆唇元音 e[ə]滑去,再向－ng 方向收尾,u－e[ə]－ng 的有机结合,构成了 ueng 韵母。ueng 比 eng 多了一个 u 元音,就多了一个动程,念 ueng 韵母时注意这一点。ing 韵母的发音,是先发舌面、前、高、不圆唇元音 i,接着让舌根后缩,向－ng 的方向收尾,i－ng 的有机结合,构成了 ing 韵母。后鼻音的韵尾 ng 是舌根浊鼻音,所以把双音节词的第二个音节的声母配上舌根音 g、k、h 可以帮助我们练习后鼻音的发音。

eng、ing、ueng 三个韵母与声母拼合的情况不相同,eng 韵母除了不与舌面音相拼外,与其余声母都能拼合,音节较多。ueng 只能自成音节,而且用 ueng 注音的也只有"翁、嗡、瓮、蕹"4 个字,很容易记。ing 能拼合的音节不如 eng 多,它不能和唇齿音 f、舌根音 g、k、h,舌尖前音 z、c、s,舌尖后音 zh、 ch、sh、r相拼。

语音训练

1.学习 eng、ing、ueng 韵母构成的音节及声韵拼合规律

eng　beng　peng　meng　feng　deng　teng　neng　leng　geng　keng
　　　heng　zeng　ceng　seng　zheng　cheng　sheng　reng

ing　bing　ping　ming　ding　ting　ning　ling　jing　qing　xing

常用同韵字表 eng

声母＼声调	阴 平	阳 平	上 声	去 声
Ø				
b	崩绷	甭		蹦泵迸
p	烹	朋棚硼彭澎膨篷蓬	捧	碰
m	蒙~骗	蒙朦檬萌盟虻	猛蜢锰蒙~古包	孟梦
f	峰蜂锋风疯枫封丰	缝逢冯	讽	奉凤缝裂~
d	登灯		等	凳镫澄~清瞪邓
t		疼藤腾誊		
n		能		
l		棱	冷	愣
g	更变~耕羹庚		梗耿	更
k	坑			
h	哼	恒衡横		横蛮~
z	曾增憎			赠
c		曾~经层		蹭
s	僧			

声母\声调	阴 平	阳 平	上 声	去 声
zh	正~月症~结征争挣睁筝蒸		整拯	正政症证郑挣~命
ch	称撑瞠	成城盛~饭诚呈程承乘惩橙澄丞	逞骋	秤
sh	升生牲笙甥声	绳	省	胜剩盛圣
r	扔	仍		

常用同韵字表 ing

声母\声调	阴 平	阳 平	上 声	去 声
Ø	英应~该鹰婴樱缨鹦	蝇赢迎盈营萤荧莹	影颖	映应~用硬
b	冰兵槟~榔并山西太原简称~		丙柄饼禀秉屏~除	并摒病
p	乒	平评萍苹屏瓶凭		
m		名铭茗冥暝溟螟明鸣	酩	命
d	丁钉~子叮玎		顶鼎	定锭钉~子订
t	听厅汀	庭蜓亭停	挺艇	
n		宁安~咛柠拧凝狞	拧~开	宁~可泞佞
l		令零龄铃蛉菱凌陵灵	领岭	令另
j	京鲸惊经茎荆精睛菁晶粳		井景颈警儆	竟境镜敬径竞净静劲刚~
q	轻氢倾青清蜻卿	擎情晴	顷请	庆亲~家馨
x	兴复~星腥猩	行形刑邢型	醒省反~	幸杏兴高~姓性

常用同韵字表 **ueng**

声调 声母	阴 平	阳 平	上 声	去 声
Ø	翁嗡			瓮蕹

　　eng 韵母有 18 个音节,除了不与舌面音 j、q、x 相拼外,与其他声母都能相拼。ing 韵母有 10 个音节,不与舌根音、舌尖前音、舌尖后音以及唇齿音相拼。

2.学习 eng、ing、ueng 音节构成的词语

bēngdài 绷带	péngbó 蓬勃	měngliè 猛烈
nénglì 能力	lěngcáng 冷藏	dèngzi 凳子
héngshù 横竖	gěngzhí 耿直	gèngjiā 更加
sēnglǚ 僧侣	céngjīng 曾经	shěngchéng 省城
zèngsòng 赠送	rēngdiào 扔掉	shéngzi 绳子
chěngqiáng 逞强	qiānzhèng 签证	yīngtáo 樱桃
yíngjiē 迎接	yǐngzi 影子	yìngjiàn 硬件
bīngkuàir 冰块儿	píngguǒ 苹果	bǐnggào 禀告
mìngtí 命题	dīngzi 钉子	tíngzi 亭子
nǐngkāi 拧开	lìnglèi 另类	jīngyú 鲸鱼
qíngtiān 晴天	xǐngwù 醒悟	qìngjia 亲家
wēngwēng 嗡嗡	lǎowēng 老翁	shuǐwèng 水瓮
wèngcài 蕹菜		

词语选用

绷脸 běngliǎn	承蒙 chéngméng	层出不穷 céngchū-bùqióng
等待 děngdài	风尘 fēngchén	梗概 gěnggài
吭声 kēngshēng	能耐 néngnài	冷饮 lěngyǐn
蒙蔽 méngbì	膨体纱 péngtǐshā	横七竖八 héngqī-shùbā
仍旧 réngjiù	僧俗 sēngsú	生动 shēngdòng
腾空 téngkōng	停止 tíngzhǐ	冰糕 bīnggāo
顶嘴 dǐngzuǐ	经过 jīngguò	宁可 nìngkě
庆贺 qìnghè	兴奋 xīngfèn	增订 zēngdìng
证明 zhèngmíng	零用 língyòng	明后天 mínghòutiān
平白 píngbái	屏幕 píngmù	瓮声瓮气 wèngshēng-wèngqì

念奴娇·昆仑　　　　毛泽东

Héng kōng chū shì,	横空出世,
Mǎng Kūnlún,	莽昆仑,
Yuèjìn rénjiān chūnsè,	阅尽人间春色,
Fēiqǐ yùlóng sānbǎi wàn,	飞起玉龙三百万,
Jiǎode zhōutiān hánchè,	搅得周天寒彻,
Xià rì xiāoróng,	夏日消融,
Jiānghé héngyì,	江河横溢,
Rén huò wéi yúbiē.	人或为鱼鳖。
Qiānqiū gōngzuì,	千秋功罪,
Shuí rén céng yǔ píngshuō?	谁人曾与评说?
Érjīn wǒ wèi Kūnlún,	而今我谓昆仑,
Bù yào zhè gāo,	不要这高,
Bù yào zhèduō xuě.	不要这多雪。
Āndé yǐtiān chōu bǎojiàn,	安得倚天抽宝剑,
Bǎ rǔ cái wéi sān jié?	把汝裁为三截?
Yī jié wèi Ōu,	一截遗欧,
Yī jié zèng Měi,	一截赠美,
Yī jié huán dōngguó,	一截还东国,
Tàipíng shìjiè,	太平世界,
Huánqiú tóng cǐ liángrè.	环球同此凉热。

绕　口　令

昨夜刮了一阵风,刮散了满天星,　刮平了地上坑,刮化了坑上冰,
刮倒了冰上松,刮飞了松上鹰,　刮灭了屋里灯,刮掉了墙上钉。
只刮得星散、坑平、冰化、松倒、鹰飞、灯灭、钉掉,好大一阵风。

直读鼻韵母 ong、iong 构成的音节

后鼻音韵母 ong、iong 的发音相近。发 ong 韵母时，先发舌面、后、高、圆唇元音［u］，然后抬高舌根并后缩，软腭下垂，舌根抵住软腭，让气流从鼻腔出来，［u］－ng 的有机结合成为 ong 韵母。发 iong 韵母时，先发舌面、前、高、圆唇元音［y］，再向－ng 方向收尾，ü－ng 的有机结合构成了 iong 韵。在《汉语拼音方案》的"韵母表"中 ong 排在开口呼，iong 排在齐齿呼，但根据传统的音韵分析以及实际发音，ong 应属于合口呼韵母，iong 则属于撮口呼韵母。ong、iong 韵母与声母拼合的情况不同，ong 不能自成音节，只能与声母相拼，这一点与 ueng 韵母正相反；ong 不能与双唇音、唇齿音相拼，这一点与 eng 韵母也不同。与 iong 能拼合的声母也只有三个。

语 音 训 练

1. 学习 ong、iong 韵母构成的音节及声韵配合规律

ong dong tong nong long gong kong hong zong cong song

zhong   chong   rong

iong jiong   qiong   xiong

常用同韵字表 ong

声母＼声调	阴 平	阳 平	上 声	去 声
d	冬东		董懂	洞恫侗冻栋动
t	通	同桐铜童潼瞳	筒桶捅统	痛
n		农浓脓		弄
l		隆窿龙咙聋笼	拢垄笼～罩陇	弄～堂
g	工功攻公蚣弓躬供～给恭宫		拱巩汞	共贡供～认
k	空		孔恐	空～白控
h	烘哄～堂轰	红虹宏洪鸿	哄～骗	讧哄起～
z	宗棕综～合踪鬃		总	纵粽
c	囱聪匆葱	从丛淙		
s	松			宋送颂诵
zh	中衷忠盅钟终		种肿	中打～种～地仲重众
ch	冲充	虫重～复崇	宠	冲～劲儿
r		容溶熔蓉绒荣融茸		

常用同韵字表 iong

声母＼声调	阴 平	阳 平	上 声	去 声
ø	庸佣～工拥雍壅	颙～望	永泳咏勇涌蛹踊	用佣～金
j			窘迥	
q		穷琼		
x	兄凶汹胸	熊雄		

ong 韵母有 13 个音节,除了不与舌面音 j、q、x 相拼以外,还不与双唇音 b、p、m 和唇齿音 f 相拼。iong 只有三个音节,与 j、q、x 以外的声母都不相拼。

2.学习 ong、iong 音节构成的词语

dōngtiān 冬天　　　　nóngyè 农业　　　　tǒngzhì 统治

lòngtáng 弄堂　　　　gōngjǐ 供给　　　　hóngliàng 洪亮

kǒngjù 恐惧	gòngrèn 供认	zōnghé 综合
cónglín 丛林	zǒngjié 总结	sònggē 颂歌
zhōngbiǎo 钟表	rónghuà 溶化	chǒng'ài 宠爱
zhòngdì 种地	yōnghù 拥护	yǒngqì 勇气
yǒngyuǎn 永远	yòngyì 用意	xiōngdì 兄弟
xióngmāo 熊猫	Qióngyáo 琼瑶	jiǒngpò 窘迫

词语选用

冬装 dōngzhuāng	攻读 gōngdú	红茶 hóngchá
哄骗 hǒngpiàn	迥然 jiǒngrán	共同 gòngtóng
冬至 dōngzhì	窘迫 jiǒngpò	浓厚 nónghòu
穷酸 qióngsuān	绒裤 róngkù	弄虚作假 nòngxū – zuòjiǎ
容貌 róngmào	松弛 sōngchí	笼屉 lóngtì
空气 kōngqì	穹苍 qióngcāng	捅娄子 tǒnglóuzi
同学 tóngxué	胸口 xiōngkǒu	雄赳赳 xióngjiūjiū
棕色 zōngsè	总结 zǒngjié	终究 zhōngjiū
重担 zhòngdàn	耸人听闻 sǒngréntīngwén	

朗 读

听不懂怎么办　　　　恩惠

Tīng　bù　dǒng　Zěn　me　bàn

一个学外语的学生，听说老师病了，想
Yī ge xué wài yǔ de xué sheng, tīng shuō lǎo shī bìng le, xiǎng

去看看。他的老师是个外国人。这个学生学
qù kàn kan. Tā de lǎo shī shì ge wài guó rén. Zhè ge xué sheng xué

习很不好，听不懂老师的话，去了怎么办呢？
xí hěn bù hǎo, tīng bù dǒng lǎo shī de huà qù le zěn me bàn ne?

他这样想：到了老师家，我在床边坐下，
Tā zhè yàng xiǎng: dào le lǎo shī jiā, wǒ zài chuáng biān zuò xià,

问他：
wèn tā:

"您 觉 得 怎 么 样?" 他 一 定 回 答:
"Nín jué de zěn me yàng?" Tā yī dìng huí dá:

"好 多 了!" 我 再 问:
"Hǎo duō le!" Wǒ zài wèn:

"您 吃 了 什 么 药?" 他 一 定 告 诉 我 他 吃 的 药。
"Nín chī le shén me yào?" Tā yī dìng gào su wǒ tā chī de yào.

我 再 问:
Wǒ zài wèn:

"给 您 治 病 的 是 哪 位 大 夫?" 他 一 定 告 诉 我
"Gěi nín zhì bìng de shì nǎ wèi dài fu?" Tā yī dìng gào su wǒ

大 夫 是 谁。
dài fu shì shuí.

学 生 从 书 上 和 字 典 里 找 到 他 要 问 的
Xué sheng cóng shū shàng hé zì diǎn li zhǎo dào tā yào wèn de

问 题 和 说 的 话, 准 备 好, 就 去 看 老 师 了。
wèn tí hé shuō de huà, zhǔn bèi hǎo, jiù qù kàn lǎo shī le.

他 在 床 边 坐 下。 这 时 候 病 人 正 在 发
Tā zài chuáng biān zuò xià. Zhè shí hòu bìng rén zhèng zài fā

烧, 心 里 很 烦 躁。学 生 问:
shāo, xīn·lǐ hěn fán zào. Xué sheng wèn:

"老 师, 您 觉 得 怎 么 样?"
"Lǎo shī, nín jué de zěn me yàng?"

老 师 回 答:"我 难 受 极 了!"
Lǎo shī huí dá: "Wǒ nán shòu jí le!"

"啊, 太 好 了!" 学 生 高 兴 地 说, "您 吃 了 什
"À, tài hǎo le!" Xué sheng gāo xìng de shuō, "Nín chī le shén

么 药 啊?"
me yào a?"

"毒 药!" 老 师 生 气 地 说。
"Dú yào!" lǎo shī shēng qì de shuō.

"啊, 这 种 药 对 您 的 健 康 很 有 帮 助 啊!"
"À, zhè zhǒng yào duì nín de jiàn kāng hěn yǒu bāng zhù a!"

学 生 又 问:"哪 位 大 夫 给 您 治 病 呢?"
Xué sheng yòu wèn: "Nǎ wèi dài fu gěi nín zhì bìng ne?"

老 师 更 生 气 了, 说:"死 神!"
Lǎo shī gèng shēng qì le, shuō: "Sǐ shén!"

学 生 笑 着 说:"真 好, 您 请 到 这 样 的 大
Xué sheng xiào zhe shuō: "Zhēn hǎo, nín qǐng dào zhè yàng de dài

夫，一切 都 能 解 决 了。"
fu, yī qiè dōu néng jiě jué le."

羊和狼

小梁草地放羊，小杨场里晒粮，小常山上打狼。
小梁的羊吃了小杨的粮，
小常打狼打了小梁的羊。
小梁怨小杨晒粮，
小常怨小梁放羊，
小杨怨小常打狼。

Yáng   hé   láng

XiǎoLiáng cǎodì fàng yáng，XiǎoYáng chángli shài liáng，
　　XiǎocHáng shānshàng dǎ láng。
Xiǎoliáng de yáng chīle XiǎoYáng de liáng，
XiǎoCháng dǎ láng dǎle XiǎoLiáng de yáng。
Xiǎoliáng yuàn XiǎoYáng shài liáng，
XiǎoCháng yuàn Xiǎo Liáng fàng yáng，
XiǎoYáng yuàn Xiǎo Cháng dǎ láng。

【第二十六讲】

韵母的结构、韵辙

　　普通话 39 个韵母所能结合的音节我们都学完了。这 39 个韵母有 23 个是由元音构成的,即单韵母和复韵母;有 16 个是由元音和鼻辅音结合起来构成的,即鼻韵母。构成韵母的各个元音和鼻音在韵母中的地位和作用并不是完全相同的,有的元音是主要元音,有的元音只表示发音器官活动的起点或者是声音收尾的趋向。根据它们不同的地位和作用,我们把韵母的结构分成三部分,即韵腹、韵头和韵尾。韵腹就是一个韵母中的主要元音,它是韵母的中心。单韵母只有一个元音,这个元音就是韵腹,复韵母是由两个或三个元音构成的,其中开口度较大、声音较响亮的主要元音就是韵腹,如前响二合元音韵腹是前一个元音,后响二合元音韵腹是后一个元音,中响三合元音,韵腹是中间一个元音。韵腹前面的叫韵头,又叫介音,韵腹后面的叫韵尾。韵头和韵尾表示声音的起始和收尾。

　　从《韵母结构表》可以看出,并不是每个韵母都具有韵头、韵腹和韵尾。一个韵母可以没有韵头,可以没有韵尾,但不能没有韵腹。只有 i、u、ü 可以做韵头,i、u(o)、n、ng 可以做韵尾,10 个单韵母都可做韵腹。

　　普通话的 39 个韵母按构成成分可分为单韵母、复韵母和鼻韵母。我国传统语音学一向以韵母结构中有没有韵头,用什么音素做韵头为标准来给韵母分类,这样就把韵母分为四类,即开口呼韵母、齐齿呼韵母、合口呼韵母和撮口呼韵母,简称开、齐、合、撮四呼。

开口呼韵母:没有韵头,即不以 i、u、ü 起头,而韵腹又不是 i、u、ü 的韵母,如 a、ou、eng 等。这类韵母共有 16 个。

齐齿呼韵母:以 i 作韵腹或韵头是 i 的韵母,如 i、ie、ian 等。这类韵母共有 10 个。

合口呼韵母:以 u 作韵腹或韵头是 u 的韵母,如 ua、uei、ueng 等。这类韵母共有 9 个。

撮口呼韵母:以 ü 作韵腹或韵头是 ü 的韵母,如 ü、üe、ün、üan。这种韵母只有 4 个。

下面根据韵母的成分、韵头的情况列出普通话韵母总表。(见下页)

我们学习了普通话的韵母,了解了韵母的结构,不仅有助于我们学习普通话音节,对掌握诗歌、唱词的押韵也是非常有用的。押韵也叫合辙,合辙是押韵的通俗说法。一般把韵文中某些上下句句末用上同"韵"的字,造成上下句句末的叠韵现象叫押韵。押韵的"韵"与韵母有密切关系,但又不完全相同,凡韵腹相同或相近(如果有韵尾,韵尾也要相同,韵头可以不同),都属于同一个"韵",所以同"韵"并不是指韵母相同。为了帮助人们查找同韵的字而编写的书叫韵书,把同韵的字编在一起就叫建立韵部。明清以来北方说唱文学中押韵时,广泛运用的是"十三辙"即十三个韵部。当前人们做新诗所依据的韵书《中华新韵》的,是 18 个韵部。合辙押韵可以使诗句、唱词等音调和谐悦耳,富有音乐美;吟诗、演唱顺口,易于记忆。参看十三辙、十八韵同普通话韵母对照表。

韵母结构表

例 字	韵 母			韵母类型
	韵 头 (介 音)	韵 腹 (主要元音)	韵 尾 (元音)(辅音)	
俄 é		e		单韵母
爱 ài		a	i	复韵母
月 yuè	ü	e		
优 yōu	i	o	u	
要 yāo	i	a	o(u)	

音 yīn		i	n	鼻韵母
汪 wāng	u	ɑ	ng	

普通话韵母总表

韵头成分	开口呼	齐齿呼	合口呼	撮口呼
单韵母	-i[ʅ][ɿ] ɑ[A] o[O] e[ɤ] ê[ɛ] er[ɚ]	i[i] iɑ[iA] ie[iɛ]	u[u] uɑ[uA] uo[uo]	ü[y] üe[yɛ]
复韵母	ɑi[ai] ei[ei] ɑo[ɑu] ou[ou]	iɑo[iɑu] iou[iou]	uɑi[uai] uei[uei]	
鼻韵母	ɑn[an] en[ən] ɑng[ɑŋ] eng[əŋ] ong[uŋ]	iɑn[iɛn] in[in] iɑng[iɑŋ] ing[iŋ] iong[yŋ]	uɑn[uan] uen[uən] uɑng[uɑŋ] ueng[uəŋ]	üɑn[yɛn] ün[yn]

注:按传统语音学 ong 属合口呼,iong 属撮口呼。

十三辙、十八韵同普通话韵母对照表

十三辙	十八韵	普通话韵母	例字
(1)发花	(1)麻	ɑ iɑ uɑ	麻 霞 画
(2)坡梭	(2)波	o uo	坡 多
	(3)歌	e	车
(3)乜斜	(4)皆	ê ie üe	欸 野 月
(4)姑苏	(10)模	u	书
(5)一七	(5)支	-i[ʅ、ɿ]	斯、时
	(6)儿	er	耳
	(11)鱼	ü	雨
	(7)齐	i	医
(6)怀来	(9)开	ɑi uɑi	排 快

(7)灰堆	(8)微	ei uei(ui)	雷 推
(8)遥条	(13)豪	ao iao	高 校
(9)油求	(12)侯	ou iou(iu)	口 留
(10)言前	(14)寒	an ian uan üan	般 先 团 元
(11)人辰	(15)痕	en in uen(un) ün	根 金 村 军
(12)江阳	(16)唐	ang iang uang	党 详 旺
(13)中东	(17)庚	eng ing ueng(weng)	峰 星 翁
	(18)东	ong iong	工 勇

语 音 训 练

读成语,分辨韵母的四呼

shānnán-hǎiběi 山南海北

chéngshìzàirén 成事在人

zhòngzhìchéngchéng 众志成城

jiāngjì-jiùjì 将计就计

yìqìyángyáng 意气洋洋

yǒuqiúbìyìng 有求必应

sìtōng-bādá 四通八达

mǎikōng-màikōng 买空卖空

zhāofēng-rěcǎo 招蜂惹草

xǐxīn-yànjiù 喜新厌旧

biéyǒutiāndì 别有天地

zhuǎnhuòwéifú 转祸为福

wéiwǒdúzūn 唯我独尊　　　　wéiwéinuònuò 唯唯诺诺

sùzhūwǔlì 诉诸武力　　　　　luòhuā-liúshuǐ 落花流水

shúshìwúdǔ 熟视无睹　　　　xuèyǔ-xīngfēng 血雨腥风

yòngfēisuǒxué 用非所学　　　xuéjū-yěchǔ 穴居野处

Máosuìzìjiàn 毛遂自荐　　　　fēngtiáo-yǔshùn 风调雨顺

nèiyōu-wàihuàn 内忧外患　　　wànlǚ-qiānsī 万缕千丝

hélì-tóngxīn 合力同心　　　　wànlàijùjì 万籁俱寂

朗　读

芙蓉楼送辛渐　　　王昌龄
Fúróng Lóu Sòng XīnJiàn

Hán yǔ lián jiāng yè rù Wú,　　　寒雨连江夜入吴，

Píngmíng sòng kè Chǔ Shān gū.　平明送客楚山孤。

Luòyáng qīnyǒu rú xiāng wèn,　　洛阳亲友如相问，

Yī piàn bīngxīn zài yùhú.　　　　一片冰心在玉壶。

美丽歌　　　王立平
Měilì Gē

Měilì de Dǎijiāzhài qián,　　　　　美丽的傣家寨前，

Yǒu yī tiáo měilì de xiǎo hé,　　　有一条美丽的小河，

Měilì de xiǎo hé pángbiān,　　　　美丽的小河旁边，

Yǒu yī zuò měilì de xiǎo shānpō.　有一座美丽的小山坡。

Pō shàng měilì de gūniang,　　　　坡上美丽的姑娘，

Chàngzhe měilì de gē.　　　　　　唱着美丽的歌。

Shuí cóng zhè měilì de zhài qián guò,　谁从这美丽的寨前过，

Dōu liúliàn zhè měilì de jǐngsè,　　都留恋这美丽的景色，

Dōu ài tīng zhè měilì de gē.　　　都爱听这美丽的歌。

月之故乡 　　台湾诗选
Yuè zhī Gùxiāng

Tiānshang yīge yuèliang,	天上一个月亮,
Shuǐli yīge yuèliang,	水里一个月亮,
Tiānshang de yuèliang zài shuǐli,	天上的月亮在水里,
Shuǐli de yuèliang zài tiānshang.	水里的月亮在天上。
Dītóu kàn shuǐli, táitóu kàn tiānshang.	低头看水里,抬头看天上。
Kàn yuèliang, sī gùxiāng,	看月亮,思故乡,
Yīge zài shuǐli,	一个在水里,
Yīge zài tiānshang.	一个在天上。

Shānyě Duǎndí

Báiyún shì chuānglián, cāngqióng shì tiānhuābǎn,

Dàdì shì zhuōmiàn, bǎimǎn wǒmen de wǔcān.

Qǐng ba, tóng zhì men, shānxiāng yěwèi, fàngkāi wèikǒu,

Wǔ hú sān jiāng, yī yǐn ér gān!

Shì wèn, shìshang nǎ yǒu zhèbān wǔyàn,

Rúcǐ tánghuáng, rúcǐ zhuàngguān?

Zhàn qǐlai, qiě bǎ qīngshān zuò jiǔbēi,

Hǎn yī shēng: Tàiyáng, qǐng xiàlai yǔ zánmen gòng cān!

山野短笛 　　梅 翁

白云是窗帘,苍穹是天花板,

大地是桌面,摆满我们的午宴。

请吧,同志们,山乡野味,放开胃口,

五湖三江,一饮而干!

试问,世上哪有这般午宴,

如此堂皇如此壮观?

站起来,且把青山作酒杯,

喊一声:太阳,请下来与咱们共餐!

【第二十七讲】

韵母辨正(一)

分辨前后鼻音韵母——"小民"不是"小明", "炖肉"和"冻肉"不同

普通话音系里,共有 16 个鼻音韵母,其中收 – n 尾的前鼻音和收 – ng 尾的后鼻音各 8 个。这两套鼻韵母在普通话里是分得一清二楚的,如:柑子 ≠缸子、鲜花≠香花、船上≠床上、老陈≠老程、不信≠不幸、轮子≠聋子,每一组中前一个词加点的字都念前鼻音韵母,后一个词加点的字都念后鼻音韵母。但在山西方言里,这两套鼻韵母字除很少地方(如临汾和洪洞的城关)念法与普通话相近外,绝大部分地方都相混了。大体情况是:

1. 前后鼻音都消失,念为开尾韵,山西北部的大同及附近县市的方言大多如此。如大同话"面"miàn 念[miɛ],"黄"huáng 念[xuɒ],"商"shāng 念[ʂɒ]。

2. 前后鼻音不分,都念成后鼻音。如长治话"胆" = "党",都念 dang;"信" = "幸",都念 xing。

3. 前后鼻音不分,an、ian、uan、üan 和 ang、iang、uang 念为开尾韵,其他

第二十七讲 韵母辨正(一)　　**177**

韵母或念鼻化韵,或念后鼻尾韵。如清徐话"三"sān 念[sɛ],"光"guāng 念[kuŋ],而"陈"chén 念[tʂʌ̃],"兵"bīng 念[pi ʌ̃]。

4.前鼻音变为鼻化音,后鼻音保留,晋南大部分方言属于这种情况。如万荣话"胆"念[tæ̃],"党"念[tʌŋ],"根"念[keĩ],"康"念[kʼʌŋ]。

混念的如霍县话"缸"gāng 念成前鼻音 gan,而"山"shān 却念成后鼻音 shang。

以上种种,说明山西方言里,鼻音韵母字的念法是非常复杂的,尤其是前鼻音字念不准,更是全省普遍的问题。这是山西人学习普通话语音的大难点。所以,山西人学习普通话语音应特别下苦功把前后鼻音发准并能把前鼻音字和后鼻音字分清。

那么,怎样才能做到这一点呢?

首先,要学会发准 – n和 – ng这两个鼻辅音。– n与 – ng的主要区别在发音部位,发 – n时舌头往前伸,舌尖抵住上齿龈;发 – ng时舌头往后缩,舌根抵住软腭,由于舌头接触上腭的前后部位不同,所以开口度大小也略有不同。发 – n 时,口的开度很小,发 – ng 时,口的开口度较大。先把 – n、– ng发准,然后再和前面的元音结合,就能学会发准前后鼻音韵母。为了找准 – n的位置,可在前鼻音韵母音节的后面紧接上一个轻声的"哪"na。例如kànna(看哪)、wènna(问哪)、jìnna(进哪)、xūnna(熏哪);也可以在前鼻音韵母的音节后面紧接上一个用 d、t、n、l 等舌尖中音作声母的音节,如 bànlǐ(办理)、jīnnián(今年)、chūntiān(春天)、quánlì(权利)。为了读准后鼻音韵母,可在后鼻音韵母音节的后面紧接上一个轻声的"个 ge"或"过 guo",如:děnggerén(等个人)、tōnggexìn(通个信)、jiǎngguokè(讲过课)、yòngguochē(用过车);也可以在后鼻音韵母音节的后面紧接上一个用 g、k、h 充当声母的音节,如:jīngguǎn(经管)、guǎngkuò(广阔)、děnghòu(等候)。以下几组字就是两两相对的前后鼻音字(üan 组只有前鼻音):

bān 班 – bāng 帮	nián 年 – niáng 娘	chuān 穿 – chuāng 窗
quán 权 – (无对应)	bēn 奔 – bēng 崩	xīn 新 – xīng 星
sūn 孙 – sōng 松	wèn 问 – wèng 瓮	yǔn 允 – yǒng 勇

学会发音以后,还有一个辨字的问题。就是要知道哪些字念前鼻音韵母,哪些字念后鼻音韵母。在"声母辨正"部分,我们曾介绍过一些方法,这

里也可以使用。

1.利用声韵拼合规律帮助记忆

(1)b、p、m、d、t 只和 ian 拼,不和 iang 拼,因此,"边、变、编、片、棉、免、颠、电、天、田"等 50 多个字的韵母必定是 ian。山西孝义等地的人学说普通话要注意这一条。

(2)d、t、n、l、z、c、s、r 只和 uan 拼,不和 uang 拼,因此,"端、段、团、暖、卵、乱、钻、窜、酸、算、软"等 20 多个字的韵母必定是 uan。山西平遥、灵石、孝义等地的人学说普通话要注意这一条。

(3)d、t、n、l 一般不与 en 拼(除"扽 dèn、嫩 nèn"等极个别的字以外),因此,"灯、等、腾、能、棱、冷、愣"等 10 多个字的韵母必定是 eng。晋南一些地区的人学说普通话要注意这一条。

(4)d、t 只和 ing 拼,不和 in 拼,因此,"丁、顶、定、听、亭、挺"等 10 多个字的韵母必定是 ing。山西定襄、忻州、五台、介休、霍县、榆社等地的人学说普通话应注意此条。

(5)n 一般也不与 in 拼("您"nín 除外),所以,"宁、拧、凝、咛、狞"等字也可大胆地读 ing 韵母。

(6)普通话没有跟 üan 相对的后鼻音韵母,所以方言里念 üang 韵母的字要改成读 üan 韵母,如"捐、卷、圈、权、宣、选、冤、原"等 40 多个字都是 üan 韵母字。这一条山西孝义等地的人学说普通话应多注意。

2.用形声字声旁代表字类推的方法帮助记忆

以下是一些常作声旁的字,记住它们的韵母,然后类推。

an:	"半、反、兰、干"等;	ian:	"扁、田、千、先"等;
uan:	"宛、段、官、专"等;	en:	"分、艮、申、刃"等;
in:	"林、斤、今、辛"等;	uen:	"屯、仑、昆"等;
ün:	"云、君"等;	ang:	"方、当、尚、长"等;
iang:	"央、羊、良、向"等;	uang:	"王、光、广、黄"等;
eng:	"丰、登、正、曾"等;	ing:	"丙、平、丁、青"等;
ong:	"同、工、共、中"等;	iong:	"用、永"等。

应该引起注意的是这条规律中也有一些例外的字,如"并"读 bìng 是后鼻音韵母字,而"拼"却读 pīn,是前鼻音韵母字,不过,这种字毕竟是极少数。

3.凭借《辨音字表》和《常用同韵字表》全面记忆

辨音字表

1.en 和 eng 辨音字表

韵母 例字 声母	en	eng
Ø	①恩 ④摁	
b	①奔犇 ② ③本 ④笨	①崩 ②甫 ③绷 ④迸蹦泵
p	①喷 ②盆 ③ ④喷	①烹怦抨 ②朋棚硼鹏彭澎膨蓬篷 ③捧 ④碰
m	①闷 ②门们扪 ③ ④闷焖懑	①蒙 ②盟萌蒙檬朦 ③猛蜢锰懵 ④梦孟
f	①分芬纷吩 ②坟焚汾 ③粉 ④奋份粪忿分	①风枫疯蜂峰锋丰封 ②逢缝冯 ③讽 ④奉凤缝
d	① ③ ④扽	①登灯 ③等 ④邓凳瞪澄
t		①熥 ②疼腾誊滕藤
n	② ④嫩	②能 ④
l		②棱 ③冷 ④愣
g	①根跟 ②哏 ③艮 ④亘	①耕庚羹更 ② ③耿梗 ④更
k	① ③肯啃垦恳 ④裉	①坑吭铿 ③ ④

例字 韵母 声母	en	eng
h	① ②痕 ③很狠 ④恨	①亨哼 ②横衡恒 ③ ④横蛮~
zh	①真贞针侦珍胗斟 ③诊疹缜枕 ④振震镇阵圳朕	①争筝睁征正挣蒸症~结 ③整拯 ④正政证症郑侦
ch	①嗔抻 ②晨辰沉忱陈臣尘 ③碜 ④衬趁称	①称撑 ②成城诚承呈程惩澄乘盛橙 ③逞骋 ④秤
sh	①申伸呻绅身深澄 ②神 ③沈审婶 ④甚慎肾渗	①生牲笙甥升声 ②绳 ③省 ④胜圣盛剩
r	① ②人仁壬任姓~ ③忍 ④任认刃纫韧	①扔 ②仍 ③ ④
z	① ③怎 ④	①曾增憎 ③ ④赠
c	①参 ②岑 ④	① ②曾层 ④蹭
s	①森	①僧

2.in 和 ing 辨音字表

例字 韵母 声母	in	ing
ø	①因姻殷音阴 ②银龈垠吟寅淫 ③引蚓隐瘾饮尹 ④印荫(统读)	①英应鹰婴樱缨鹦 ②营萤莹盈迎赢 ③影 ④映硬应
b	①宾滨缤彬 ③ ④殡鬓	①兵冰并(山西太原的别称) ③丙柄秉饼禀 ④病并
p	①拼 ②贫频 ③品 ④聘	①乒 ②平苹萍屏瓶凭 ③ ④
m	②民 ③敏皿闽悯泯 ④	②名茗铭明鸣冥 ③ ④命

声母\字\韵母	in	ing
d		①丁叮钉仃 ③顶鼎 ④定锭订
t		①听厅汀 ②亭停廷庭蜓 ③挺艇
n	②您 ③ ④	②宁狞柠凝咛拧~开 ③拧~开 ④宁~可佞泞
l	②林淋琳磷邻鳞麟 ③凛廪檩 ④吝赁蔺	②灵令蛉玲零铃龄菱陵凌绫 ③岭领 ④另令
j	①今斤巾金津襟筋 ③紧锦仅谨馑尽~早 ④尽进劲缙觐烬近晋禁浸	①京惊鲸茎经菁精睛晶荆兢梗 ③景颈井警 ④敬镜竟净静境竞径
q	①亲侵钦 ②勤琴芹秦禽擒 ③寝 ④沁	①氢轻倾青清蜻晴卿 ②情晴擎 ③顷请 ④庆亲~家
x	①新薪辛锌欣心馨 ② ③ ④信衅	①星腥猩兴 ②形刑型邢行 ③省醒 ④幸姓性杏兴

3. uen(零声母)和 ueng 辨音字表

声母\字\韵母	uen(un)	ueng
ø	①温瘟 ②文纹蚊闻 ③稳吻紊 ④问	①翁嗡 ② ③ ④瓮蕹

4. uen(un)和 ong 辨音字表

声母\字\韵母	uen(un)	ong
d	①敦墩蹲吨 ③盹趸 ④炖钝顿囤盾遁	①冬东 ③董懂 ④洞恫侗冻栋动

例字 韵母 声母	uen(un)	ong
t	①吞 ②屯臀 ③氽 ④褪~去	①通 ②同桐铜童潼瞳 ③筒桶捅 ④痛
l	①抡 ②仑伦纶轮沦 ③ ④论	① ②隆窿龙咙聋笼 ③拢垄陇 ④弄
g	① ③滚辊 ④棍	①工功攻公蚣弓躬供恭宫 ③拱巩汞 ④共贡供
k	①昆坤 ③捆 ④困	①空 ③孔恐 ④空控
h	①昏婚荤 ②魂浑馄 ③ ④混诨~号	①烘哄~堂轰 ②红虹宏洪鸿泓 ③哄 ④讧哄起~
zh	①谆 ③准 ④	①中衷忠盅终钟 ③种肿 ④中仲~裁种重众
ch	①春椿 ②唇纯淳醇 ③蠢 ④	①冲充舂 ②虫重崇 ③宠 ④冲~劲儿
sh	③吮 ④顺舜	
r	② ③ ④闰润	②容溶熔蓉绒荣融茸 ③冗 ④
z	①遵尊 ③撙 ④	①宗棕踪鬃综 ③总 ④纵粽
c	①村皴 ②存 ③忖 ④寸	①囱匆葱聪 ②丛从淙 ③ ④
s	①孙 ③损笋榫 ④	①松 ③怂耸 ④宋送颂诵

5.ün(un)和 iong 辨音字表

声母\例字\韵母	ün(un)	iong
ø	①晕 ②云匀 ③允陨 ④运晕孕韵熨酝蕴	①庸佣拥 ② ③永泳咏勇诵蛹踊 ④用
j	①均君军菌 ③ ④菌俊峻竣骏浚	① ③窘迥炯 ④
q	②群裙	②穷琼
x	①熏勋 ②旬询循巡寻驯 ④训迅讯汛殉逊	①兄凶汹匈胸 ②熊雄 ④

说明:表中的①②③④分别指四种声调。

语 音 训 练

1.对比练习

an – ang

fǎnwèn 反问 – fǎngwèn 访问　　gānzi 竿子 – gāngzi 缸子
dānxīn 担心 – dāngxīn 当心　　hánlù 寒露 – hánglù 航路
xiǎolán 小兰 – xiǎoláng 小狼　　kāifàn 开饭 – kāifàng 开放
sānyè 三页 – sāngyè 桑叶　　shīzhǎn 施展 – shīzhǎng 师长
chǎndì 产地 – chǎngdì 场地　　yīpán 一盘 – yīpáng 一旁

ian – iang

xiānhuā 鲜花 – xiānghuā 香花　　yǎnjiǎn 眼睑 – yǎnjiǎng 演讲
jiǎnlì 简历 – jiǎnglì 奖励　　qiānmíng 签名 – qiāngmíng 枪名
jiānnán 艰难 – jiāngnán 江南　　liúliàn 留恋 – liúliàng 流量
liáncài 莲菜 – liángcài 凉菜　　lǎonián 老年 – lǎoniáng 老娘
yànpǐn 赝品 – yàngpǐn 样品　　yǎnhù 掩护 – yǎnghù 养护

uan – uang

chuánshang 船上 – chuángshang 床上　guānmíng 官名 – guāngmíng 光明

zhuānchē 专车 – zhuāngchē 装车　　pángguān 旁观 – pángguāng 膀胱

shǒuwàn 手腕 – shǒuwàng 守望　　wánggù 顽固 – wánggù 亡故

xīnwǎn 新碗 – xīnwǎng 新网　　jīguān 机关 – jīguāng 激光

tiěhuán 铁环 – tiěhuáng 铁簧　　shuānmén 闩门 – shuāngmén 双门

en – eng

zhěnzhì 诊治 – zhěngzhì 整治　　shēnzhāng 伸张 – shēngzhāng 声张

shēnsī 深思 – shēngsī 生丝　　xìngchén 姓陈 – xìngchéng 姓程

fēnhuà 分化 – fēnghuà 风化　　guāfēn 瓜分 – guāfēng 刮风

zhōngchén 忠臣 – zhōngchéng 忠诚

in – ing

pínfán 频繁 – píngfán 平凡　　jìnzhǐ 禁止 – jìngzhǐ 静止

jìnjì 禁忌 – jìngjì 竞技　　línzi 林子 – língzi 绫子

bùxìn 不信 – bùxìng 不幸　　xiǎomín 小民 – xiǎomíng 小名

fùjīn 赴津 – fùjīng 赴京　　hěnqīn 很亲 – hěnqīng 很轻

héngxīn 恒心 – héngxīng 恒星　　jīnyín 金银 – jīngyíng 经营

uen – ong（ueng）

lúnzi 轮子 – lóngzi 聋子　　cúnqián 存钱 – cóngqián 从前

dùnròu 炖肉 – dòngròu 冻肉　　tūnbìng 吞并 – tōngbìng 通病

chūnfēng 春风 – chōngfēng 冲锋　　yīzhǔn 一准 – yīzhǒng 一种

lǎowēn 老温 – lǎowēng 老翁

2. 读出下列单音节字词

an	ān 氨	fān 番	mán 蛮	zàn 暂
ian	yán 沿	jiǎn 茧	qián 潜	xiàn 腺
uan	wǎn 挽	cuàn 窜	chuàn 串	huàn 患
üan	yuàn 怨	juān 捐	quán 拳	xuán 悬
en	en 恩	mén 门	shèn 肾	zěn 怎
in	yīn 音	jīn 津	nín 您	qín 琴
uen	wēn 温	chún 唇	dūn 吨	hūn 婚
ün	yún 匀	jūn(jùn) 菌	qún 群	xún 寻
ang	náng 囊	rǎng(rāng) 嚷	cāng 苍	kàng 炕

iang	yāng 秧	jiāng 江	qiāng 腔	xiàng 项
uang	wǎng 网	guàng 逛	huǎng(huàng)晃	zhuàng(chuáng)幢
eng	chéng 程	fèng 奉	kēng 坑	téng 藤
ing	yìng 硬	líng 龄	jīng 茎	xìng 姓
ueng(ong)	wēng 翁	zhōng 钟	zhòng 众	sòng 宋
iong	yǒng 涌	qióng 穷	xiōng 凶	xióng 熊

3. 熟读下列词语

zhàngǎng 站岗	fángchǎn 房产	biānjiāng 边疆
xiāngqiàn 镶嵌	kuānguǎng 宽广	guānghuán 光环
juānkuǎn 捐款	jiǎngquàn 奖券	shénshèng 神圣
lěngmén 冷门	míngjǐng 民警	jīngxīn 精心
zūnzhòng 尊重	dōngsǔn 冬笋	jūnyòng 军用
qióngkùn 穷困		

4. 请准确读出下列山西省带鼻音韵母字的县市名

an	娄烦	繁峙	岢岚	方山	山阴	安泽	浮山	稷山
ang	长子	长治	方山					
ian	盂县	朔县	天镇	代县	偏关	祁县	古县	隰县	蒲县
	夏县	沁县	临县	兴县	应县	绛县		
iang	阳曲	武乡	襄垣	阳城	阳高	定襄	昔阳	寿阳	襄汾
	乡宁	绛县	新绛	汾阳	阳泉	中阳		
uan	壶关	陵川	偏关	万荣				
uang	广陵							
en	汾阳	临汾	襄汾	汾西	怀仁	天镇	神池	
eng	黎城	潞城	交城	翼城	芮城	阳城	运城	
in	沁源	沁县	沁水	忻州	临汾	山阴	柳林	临县
	河津	临猗	新绛					
ing	清徐	平定	平顺	高平	陵丘	应县	平鲁	定襄
	静乐	宁武	原平	兴县	灵石	平遥	大宁	平鲁

	乡宁	广陵				
uen	屯留	平顺	文水	和顺	闻喜	浑源
ong	大同	中阳	洪洞	万荣		
ün	运城	左云				
yong	永和	永济				
üan	太原	阳泉	沁源	浑源	原平	左权	垣曲	襄垣

5.用普通话读出下列句子,注意加点字的读音

(1)用黄铜精制的大同火锅,古色古香,金光灿灿。

(2)云冈石窟的佛像造型丰满,神态万状,栩栩如生。

(3)高级漆器——新绛云雕,已经进入国际市场。

(4)定襄河边与五台县建安一带,古称"砚台之乡"。

(5)原来,《玉堂春》的故事就发生在山西洪洞县哪!

6.将下列拼音正确读出,看看说了哪几句话

(1)Xióngmāo Pànpan zhēn kě'ài.

(2)Méiyǒu wénhuà bàn shénme shìqing dōu hěn kùnnan.

(3)Wǒ xìng Wēng,"lǎowēng" de Wēng.

(4)Shānxī Chángzhì shèngchǎn dǎngshēn.

(5)Wénshuǐ Yúnzhōuxīcūn shì Liú Húlán de gùxiāng.

7.用普通话朗读下面两首诗,给加点的字注出拼音

赠梁任父同年   黄遵宪

寸寸河山寸寸金,㿦①离分裂力谁任?
杜鹃再拜忧天泪,精卫无穷填海心!

暮 江 吟   白居易

一道残阳铺水中,半江瑟瑟半江红。
可怜九月初三夜,露似珍珠月似弓。

---

① 㿦:kuā,割裂、离析。

韵母辨正(二)

分辨 ang 与 uang——"司马光砸缸"你能说正确吗?

　　晋北的天镇、怀仁、浑源、岢岚、河曲、保德,晋中的寿阳、左权等地的方言不分 ang 和 uang(普通话中的零声母字除外),说"双人床"和"伤人肠"是一样的,也就是说,把"双"、"床"这两个 uang 韵母的字,说成了"伤"、"肠"(ang 韵母字)的音。ang 和 uang 的区别在于:ang 是开口呼韵母,uang 是合口呼韵母,uang 比 ang 多了一个介音 u,就多了一个动程。下列各组字的韵母是不同的:

钢 gāng ≠ 光 guāng　　　　　　扛 káng ≠ 狂 kuáng

杭 háng ≠ 黄 huáng　　　　　　张 zhāng ≠ 庄 zhuāng

常 cháng ≠ 床 chuáng　　　　　赏 shǎng ≠ 爽 shuǎng

　　如何辨字呢?普通话里 uang 韵母字比 ang 韵母字少,uang 韵母只和 g、k、h、zh、ch、sh 以及零声母相拼,而以上地区的方言在零声母字上可以分得清 ang 和 uang。这样,只要记住 40 多个 uang 韵母常用字的读音就行了,而在记这 40 多个字时,还可以使用形声字声旁类推法,这样一来,实际上只要记住几个声旁代表字,问题就基本解决了。常用的 uang 韵母字的声旁代表字为"光、广、匡、黄、荒、皇、庄、王"等,现将以上地区 ang 韵母和 uang 韵母相混的字列出:

guang　　阴平:光 胱　　　　上声:广 犷　　去声:逛

kuang　　阴平:匡 诓 筐　　阳平:狂 诳　　去声:况 旷 矿 框 眶

huang　　阴平:荒 慌 肓　　阳平:皇 凰 隍 惶 徨 煌 蝗 黄 蟥 簧 潢 璜

　　　　　　上声:谎 恍 晃眼 幌　　　　去声:摇晃

zhuang　阴平:庄 桩 装 妆　去声:状 壮 撞 幢

chuang　阴平:窗 创伤疮　阳平:床　　　上声:闯　　去声:创造

shuang　阴平:双 霜 孀　　上声:爽

语 音 训 练

分辨 ang 和 uang 时,注意 uang 韵母有介音 u,比 ang 韵母应该多出一个动程。

1.对比练习

ang – uang

táikāng 抬糠 – táikuāng 抬筐　　　fāngkàng 方炕 – fāngkuàng 方框
hángjiā 行家 – huángjiā 皇家　　　shāngháng 商行 – shuānghuáng 双簧
xìngZāng 姓臧 – xìngZhuāng 姓庄　　zāngbìng 脏病 – zhuāngbìng 装病
zàngyǔ 藏语 – zhuàngyǔ 状语　　　　qīngsǎng 清嗓 – qīngshuǎng 清爽

2.单音节字词练读

guāng 光　　guǎng 广　　guàng 逛　　kuāng 筐　　kuáng 狂
kuàng 矿　　huāng 荒　　huáng 黄　　huǎng 幌　　huáng 皇

zhuāng 庄　　zhuāng 装　　zhuàng 撞　　chuāng 窗　　chuáng 床

chuǎng 闯　　shuāng 双　　shuǎng 爽

3.给下列词语注音

　　广播　　广场　　光波　　光临　　光束　　光阴　　矿物

　　况且　　荒谬　　荒僻　　慌张　　黄昏　　皇冠　　装潢

　　茁壮　　状况　　撞击　　创伤　　创汇　　橱窗　　双亲

　　双语　　双人床　　爽朗　　黄鼠狼

4.朗读下列句子

(1)司马光砸缸。

(2)原平出的黄梨,又甜又脆,畅销省内外和港澳地区。

(3)我要去的是广场,不是钢厂。

(4)广灵方言是雁北地区没有入声的方言。

(5)老王替小刚买了一张双人弹簧床。

5.读读下列拼音的句子,说出这是谁写的,哪首古诗

Chuáng　qián　míng　yuè guāng,

Yí　shì　dì　shàng　shuāng.

Jǔ　tóu　wàng　míng　yuè,

Dī　tóu　sī　gù　xiāng.

分辨 ang、iang、uang 与 eng、ing、ong(ueng)——"西方"不是"西风","中央"不是"中英","黄豆"不是"红豆"

　　晋南的吉县、新绛、万荣、夏县、曲沃、侯马、绛县、闻喜、稷山等地方言没有 ang 韵母,凡 ang 韵母字全部读 eng 韵母,因此,这些地区的方言也没有 iang、uang 两韵母,这两个韵母的字分别读 ing、ong(ueng)韵母。这样,在以上地区"秘方 mìfāng"就念成了"蜜蜂 mìfēng"、"枪声 qiāngshēng"就念成了"轻声 qīngshēng"、"光明 guāngmíng"就念成了"功名 gōngmíng"、"汪汪 wāngwāng"就念成了"嗡嗡 wēngwēng"。

　　在晋东南的武乡等地则相反,那里没有 eng 韵母,凡 eng 韵母字全读 ang 韵母,因此,相应地也就没有 ing 韵母和 ong(ueng)韵母,ing 韵母字和

ong(ueng)韵母字分别读 iang、uang 两韵母。这样,在武乡等地,"成功 chénggōng"就念成了"长光 chángguāng"、"青藤 qīngténg"就念成了"枪膛 qiāngtáng"、"没空 méikòng"就念成了"煤矿 méikuàng","姓翁 xìngWēng"就念成了"姓汪 xìngWāng"。

ang 和 eng 都是后鼻音韵母,不同点在于韵腹,ang 的韵腹是[ɑ],eng 的韵腹是[ə],ang 的开口度就比 eng 大。若能把 ang 和 eng 区分清楚,前边分别加上韵头 i 和 u,就可以准确发出 iang、uang 和 ing、ong(ueng)的音来。

应该明确下列几组字的发音是不同的,每组排在前边的是开口度大的。

　　bāng 帮 – bēng 绷　　　　　niáng 娘 – níng 宁
　　huǎng 谎 – hǒng 哄　　　　wàng 忘 – wèng 瓮

对于如何辨字的问题,我们就三组韵母分别来谈。

区别 ang 和 eng 两韵母字可以用声旁代表字类推法。常用的 ang 韵母声旁代表字是"邦、旁、芒、莽、方、当、汤、唐、堂、尚、囊、郎、冈、康、亢、章、长、丈、昌、尝、商、臧、仓、桑"等,用这些字去类推,可以记住大部分的 ang 韵母字,晋南人可以在自己的 eng 韵母字中把这些字以及用它们类推出来的字说成 ang 韵母;武乡等地的人则可以在自己方言中的 ang 韵母字中保留普通话的 ang 韵母字,剩下的改读为 eng 韵母。

区别 iang 和 ing 两韵母字可以利用声韵拼合规律,普通话的 iang 韵母不与声母 b、p、m、d、t 相拼,ing 韵母却能与这些声母相拼,可以记住 iang 韵母字(见 iang 的常用同韵字表)。晋南人可以在自己的 ing 韵母母字中改读一部分为普通话的 iang 韵母字,剩下的仍读 ing 韵母,武乡等地的人可在自己的 iang 韵母字中除去普通话的 iang 韵母字外,剩下的改读 ing、in 两韵母,然后再参照"韵母辨正(一)"中区分前后鼻音的办法,分清 ing、in 两韵母字。

在普通话中,uang 韵母字比 ong 韵母字少,我们在"韵母辨正(二)"中分辨 ang 和 uang 时已经把 uang 韵母的常用字全部列出,可参照记忆。以上各县方言中 uang、ong 两韵不分的字,除了普通话中的 uang 韵母字,剩下的就是 ong 韵母字(如果还有前后鼻音不分的问题,应参照"韵母辨正(一)"去掉 uen 韵母字。个别零声母字如"翁、嗡、瓮"等是 weng 韵母)。

语 音 训 练

1.对比练习

ang – eng

mángzhe 忙着 – méngzhe 蒙着　　hángxíng 航行 – héngxíng 横行

chángfēng 长风 – chéngfēng 乘风　　dǎngyidǎng 挡一挡 – děngyiděng 等一等

shāngfàn 商贩 – shēngfàn 生饭　　chángshí 常识 – chéngshí 诚实

pángzhèng 旁证 – péngzhàng 膨胀　　xīfāng 西方 – xīfēng 西风

gāngzhèng 刚正 – gēngzhèng 更正　　shìfàng 释放 – shìfèng 侍奉

iang – ing

míngjiàng 名将 – míngjìng 明镜　　liǎngdài 两代 – lǐngdài 领带

Xīnjiàng 新绛 – xīnjìng 心境　　xiāngwèir 香味儿 – xīngwèir 腥味儿

nánxiàng 男相 – nánxìng 男性　　yōuliáng 优良 – yōulíng 幽灵

qiǎngrén 抢人 – qǐngrén 请人　　qiángxíng 强行 – qíngxíng 情形

fǎnxiǎng 反响 – fǎnxǐng 反省　　zhōngyāng 中央 – ZhōngYīng 中英

uang – ong(ueng)

guāngtóu 光头 – gōngtóu 工头　　Guāngxù 光绪 – gōngxù 工序

fǎnguāng 反光 – fǎngōng 反攻　　bànkuāng 半筐 – bànkōng 半空

huángdòu 黄豆 – hóngdòu 红豆　　huángmáo 黄毛 – hóngmáo 鸿毛

zhuāngyào 装药 – zhōngyào 中药　　zhuāngyuán 庄园 – zhōngyuán 中原

dàchuáng 大床 – dàchóng 大虫　　lǎoWāng 老汪 – lǎoWēng 老翁

2.读读下列词语

ang + ang	chǎngfáng 厂房	shàngzhǎng 上涨
	cāngmáng 苍茫	Gǎngshāng 港商
	chǎngshāng 厂商	chángfāngxíng 长方形
ang + iang	bǎngyàng 榜样	shāngliang 商量

	chàngqiāng 唱腔	dàngyàng 荡漾
	shàngjiàng 上将	fāngxiàngpán 方向盘
ang + uang	chāngkuáng 猖狂	pángguāng 膀胱
	chàngwǎng 怅惘	shāngwáng 伤亡
	tánghuáng 堂皇	chǎngkuàng 厂矿
ang + eng	Chángchéng 长城	fāngchéng 方程
	fàngshēng 放声	shàngshēng 上升
	zhāngchéng 章程	zhàngpeng 帐篷
ang + ing	dǎngxìng 党性	gānglǐng 纲领
	chángjǐnglù 长颈鹿	hángxíng 航行
	fàngyìng 放映	fāngxīng-wèi'ài 方兴未艾
ang + ong	fángdōng 房东	hángkōng 航空
	fánghóng 防洪	bānggōng 帮工
	chàngtōng 畅通	dāngzhòng 当众

3.给下列词语注音

eng + eng	生成	风筝	蒸腾
eng + ing	冷静	生命	风情
eng + ong	成虫	能动	灯笼
eng + ang	政党	膨胀	风尚
eng + iang	横向	能量	城墙
eng + uang	灯光	疯狂	症状
ing + ing	姓名	经营	定型
ing + eng	竞争	平衡	轻声
ing + ong	听众	轻松	行动
ing + ang	经常	英镑	停放
ing + iang	定量	营养	明亮

ing + uang	兴旺	行装	荧光屏
ong + ong	冲动	公共	总统
ong + eng	工程	公正	钟声
ong + ing	动静	供应	中性
ong + ang	通商	洞房	农场
ong + iang	动量	中央	容量
ong + uang	恐慌	冲撞	工矿

4.读读下列拼音,写出汉字

gāo'áng   dǐngdēng   lěngyǐn   jiǎngqíng

fǎnxǐng   míngjiàng   míngjìng   dōngzhuāng

huàngdòng   lóngzhòng   huángliǎn   mùgōng

gōnglíng   guānglín   róngzhuāng   dàwèng

5.读读下列句子,给带点的字注音

(1)晋剧,又叫"中路梆子"或"山西梆子",它与蒲州梆子、北路梆子、上党梆子并称为山西"四大梆子"。

(2)狄仁杰是太原南郊人,曾在唐朝当过宰相。

(3)丁果仙,艺名"果子红"。她创造的晋剧须生"丁派"唱腔,对晋剧的发展产生了深远的影响。

(4)王昌告诉翁成说,五台山风光如画,景色诱人,气候凉爽。

6.读下列拼音,用普通话说出这首诗的题目和作者

Sàshuǎng   yīngzī   wǔ   chǐ   qiāng,

Shǔguāng   chūzhào   yǎnbīng   chǎng.

Zhōnghuá   érnǚ   duō   qízhì,

Bù   ài   hóngzhuāng   ài   wǔzhuāng.

7.说说下面几段绕口令,注意加点的字的读音

(1)困难像弹簧,看你强不强。你强它就弱,你弱它就强。

(2)老将、小将、女将,云集一堂商量。谁能把困难闯? 你争,我夺,他抢。

(3)洞庭山上一根藤,藤上挂个大铜铃,风起藤动铜铃响,风停藤定铜铃静。

8.请把下列汉字的普通话读音注出来

棒 方 旁 钢 让 伤 商 上 塘 张 将 良 羊 凉 梁 两 娘 墙 响 像
汪 王 往 亡 旺 庄 晃 霜 壮 撞

分辨 ian、üan 与 ie、üe——"钳子"不是"茄子", "圆眼"不是"原野"

晋中的太原、榆次、清徐、太谷、寿阳,晋北的大同、天镇、山阴、怀仁、左云、阳高、浑源、朔州、平鲁、应县、神池、岢岚,晋东南的晋城、陵川等地的方言没有 ian、üan 这两个韵母。这些地区的方言把 ian、ie 两个韵母合并成一个韵母,多数读做纯口音的 ie 或带鼻化元音的[iɛ̃],所以在以上地区的方言中"中间"和"中街"是同音的。他们把 üan、üe 两个韵母也合并成一个韵母,读做 üe 或带鼻化元音的[yɛ̃],所以,在这些方言中"宣纸"和"靴子"也是同音的。

ie(包括[iɛ̃])与 ian、üe 包括[yɛ̃])与 üan 的主要区别在于有无鼻辅音韵尾和开口度的大小,ian、üan 有鼻辅音韵尾 – n,主要元音开口度大;ie、üe 是开尾韵,也就是说没有韵尾,主要元音开口度小。这些地区的人只要在发 ie、üe 之后,略微把口开大一些,然后紧接着把舌头紧紧地抵住上齿龈,软腭下垂,让气流从鼻腔里流出,就能准确发出 ian、üan。

体会下列几组字发音的不同:

biē 鳖 – biān 边　　　piē 撇开 – piān 篇　　　miè 灭 – miàn 面

diē 爹 – diān 颠　　　tiě 铁 – tiǎn 舔　　　niè 聂 – niàn 念

liè 列 – liàn 练　　　jiě 姐—jiǎn 剪　　　qié 茄—qián 钱

xiě 写—xiǎn 显　　　yé 爷—yán 延

1.ie 与 ian 的分辨

普通话中 ian 韵常用字比较多,有 200 个。可参见"直读鼻韵母 ian、üan 构成的音节"中《ian 韵母常用同韵字表》;ie 韵常用字只有它的一半,而且其中的绝大部分在晋中、晋北、晋东南都念成了入声韵,如"憋、撇、灭、跌、贴、捏、列、节、切、歇、业"等,这部分字应改读为 ie 韵母字。其余的一些非入声字,声母大多是 j、q、x 和零声母,可参见"直读复韵母 ia、ie、üe 构成的音节"中的《ie 韵母常用同韵字表》。方言里不读入声的 ie 韵字(包括读做[iɛ]等韵母的字),如"边、偏、棉、颠、天、年、连、尖、千、仙、烟"等字,都可加上鼻辅音韵尾,读成 ian 韵母字。

2.üe 与 üan 的分辨

在普通话中,这两个韵母的字都不多。üan 韵母常用字在第二十讲"直读鼻韵母 ian、üan 构成的音节"中《üan 韵母常用同韵字表里》已经列举过了,üe 韵字只有 40 来个,而且在晋中、晋北、晋东南大部分都念成入声韵,如"虐、略、决、缺、雪、月"等,剩下的非入声字只有极少的几个,如"瘸 qué、靴 xuē"等,现将普通话中常用 üe 韵字列举于下:

nüe 去声:虐 疟

lüe 去声:掠 略

jue 阴平:撅　　阳平:决 抉 诀 倔 掘 崛 角色 痰厥 橛 蹶 獗 觉 爵 咀嚼
　　　绝 攫 镢 珏

que 阴平:缺　　阳平:瘸　　去声:却 确 商榷 宫阙 阒 鹊 雀

xue 阴平:靴 薛 剥削　　阳平:学 穴　　上声:雪 去声:血液

yue 阴平:曰约　　上声:哕　　去声:月 悦 阅 越 音乐 跃 粤 岳

上列 ie、üe 常用字可利用声旁类推法记住其中的大部分字。

语 音 训 练

分辨韵母 ie 与 ian、üe 与 üan,注意 ian、üan 有韵尾,是前鼻音 n 。

1.对比练习

　　biéhào 别号 – biānhào 编号　　　　biézhì 别致 – biānzhì 编制

mómiè 磨灭 – mòmiàn 磨面　　　　mièshì 蔑视 – miànshì 面试

diēdǎo 跌倒 – diāndǎo 颠倒　　　　bǔtiē 补贴 – bǔtiān 补天

jiēduàn 阶段 – jiànduàn 间断　　　　qiézi 茄子 – qiánzi 钳子

bùxié 布鞋 – bùxián 不咸　　　　shìjiè 世界 – shìjiàn 事件

xiěchū 写出 – xiǎnchū 显出　　　　yuányě 原野 – yuányǎn 圆眼

2. 读出下列单音节字词并组词

棉	免	潜	谴	嵌	签	贬	匾	虔	钳	掂	滇
巅	捻	碾	撵	拈	蔫	黏	脸	恋	歼	黔	霰
弦	舔	嫌	羡	茧	腺	纤	憋	鳖	瘪	碟	帖
灭	捏	聂	涅	啮	镍	镊	孽	撇	咧	烈	皆
戒	届	挟	偕	械	卸	拳	券	蜷	玄	圈	卷
薛	雀	削	略	雀	确	瘸	角	觉			

3. 正确读出下列词语,分辨鼻尾韵和开尾韵的不同

ian + ian	biànliǎn 变脸	liánxiàn 连线	tiānxiàn 天线
ian + ie	jiànbié 鉴别	tiánxiě 填写	diànjiězhì 电解质
ian + üan	yànjuàn 厌倦	jiànquán 健全	diànyǐngyuàn 电影院
ian + üe	qiānyuē 签约	qiànquē 欠缺	jiānjué 坚决
ie + ian	tiěxiān 铁锨	piējiàn 瞥见	jièxiàn 界限
ie + ie	tiēqiè 贴切	jiějie 姐姐	xiēyè 歇业
ie + üan	jiéyuán 结缘	lièquǎn 猎犬	tiěquán 铁拳
ie + üe	jiéyuē 节约	xièjué 谢绝	jiějué 解决
üan + ian	quánmiàn 全面	xuānyán 宣言	xuánniàn 悬念
üan + ie	quànjiě 劝解	xuānxiè 宣泄	yuányě 原野
üan + üan	quánquán 全权	quányuán 泉源	yuánquān 圆圈
üan + üe	yuányuè 元月	xuánxué 玄学	
üe + ian	quēdiǎn 缺点	xuénián 学年	xuējiǎn 削减

üe + ie	quèqiè 确切	xuéjiè 学界	xuèyè 血液
üe + üan	xuéyuàn 学院	xuěyuán 雪原	xuèyuán 血缘
üe + üe	yuēlüè 约略	juéxué 绝学	

4. 听写下列词语

biānyuǎn	biànqiān	quāndiǎn	diànqián
xiányuǎn	xiébiān	lièbiàn	biànjiě
biànyě	jiēdiǎn	xiédiàn	jiēmiàn
jiějué	jiéyuē	jièyān	xiǎnxiē
xiānliè	xiánjiē	yànxiě	

5. 用普通话说说下列几句话,注意带点字的韵母

(1)姐姐去庙前街买了一双减价鞋。

(2)剪纸,是一种流行于山西城乡一千多年的传统民间工艺。

(3)山西太谷县所产"远"字定坤丹始创于清代乾隆年间。

(4)小谢是太原面食店拉面的能手。

6. 读下列拼音,注上汉字,说说这是哪首诗

Rì zhào xiāng lú shēng zǐyān,

Yáo kàn pù bù guà qián chuān.

Fēi liú zhí xià sān qiān chǐ,

Yí shì Yín Hé luò jiǔ tiān.

7. 说说下列绕口令,注意把带点的字读正确

(1)山前有个严圆眼,山后有个燕眼圆,二人山前来比眼;不知是严圆眼比燕眼圆的眼圆,还是燕眼圆比严圆眼的眼圆。

(2)日打铁,夜打铁,日夜打铁不停歇。农业生产赶季节,打出农具支农业。

朗　读

Huà fèng huáng

Fěnhóng qiáng shang huà fènghuáng, xiān huà yīge hóng fènghuáng, zài huà yīge huáng fènghuáng. Huáng fènghuáng shàng huàshàng hóng, hóng fènghuáng shàng huàshàng huáng.

Hóng fènghuáng chéngle hóng-huáng fènghuáng, huáng fènghuáng chéngle huáng-hóng fènghuáng.

Fěnhóng qiáng shang fēnbùqīng, nǎge shì hóng fènghuáng, nǎge shì huáng fènghuáng.

画凤凰

粉红墙上画凤凰,先画一个红凤凰,再画一个黄凤凰。黄凤凰上画上红,红凤凰上画上黄。红凤凰成了红黄凤凰,黄凤凰成了黄红凤凰。粉红墙上分不清,哪个是红凤凰,哪个是黄凤凰。

课外阅读

忏悔录 (节选)　　　卢　梭

一个人只要对于学问有真正的爱好,在他开始钻研的时候首先感觉到的就是各门科学之间的相互联系,这种联系使它们互相牵制、互相补充、互相阐明,哪一门也不能独立存在。虽然人的智力不能把所有的学问都掌握,而只能选择一门,但如果对其它科学一窍不通,即他对所研究的那门学问也就往往不会有透彻的了解。

韵母辨正(三)

分辨 ai、uai 和 ei、uei(ui)——"妹子"不是"麦子"，"烩菜"不是"坏菜"

在普通话中有 ai、uai 和 ei、uei 这两组复韵母，而晋北的五寨、保德、忻州以及晋东南的长治、晋城、武乡、沁县等地方言没有 ai 韵母，把 ai 韵母读做单韵母[æ]、[E]或者是[ε]；晋北的大同、天镇、左云、阳高、怀仁、宁武、岢岚、静乐、神池等地方言有 ei 和 uei，没有 ai 和 uai，所以，这些地区的人说"水怪"，北京人听来是"水贵"；晋中的清徐、左权、榆次与此相反，有 ai 和 uai 却无 ei、uei，这样，这些地区的人就把"太贵"说成"太怪"了。晋中的平遥、介休、灵石，吕梁的柳林，晋南的永济、新绛等地方言中 ai、uai 和 ei、uei 两组韵母都有，但所辖的字又和普通话不尽相同，晋中一带 ai、uai 韵母字比普通话多，如把"梅花"说成"埋花"，把"烩菜"说成"坏菜"，而晋南的永济和新绛却是 ei、uei 韵母字比普通话多。

ai、uai 与 ei、uei 都是复元音韵母，ai、ei 为二合元音。uai、uei 为三合元音，发音时，口腔的形状要有变化，舌头要从一个元音的位置向另一个元音的位置滑动,所以它们的音色就不应该是单一的。应该明确,它们的主要区别是 ai 比 ei 开口度大,口腔形状的改变也大。会发 ai、ei 以后,前边加介音 u 就可以发出 uai、uei 来。上述不会发这些音的地区,要注意它们的这些特点。注意区别下列各组字的韵母:

bāi 掰 – bēi 杯　　　pái 牌 – péi 陪　　　mǎi 买 – měi 美

lài 赖 – lèi 累　　　guāi 乖 – guī 归　　　huái 怀 – huí 回

shuǎi 甩 – shuǐ 水　　wài 外 – wèi 为

如何辨字呢? 总的来看,在普通话里,ai 韵母字比 ei 韵母字多;uai 韵母字比 uei 韵母字少。我们可以用记少不记多的方法来帮助记忆。比如:d、g、h、z 和 ei 相拼的字极少,而和 ai 相拼的字较多,我们把少数的 ei 韵母字记住,其余的都念成 ai 韵母就行了。下面是 d、g、h、z 和 ei、ai 相拼的常用字:

ei 韵母常用字只有五六个,它们是:

`dei` 上声:我得去

`gei` 上声:给

`hei` 阴平:黑 嘿

`zei` 阳平:贼

ai 韵母常用字有 30 多个,它们是:

`dai` 阴平:呆(统读)　上声:歹 逮住　去声:代 大夫 待 等 带 袋 贷 戴 怠 逮捕

`gai` 阴平:该　　上声:改　　去声:概 盖 溉

`hai` 阴平:咳　阳平:孩 还　上声:海　　去声:害 骇 嗐

`zai` 阴平:灾 栽 哉　上声:载 宰　去声:在 再 载

uai 韵母常用字只有 20 多个,而 uei 韵母常用字却有 120 多个。

下面是 uai 韵常用字:

`guai` 阴平:乖　上声:拐　上声:怪

`kuai` 上声:蒯　去声:快 块 会 筷 脍

huai 阳平:怀 槐 淮 徊　　去声:坏

zhuai 阴平:拽扔　　上声:转文　　去声:拽住

chuai 阴平:揣　　上声:揣　·去声:踹

shuai 阴平:衰 摔　　上声:甩　　去声:帅 率

wai 阴平:歪　　阳平:崴~了脚了　　去声:外

语音训练

分辨 ai、uai 与 ei、uei(ui),注意它们是复元音韵母,有动程。ai、uai 比 ei、uei(ui)的开口度大。

1. 对比练习

ai – ei

mǎijiǔ 买酒 – měijiǔ 美酒　　　　pái·chǎng 排场 – péicháng 赔偿

màilì 卖力 – mèilì 魅力　　　　　máirén 埋人 – méirén 媒人

láidiàn 来电 – léidiàn 雷电　　　　máitóu 埋头 – méitóu 眉头

màizi 麦子 – mèizi 妹子　　　　　nàihán 耐寒 – nèihán 内涵

hěnlài 很赖 – hěnlèi 很累　　　　máihuā 埋花 – méihuā 梅花

uai – uei

guǎizi 拐子 – guǐzi 鬼子　　　　　wàixīng 外星 – wèixīng 卫星

guàihuā 怪花 – guìhuā 桂花　　　　shuǎishǒu 甩手 – shuǐshǒu 水手

wàilái 外来 – wèilái 未来　　　　　shuāibiàn 衰变 – suíbiàn 随便

guàirén 怪人 – guìrén 贵人　　　　dàshuài 大帅 – dàshuì 大睡

wàiguó 外国 – Wèiguó 魏国　　　　wàijiè 外界 – wèijiè 慰藉

2. 朗读下列词语,区分 ai 与 ei,uai 与 uei 的不同

ai + ai　　pāimài 拍卖　　zāihài 灾害　　zháicài 择菜

ai + ei	zāipéi 栽培	báifèi 白费	àiměi 爱美
ai + uai	hǎiwài 海外	bàihuài 败坏	cáikuài 财会
ai + uei	chāihuǐ 拆毁	pàiduì 派对	hǎiguīpài 海归派
ei + ai	hēibái 黑白	nèihǎi 内海	pèidài 佩戴
ei + ei	bèilěi 蓓蕾	Běiměi 北美	méifēi-sèwǔ 眉飞色舞
ei + uai	nèiwài 内外	fēikuài 飞快	lèihuài 累坏
ei + uei	fěicuì 翡翠	léizhui 累赘	pèiduì 配对
uai + ai	wàilái 外来	shuāibài 衰败	wàizhài 外债
uai + uei	wàihuì 外汇	shuāituì 衰退	wàiwéi 外围
uei + ai	guìtái 柜台	shuǐzāi 水灾	wěipài 委派
uei + ei	wéibèi 违背	guìfēi 贵妃	kuǐlěi 傀儡
uei + ai	huí·lái 回来	huībái 灰白	guīlái 归来
uei + uei	huìcuì 荟萃	wèisuì 未遂	huíguīxiàn 回归线

3.听写下列词语,写出它们的韵母

海带	白菜	奶奶	采摘	开外	改悔
彩绘	来回	悲哀	对待	内在	胚胎
配备	肥水	类推	未来	危害	颓废
追肥	醉鬼	尾随	摧毁	退位	

4.给下列句子中带点的字注音

(1)海内外华人中流传一句民谣:"问我故乡在何处？山西洪洞大槐树。"

(2)狄仁杰,字怀英,太原人,唐朝最有名的大臣之一。他的不畏权势和正直无私至今仍为人们所称道。

(3)山西老陈醋色泽黑紫,味清香,一直受到国内外客商和消费者的欢迎。

5.给下列句子注上汉字

(1)Wǒ　yuánlái　xìng　Wèi,tā　xìng　Bái,nǐ　xìng　Méi.

(2)Wǒ　méiyǒu　kànguo　Běihǎi　Báitǎ,jùshuō　hěn　měi.

(3)Zhèlǐ　de　duìxiā　yòu　hǎo　yòu　piányi.

"排外"和"聊天"

读下面这段对话,猜猜对话者是哪里人。并根据对话所要表达的意思,把带点的字改过来。

甲:请问怪姓?

乙:免怪,姓排,单名外。

甲:哦,"排外"?!

乙:请问老兄尊姓大名?

甲:我姓聊,单名天。

乙:哦,"聊天"! 家住哪里?

甲:家住十里糕,糕上人。

乙:巧了,我住八里,糕下人。

甲:你家还咬谁?

乙:咬大麦,咬小麦,大麦叫败败,咬孩子啦,小麦叫坏坏,大学毕业了,正等待分派。

我们不卖坏菜

一年夏天,大学生们在食堂排队打饭。不一会儿,一个学生和大师傅吵了起来。只见学生指着一个菜盆里的菜说:"那不是 huài 菜吗? 我就要那个菜。"大师傅说:"那就不是坏菜,我们不卖坏菜!"学生说:"别人都打走了,为什么不卖给我?"大师傅说:"你说这是坏菜,就不卖给你!"

排在后面的是一位介休籍的学生，一看情况明白了原因。笑着对大师傅说："她要的是烩菜！""原来是这样！"大师傅笑了，同学们也都笑了。

评论：不学好普通话，分不清 uɑi 与 uei，说不定在哪儿就会闹笑话儿。

分辨 u 与 ou——"姓卢"、"姓娄"要分清，"否则"、"斧子"不同音

晋北大同周围的一些县，忻州地区及晋中、晋东南、晋南大部分地区把普通话的一部分 u 韵母字读成 ou 韵母字。具体情况不完全相同：晋北大同附近的大部分县把 l 声母、u 韵母字(古入声字除外)说成 ou 韵母；晋北的忻州市和晋中的清徐及晋东南武乡、沁县等地是把 n、l 声母、u 韵母字说成 ou 韵母；晋中的大部分县市是在以上声母之外，再加上 z、c、s 声母的 u 韵母字；晋南比晋中又多出了 sh 声母的 u 韵母字。以上地区的人都会发 u 韵母，只要把 n、l、z、c、s、sh 的 u 韵母常用字记住就行了。下面是应该读 u 韵母的常用字，可用形声字声旁类推法记忆。

nu 阳平：奴 孥 弩　　上声：努 弩　　　去声：怒

lu 阴平：噜　　阳平：庐 炉 芦 卢 垆 颅 轳 鲈　　　上声：卤 房 掳 鲁 橹　去声：鹿 麓 辘 赂 路 潞 露 璐 鹭 戮 录 禄 碌 绿 綠 陆

zu 阴平：租　　阳平：卒 族 足　　上声：诅 祖 俎 阻 组

cu 阴平：粗　　去声：蹴 猝 簇 醋 蹙 促

su 阴平：苏 酥　　阳平：俗　　去声：宿 溯 塑 诉 素 愫 嗉 涑 速 簌 粟 傈 夙 肃

shu 阴平：梳 疏 蔬 枢 叔 淑 菽 殊 姝 输 抒 舒 书　　阳平：孰 熟 塾 赎 秫　上声：数 暑 署 薯 曙 蜀 黍 鼠 属　去声：树 竖 漱 庶 数 术 述 束 缚 戍 墅 恕

此外，还有一种情况是把 m、f 两声母的 ou 韵母字读成 u 韵母，这在山西省是普遍存在的一个问题，不过，字很少，记忆起来十分容易，现将这几个字排列如下：

mou 阳平:谋 牟利 眸   上声:某

fou 上声:否

语音训练

1. 对比练习

u – ou

gāolú 高炉 – gāolóu 高楼   xiānzǔ 先祖 – xiānzǒu 先走

sūtáng 酥糖 – sōutáng 搜糖   lǎoshǔ 老鼠 – lǎoshǒu 老手

lúmén 炉门 – lóumén 楼门   zǔshàng 祖上 – zǒushàng 走上

shūrù 输入 – shōurù 收入   shūfā 抒发 – shōufā 收发

shūcài 蔬菜 – shōucài 收菜   shǔxiàng 属相 – shǒuxiàng 首相

bùshǔ 部属 – bùshǒu 部首

2. 读下列单音节字词,并记住它们的韵母是 u 还是 ou

卢　卤　虏　掳　鹿　禄　麓　租　足　族　祖　卒

诅　阻　粗　簇　醋　苏　俗　速　酥　粟　塑　溯

疏　鼠　述　竖　某　谋　眸　否

3. 熟读并记忆下列词语

núlì 奴隶   núyì 奴役   núpú 奴仆   nùhǒu 怒吼

lùxù 陆续   lùguò 路过   lúshēng 芦笙   lúwěi 芦苇

lúzào 炉灶   lǔshuǐ 卤水   lǔsù 卤素   lǔmǎng 鲁莽

lùzhì 录制   lùlín 绿林   lùxiàngjī 录像机   zúqiú 足球

zújì 足迹   zǔ'ài 阻碍   zǔzhī 组织   zǔzōng 祖宗

zūjīn 租金   zūlìn 租赁   zǔzhòu 诅咒   zǔnáo 阻挠

zǔsè 阻塞   cūcāo 粗糙   cūlǔ 粗鲁   cūsú 粗俗

cùyōng 簇拥   sùsòng 诉讼   sùzhì 素质   sùlǜ 速率

sùzào 塑造　　　sùmù 肃穆　　　sùyuán 溯源　　　shūtóu 梳头

shūshu 叔叔　　　shūrù 输入　　　shūcài 蔬菜　　　shùfù 束缚

shùlì 竖立

4. 以下词语中带点字的韵母你能正确说出吗?

lòuchǒu 露丑　　　lòudǐ 露底　　　lòufù 露富　　　lòuliǎn 露脸

lòumiàn 露面　　lòumǎjiǎo 露马脚　　lòuqiè 露怯　　lòutóu 露头

lòuxiànr 露馅儿　　lòubái 露白　　lòumiáo 露苗　　lòuyīshǒu 露一手

móulüè 谋略　　　móuqiú 谋求　　móushēng 谋生　　móuzi 眸子

xìngMóu 姓牟　　mǒurén 某人　　fǒudìng 否定　　pōumiàn 剖面

pōuxī 剖析　　　lùgǔ 露骨　　　lùshuǐ 露水　　　lùtiān 露天

lùzhū 露珠　　　lùsù 露宿　　　lùtóujiǎo 露头角

5. 用普通话读出下列句子,注意带点的字的韵母

(1)晋祠圣母殿中的 42 尊侍女泥塑像是罕见的宋塑珍品。

(2)我的祖籍是苏州。

(3)请你告诉他,这几天我不舒服。

(4)我姓卢,不姓娄。

(5)他的祖母名叫朱姝,不叫邹搜。

6. 读下列拼音,注出汉字

(1)Tā shǔ tù, wǒ shǔ shǔ.

(2)Gàn zhèhuór nín shì qīng chē shú lù.

(3)Nàge guìtái zūlìn chūqule.

(4)Tā shuōhuà tài cūsú.

(5)Tā biǎoshì yuànyì nǔlì wèi nín zuò hǎo cānmóu, nín kàn tuǒfǒu?

课外阅读

茶炉与茶楼

小徐是南方人,有每日洗澡的习惯。他到晋南侯马出差,住进一所旅馆,便问哪里有热水可打,服务员说:可以到 chálóu(茶楼)去打。小徐很纳闷:在南方,茶楼是喝茶、吃饭的服务行业,怎么提供热水?他提着水桶去找

茶楼,然而走了半条街都没有发现,又回来问服务员,服务员才说,"茶楼"就在旅馆后院。小徐走进去一看,哪有什么楼,只不过是一间烧开水的小平房而已。后来,小徐才知道,原来晋南话里声母 l 不与 u 相拼,所以"炉鲁橹路陆录露"等字都念 lou,故而"茶楼(lóu)"者乃"茶炉(lú)"也。

分辨 ei 与 i——"被子"不读"箅子","黎明"不是"雷鸣"

山西省的一些地区,如晋北的怀仁、天镇、山阴、忻州、原平,晋中的平遥、介休、和顺、榆社、左权、清徐,晋东南的长治,晋南的永济、吉县、新绛、洪洞等地,把唇音声母 b、p、m 和 ei 相拼的一部分字读成了 i 韵母字。如把"被子 bèizi"读成"箅子 bìzi",把"赔款 péikuǎn"读成"皮款 píkuǎn",把"画眉 huàméi"读成"画迷 huàmí",有的地区(如清徐、闻喜、稷山)甚至把"飞 fēi"读成"fi"。

另一种情况正相反,是把普通话中的某些 i 韵母字(声母是 d、t、l 的)读成了 ei 韵母字,如把"底下 dǐxià"读成"得下 deixia",把"梯子 tīzi"读成了"teizi",把"道理 dàoli"读成了"道垒 daolei",这样读的有晋中的平遥、介休、和顺、榆杜、阳泉、平定、昔阳等县市。

前边列举的地方,i 和 ei 两种韵母都有,这些方言区的人就需要把容易说错的几个字记住。下面是读 ei 韵母的常用字:

bei 去声:备 惫 被

pei 阴平:胚　阳平:培 裴 赔 陪　去声:沛 霈 配 佩 辔

mei 阴平:糜子 眉 嵋 湄 楣 梅 枚 媒 煤 郿　上声:每 美　去声:媚

fei 阴平:飞 非 妃 啡 绯　阳平:肥　上声:翡 匪 诽　去声:废 肺 费吠

下面是读 i 韵母的常用字:

di 阴平:滴 嘀答 堤岸 提防 低 羝　阳平:涤 嘀咕 嫡 敌 迪 的确 狄 籴

上声:氐 底 诋 坻 砥 抵 邸　去声:帝 谛 缔 弟 第 递 地 埭 目的

ti 阴平:梯 剔 踢　　阳平:啼 蹄 题 提　　上声:体　　去声:涕 剃 绨 替
　　惕 嚏 倜

li 阳平:离 漓 璃 篱 鹂 厘 狸 黎 梨 蜊 犁　　上声:礼 李 里 理 鲤
　　范 蠡 俚 娌　　去声:立 粒 苈 笠 唳 丽 栗 吏 厉 励 利 痢 莉 俐 例
　　砺 隶 力 历 沥 雳 荔

语 音 训 练

1.朗读下列带 ei 韵母的词语

bèidòng 被动	bèigào 被告	pèibèi 配备
bèikè 备课	bèi'àn 备案	pēitāi 胚胎
péixùn 培训	péichàng 赔偿	pèifú 佩服
péibàn 陪伴	péiqián 赔钱	xìngPéi 姓裴
méimao 眉毛	méiyǎn 眉眼	mēifēi – sèwǔ 眉飞色舞
méijiè 媒介	měilì 美丽	měiyuán 美元
méihuā 梅花	méiqì 煤气	méijūn 霉菌
fēijī 飞机	fēixiáng 飞翔	fēiyuè 飞跃
fēicháng 非常	fēifǎ 非法	fēitóngxiǎokě 非同小可
fēinàn 非难	fēihóng 绯红	fēiděi 非得
fēizi 妃子	fěibàng 诽谤	féizào 肥皂
fèipǐn 废品	fèijìn 费劲	fèihuóliàng 肺活量

2.朗读下列 i 韵母的词语

dījí 低级	dīwēn 低温	dǐkàng 抵抗	dǐzhì 抵制
dǐcéng 底层	dǐxia 底下	dìbǎn 地板	dìlǐ 地理
dìqiào 地壳	dìshì 地势	dìzhèn 地震	dìzhì 地质
dìdi 弟弟	dìguó 帝国	dì-yī 第一	dīliè 低劣

dīluò 低落　　　dīyā 低压　　　dībà 堤坝　　　dāfáng 堤防

dǐhuǐ 诋毁　　　dǐcháng 抵偿　　　dǐdá 抵达　　　dǐyā 抵押

dìjiǎn 递减　　　dìjié 缔结　　　tíchàng 提倡　　　tígōng 提供

tícái 题材　　　tǐcāo 体操　　　tìdài 替代　　　tīzi 梯子

tíhuò 提货　　　tīzi 蹄子　　　tǐjiǎn 体检　　　tìtóu 剃头

líhūn 离婚　　　sūlí 酥梨　　　lǐmào 礼貌　　　Lǐ Bái 李白

líxiū 离休　　　lǐpǐn 礼品　　　lǐfà 理发　　　lǐyú 鲤鱼

lìzì 隶字　　　lìzhī 荔枝　　　lìji 痢疾　　　xīběi 西北

xī·guā 西瓜　　　xǐzǎo 洗澡　　　xīhóngshì 西红柿

xǐdí 洗涤　　　xìmì 细密　　　xìbāohé 细胞核

3. 先用自己的方言读下面的词语,然后注上普通话韵母再读一读,比较它们的不同。

被子　被单　被褥　培育　胚芽　陪同　赔款　佩戴

配备　霉烂　美容　妩媚　飞船　肥料　土匪　废除

飞碟　飞禽　肥效　肺病　匪徒　翡翠　废渣　费力

眉开眼笑　昧良心　飞行员

4. 用普通话读下列句子,注意带点字的韵母

(1)黎济的兄弟们都是梨园弟子。

(2)山西地毯的生产,已有相当长的历史了。

(3)老齐的身体那么胖,邸大夫怎么说他得了肺结核。

(4)我是离石人,他是黎城人,他是永济人,我们都是山西人。

(5)我的被里儿、被面儿都被我家的宠物狗贝贝抓破了,非得换了。

5. 把下列拼音译成汉字

Lǐxiǎng(理想)

Lǐxiǎng shì shí, qiāochū xīngxīng zhī huǒ;

Lǐxiǎng shì huǒ, diǎnrán xīmiè de dēng;

Lǐxiǎng shì dēng, zhàoliàng yè xíng de lù;

Lǐxiǎng shì lù, yǐn nǐ zǒudào límíng.

jīhán de niándài li, lǐxiǎng shì wēnbǎo;

Wēnbǎo de niándài li, lǐxiǎng shì wénmíng;

Líluàn de niándài li, lǐxiǎng shì āndìng;

Āndìng de niándài li, lǐxiǎng shì fánróng.

6.考考你，下列单音节字词的普通话读音

低　抵　底　地　弟　帝　堤　提　题　体　替

梯　啼　蹄　剃　离　犁　礼　里　理　例　锂

鲤　吏　隶　西　洗　细　铣　星　腥

分辨 o、uo、a 与 e——"属蛇"不念"属啥"，"禾苗"不念"活苗"

有些方言对于普通话中 o、e 韵母的字念得不正确。山西武乡等地的方言把普通话中的 o 韵母念成 e 韵母字，如把"墨盒 mòhé"念成 mehe；晋北的大同、左云、右玉、怀仁、朔州，晋中的介休、灵石和晋南的永济、汾西、万荣、洪洞把 o 韵母字和一部分 e 韵母字念成了近似 uo 韵母的字，如把"功课 gōngkè"念成了 gongkuo；晋南的大部分地方把 zh、ch、sh、r 声母和 e 韵母相拼的字一些念成 a 韵母字，如"遮盖 zhēgài"念成 zhagai，"车子 chēzi"念成 chazi，"蛇 shé"念成 sha，"惹人 rěrén"念成 raren。而吕梁的临县等地，又把"小锅 xiǎoguō"念成 xiougu，把"科学 kēxué"念成 kuxue。

o 和 e 都是舌面后、半高元音，区别在于 o 发音时唇形是圆的，e 发音时唇形不圆。可以用变化唇形的办法来练习掌握这两个韵母的发音。o、e 和 uo 比较，前两个是单元音，无动程，而 uo 是复元音，有动程。至于 a 和 e，虽然都是单元音，但 a 的舌位很低、在前，而 e 的舌位较高、在后，a 的开口度比 e 大，是容易分辨的。以下几组字韵母是不同的：

dé 德 – duó 夺　　　　　tè 特 – tuò 拓　　　　　lè 乐 – luò 洛

kè 课 – kuò 阔 – kù 库　　hé 禾 – huó 活 – hú 胡　　zhē 遮 – zhā 渣

chē 车 – chā 插　　　　　shǎ 傻 – shě 舍得

分辨普通话中 o、e、uo 这三个韵母的字，可以利用声韵拼合规律。o 韵母只和 b、p、m、f 四个声母相拼，不和其他声母相拼。e、uo 两韵母和 o 韵母正相反，只和 b、p、m、f 以外的声母(不包括 j、q、x)相拼。晋北方言的 uo 韵字中只有"歌、戈、苛、科、可、课、禾、何、贺"等几个字在普通话里念 e 韵母。

晋中的 uo 韵母字中,只有"戈、棵、颗、稞、䭇、科、蝌、课、锞、骒、禾、和"等几个字在普通话里念 e 韵母。

在晋南话里,和 zh、ch、sh、r 相拼的 a 韵母字中常见的只有"遮、车、扯、蛇、舍、惹"几个字,要把它们改读为 e 韵母。

语 音 训 练

1.朗读下列 o 韵母单音节字词,它们的唇形应该是圆的

   b 拨 波 伯(另音 bǎi) 薄(另音 báo) 钵 驳 铂 箔 帛 跛

   p 坡 颇 迫(另音 pǎi) 破 泊 泼 魄

   m 摸 模(另音 mú)膜 摩 磨 抹(另音 mā) 末 没(另音 méi) 莫 墨 摹 魔 沫 默

   f 佛(另音 fú)

2.朗读下列 e 韵母单音节字词,它们的唇形不是圆的

   g 搁 割 歌 格 隔 个 各 革 阁 膈 葛

   k 科 棵 颗 可 克 课 柯 磕 渴 壳(另音 qiào)

   h 喝 合 何 荷 禾 贺 赫 褐 鹤 呵(另音 a)

   zh 遮 折 蔗 者 哲 辙 褶 浙 这(另音 zhèi)

   ch 车 扯 彻 撤

   sh 蛇 舌 舍 社 涉

   r 赦 麝 惹 热

3.朗读下列词语,注意读准韵母

   b bōlàng 波浪   bō·li 玻璃   bōduó 剥夺

        bóshì 博士   bóruò 薄弱   bōkuǎn 拨款

bōzhé 波折	bōluó 菠萝	bófù 伯父
Bó Lè 伯乐	bógěngr 脖颈儿	bòji 簸箕
p pópo 婆婆	pòchǎn 破产	pòbùjídài 迫不及待
pògé 破格	pòhuò 破获	mō·suǒ 摸索
m mófàn 模范	móhu 模糊	múyàng 模样
móluò 没落	mòshēng 陌生	mòmò 默默
mótèr 模特儿	mótuō 摩托	mógu 蘑菇
mòrán 蓦然	mòqì 默契	
f Fójiào 佛教	fósì 佛寺	

4.给下列词语注上普通话韵母,与你的方言进行比较

科学家	颗粒	可爱	克服	客厅	课本
科室	瞌睡	蝌蚪	可恶	刻薄	恪守
客车	客商	合格	和谐	合伙	合资
和气	和约	贺喜	和平	和尚	遮盖
折叠	折合	车祸	扯皮	车子	舍不得
射击	摄影	奢侈	涉外	舌头	舍身
赦免	热带	热恋	热血	惹祸	果树
过渡	过错	锅炉	锅台	过火	过热
裹腿	国际	国营	国歌	国策	国务院

5.说说下面几句话,注意带点字的韵母

(1)大同铜火锅畅销美、日等国和港澳地区,拥有广阔的国际市场。

(2)这是我点播的一首歌,伯父也很爱听。

(3)好事多磨,做事遇到波折是正常现象。

(4)郭科的哥哥是记者,他很喜欢跳探戈。

(5)老罗帮老乐 lè 找车子过河。

6.把下列拼音读出来,看看是什么意思

(1)Wǒ de dàgē shǔ shé.

(2)Tā de gèxìng hěn huópo.

(3)Xiǎo Huò hé Xiǎo Hé yìqǐ dào huǒ fángzǎi é.

（4）Měitiān tā zuò chē qù shàngkè.

（5）Pōxià jiùshì yī tiáo hé.

Luò guǒ pō

Luóguō Shān, luòguǒpō,

Luòguǒpō xià yǒu tiáo hé.

Hé biān zǒuguò rén liǎng gè,

Xiǎopéngyǒu Luó Lè hé Hè Hé.

Luó Lè pōshàng fàng luòtuo,

Hè Hé hé biān lái mù é.

Tuó shàng pō, é xià hé,

Luó Lè Hè Hé xiàohēhē.

落　果　坡

罗锅山,落果坡,落果坡下有条河。

河边走过人两个,小朋友罗乐(lè)和贺合。

罗乐坡上放骆驼,贺合河边来牧鹅。

驼上坡,鹅下河,罗乐贺合笑呵呵。

【 第 三 十 讲 】

声调辨正(一)

一、学习普通话声调的两个难点

声调是汉语音节中必不可少的组成要素,一个字音如果只能读准声母和韵母而念不准声调,就往往会影响意义的表达。例如"动物"的正确读音是 dòngwù,如果念成 dōngwū、dòngwǔ、dǒngwǔ、dōngwú 其含义就变成了"东屋"、"动武"、"懂武"和"东吴"了。因此,学习普通话切不可忽视声调的作用。

方言区的人学习普通话的声调有两个难点:一是调值问题,二是调类问题。

调值问题是指同一个调类的字方言与普通话的音高变化不同。如"运动大会"4个字,在山西大同、太原、运城、长治等方言里都与普通话一样属去声调类,但普通话的去声念全降调(51 调),而大同念中升调(24 调),太原念高平调(55 调),运城念中平调(33 调)长治念高降调(42 调)。这样,如果这些方言区的人各自用自己方言的去声调值来念"运动大会"4个字,就都不像普通话,有的甚至还会让人误解为另一个声调。如大同话的去声让人听成了普通话的阳平,而太原的去声又让人听成了普通话的阴平。所以方言区的人学习普通话的声调时,就要特别注意自己方言里有无与普通话调类相同而调值有别的情况。如果有,就要根据普通话的念法来改变声调的调值。

所谓调类问题是指古四声在方言里的分合情况与普通话是否相同,如果不同,就要设法找出方言与普通话调类的对应规律,并根据规律纠正读音。古代汉语的声调分为平上去入四个调类,由于语音的演变,到了近代北方话里,古平声分化为阴平和阳平两个调类(即所谓"平分阴阳"),而古入声全部消失,变到原来的平上去三声中去了(即所谓"入派三声")。所以今天普通话的声调就有阴平、阳平、上声和去声。这种演变同声母的清浊有密切关系。下表反映的就是古代的四声同今天普通话四声的对应规律。

古今调类比较表

古调类	古清浊声母		阴平	阳平	上声	去声
平声	古清声母		夫汤妻诗			
	古浊声母	次浊		门难牛油		
		全浊		符糖齐时		
上声	古清声母				府短酒纸 米老藕有	
	古浊声母	次浊				
		全浊				妇稻旱似
去声	古清声母					富对去试
	古浊声母	次浊				慢浪岸用
		全浊				附盗汗寺
入声	古清声母		哭桌出瞎	革国博节	谷铁北百	客阔必式 木绿日叶
	古浊声母	次浊				
		全浊		白敌学直		

了解古今声调的对应规律,对方言区的人掌握普通话声调作用很大。比如,山西运城话与普通话古今调类的分合情况大致相同,仅仅是各调类的调值有别,这样,运城人学习普通话声调时,就只需改变某些声调的调值;但对太原话来说就不同了,太原话保留了古入声,出现阴入和阳入两个促调,而平声也同古音一样,只有一个,不分阴阳平。因此,太原人学习普通话时,既要把入声字分别归到阴阳上去四声中去,而且要从平声字中分出阴平和阳平。同时,对各个声调的实际念法也要根据普通话的音高变化进行调整。只有这样,才能用普通话去念准每一个汉字的声调。

二、山西方言声调的特点

山西全省共有 118 个县市区,其中约 75% 的地区的方言是有入声的方言,属于"晋语"。余下的 25% 没有入声的方言点,大部分集中在山西省西南部临汾、运城两地区,此外,雁北的广灵和晋城的沁水两个方言点也没有入声。

(一)从调类看,山西方言里调类最少的是 3 个(如南部的古县方言),最多的是 7 个(如东南部的长子方言)。晋语区的声调多数为 5~6 个,非晋语区的则多数为 4~5 个。同普通话相比,山西方言除了大部分地方有入声外,还有以下几个特点:

1.有 18 个县市平声不分阴阳,即天 = 田、方 = 房、区 = 渠、通 = 同。不分阴阳平的这些县市大部分集中在山西中部地区,即太原、清徐、榆次、交城、文水、太谷、祁县、平遥、孝义、介休、寿阳、榆社、娄烦,此外,还有晋东南的高平、北部的山阴、繁峙和南部的侯马、曲沃。

2.有近 30 个县市阴平和上声不分,合成同一个调类(阴平上),即千 = 浅,通 = 桶、方 = 纺、梯 = 体。阴、上不分的方言多数在山西的北部和西部。它们是:忻州、定襄、原平、代县、五台、宁武、五寨、岢岚、保德、偏关、平鲁、朔州、神池、河曲、静乐、岚县、灵丘、浑源、交口、隰县、兴县、大宁、永和,此外,中部和东南部的阳曲、左权、沁源、沁水、沁县、襄垣 6 个县也是阴、上不分的。

3.有 18 个县市去声分阴去和阳去。即贩 ≠ 饭、栋 ≠ 洞、贩、栋念阴去,饭、洞念阳去。山西分阴阳去的方言集中在晋南和晋东南。它们是:长治市、长治县、潞城、平顺、壶关、屯留、长子、霍州、洪洞、翼城、浮山、侯马、曲沃、闻喜、襄汾。

（二）从调值调型看，同是阴阳上去，山西方言与普通话也有不少差异，其具体表现是：

1.普通话的阴平字如"刚开婚商"等（高平，55调）在山西分阴阳平的方言里，北部和西南部大都念降调，其他地区多数念降升调。如"刚开婚商"等字，大同、右玉念41调，临汾、运城、稷山念31调，而阳泉、离石、长治均为213调；在平声不分阴阳的方言里，多数地方念平调，如方＝房、天＝田，太原为11调，祁县为33调，榆社为44调。

2.普通话的阳平字"人龙田成"等（高升，35调）在山西方言里有三种调型：

（1）念平调。如阳泉为44调，离石为33调，沁源为11调。

（2）念升调。如长治、运城为24调，临汾、稷山为13调。

（3）念降升调。如大同、阳高为313调，翼城为213调。

3.普通话的上声字如"古女体浅"等（降升，214调）在山西方言里有如下两种主要调型：

（1）在上声和阴平合流的方言里，都念降升调，如千＝浅、梯＝体，忻州为313调，岚县为325调，永和为212调。

（2）在上声与阴平分开的方言里，上声字多数地方念降调，少数地方念降升调。如"口体女有"，太原为53调，大同为54调，临汾为51调，运城为53调。

4.普通话的去声字，如"汉盖社饭"等（高降，51调）在山西方言里主要有降调、升调和平调三种调型：

念降调的，主要在忻州片和吕梁片。如离石、兴县、隰县去声都念52调，忻州、平鲁为53调。

念升调的主要在晋中，如太谷、榆次、介休念45调，阳泉念24调。

念平调的地区很分散，如太原念55调，运城念33调，长治念44调。

三、如何读准普通话的声调

（一）改变调值

所谓改变调值就是把方言里与普通话同一调类的字，按普通话声调的实际音高去改读。例如，普通话的阴平字是55调，又高又平，而山西多数方言的阴平字念降调或降升调，这就需要改变调型；即使是调型为平调的方言（晋城、榆社、太原等）也没有普通话的阴平调那么高。因此，这些地方的人念"春天花开"等阴平字时,就得把高度提上去。

改变调值可以采用连读法和对应法进行练习。

1.连读法

就是用前一个汉字的尾音来带后一个汉字的首音。

(1)以阳辅阴,即由 35 调连 55 调。

黄昏 huang^{35}hun^{55}

隆冬 long^{35}dong^{55}

(2)以去辅阳,即由 51 调连 35 调。

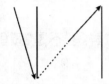

晋南 jin^{51}nan^{35}

汽油 qi^{51}you^{35}

(3)以去辅上,即由 51 调连 214 调。

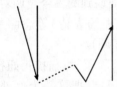

汉语 han^{51}yu^{214}

跳舞 tiao^{51}wu^{214}

(4)以阴辅去,即由 55 调连 51 调。

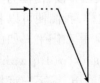

公共 gong^{55}gong^{51}

加价 jia^{55}jia^{51}

2.对应法

如果方言里的甲调类的调值与普通话里乙调类的调值相同,或极其接近,就可以用方言里甲调类的调值去念普通话的乙调类的字。这就是调值对应法。比如临汾话的上声同普通话的去声调值相同,都是 51 调,而临汾话的去声又同普通话的阴平调值相同,这样,临汾人学习普通话时,便可以用念"古好有李"(51调)的调值去念普通话的"顾浩右利";又可以用念"骂栋秀欠"的调值(55调)去念普通话的"妈冬修千"。这样的练习往往能收到明显的效果。

根据这种调值对应法,太原人便可以用他们的去声调(55调)念普通话的阴平字,长治人可以用他们的阴平调(214调)去念普通话的上声字,山阴人可以用他们的去声调(35调)去念普通话的阳平字,阳泉人则可以用他们的上声调(51调)去念普通话的去声字。

(二)区分调类

根据山西方言的声调特点,山西人要着重分辨的声调有两组:一、区分阴平和阳平;二、区分阴平和上声。此外,还有弄清入声字在普通话的四声中的归类。本讲先谈两点:

分辨阴平和阳平——"窑洞"不是"妖洞","鲜鱼"不是"咸鱼"

在只有一个平声的方言里,区分阴阳平是一个大难点。下面提供几种区分的方法:

(1)对具有古汉语知识的人来说,可以通过上面谈到的古今声调对应规律去区分阴平和阳平,即:古平声中的清声母字(夫汤妻诗)等念阴平(55调),古平声中的浊声母字(人龙油时)等念阳平(35调)。

(2)普通话里用 m、n、l、r 作声母的常用平声字,除了"妈猫拉扔妞捞"等少数几个字念阴平调外,其余都念阳平调。这样,只要把这几个例外字记住,碰到 m、n、l、r 作声母的平声字便可放心念阳平调。

(3)有许多阳平字在平声不分阴阳的方言里有文白异读,白读为不送气音,文读为送气音,文读音与普通话阳平调相同。这样,我们便可以利用文白异读的关系,把一部分阴阳不分的平声字区分出阴平和阳平。如山西中部许多县市"婆田葵迟蚕渠"等字白读音是不送气的声母"b、d、g、z、zh、j",而文读音则是送气的"p、t、k、c、ch、q",我们便可确定"婆田"等字一定是阳平字。

(4)通过变调来识别

有的方言,如平遥话,平声单字调不分阴阳,但在连读时能够分开。如"铅"与"墙"单念时属同一个声调,不能区分,但当组成"铅笔"和"墙壁"时,"铅"字由升调变为降调,而"墙"字却仍然保持原调值。这样,平遥人学习普通话声调时,便可以记住:在连读中,变调的是阴平字,不变调的是阳平字。

分辨阴平和上声——"本命年"别说成"奔命年"，"规划"不是"鬼话"

普通话阴平的调值是 55 调,上声的调值是 214 调,而在山西话里凡阴平与上声合成一个调的,其调型几乎都是降升调,其调值也同普通话的上声极相近。所以,这些方言区的人便可以直接用他们方言中"阴平上"的调值来念普通话的上声字。难点在于如何从"阴平上"调中把阴平字区别出来并念出高平调。

下面提供几条区分方法:

(1)凡以 m、n、l、r 为声母的字,方言里念"阴平上"调值的,除"妈摸拉扔"等少数几个字读阴平外,其余均属普通话的上声调。如"马恼柳乳"分别以 m、n、l、r 为声母,方言区念降升调(阴平上)属普通话上声字。

(2)在普通话里,双唇音声母 p 以及舌尖前音声母 z 和 c 同鼻韵母相拼时,念上声调的只有"捧品攒怎总纂惨忖"等少数字,所 以,凡阴平与上声合流的方言区,可以根据这一规律把阴平和上声区分开来,如"拼簪篇脏增参仓聪村"等字,忻州人念阴平上,它们均属 p、z、c 声母,在普通话里应念为阴平。

(3)利用变调规律区别阴平与上声

有些方言单字调阴平与上声不分,但在连读时,却可以分出两个不同的调来。如大宁话"腥山打早"单字调都是 213 调,但构成"腥汤"、"山羊"、"打球"、"早起"时,腥、山仍念原调,而打、早则变为 55 调,这样大宁人便可以根据变调来区别阴平字和上声字,即:凡不变调的属普通话的阴平,凡变调的属普通话的上声。

语音训练

1.熟读下列词语,并标出声调

fenghua 风华	yide 医德	touxian 偷闲
qiutian 秋田	tongrong 通融	guangming 光明
tianwen 天文	zhencang 珍藏	qingnian 青年

chuangong 船工　　　yandong 严冬　　　tongxin 童心

wenzhang 文章　　　Taiwan 台湾　　　shizhuang 时装

renyan 人烟　　　　qingshang 情商　　touji 投机

qing chu yu lan 青出于蓝　　　fengyi – zushi 丰衣足食

beihuan-lihe 悲欢离合　　　　bingjing-liangzu 兵精粮足

xuxin xuexi 虚心学习　　　　gaokong hangxing 高空航行

xiansheng-duoren 先声夺人　　chu chu maolu 初出茅庐

hong mian hua kai 红棉花开　　liangyoufengshou 粮油丰收

linshi tongzhi 临时通知　　　　tiqian canguan 提前参观

huaxiang feiji 滑翔飞机　　　　ertong zhuanche 儿童专车

lanqiu zhongfeng 篮球中锋　　hua qiao jia bin 华侨嘉宾

2.阴平和阳平对比练习

妖洞—窑洞　　偷鸡—投机　　　失业—实业　　春节—纯洁

非常—肥肠　　喝水—河水　　　灰心—回心　　溜走—流走

拍板—排版　　拍球—排球　　　牵线—前线　　腔调—强调

瞧瞧—悄悄　　擒敌—亲敌　　　时常—失常　　谈心—贪心

蹄子—梯子　　田地—天地　　　田鸡—天机　　集会—机会

完了—弯了　　咸鱼—鲜鱼　　　匣子—瞎子　　职员—支援

3.熟读下列词语,并标出声调

qinshou 亲手　　huacao 花草　　jinshu 金属　　kepu 科普

gongzhong 工种　tingzhang 厅长　xinling 心领　　Donghai 东海

xiangtu 乡土　　diandao 颠倒　　xiuxiang 休想　　gewu 歌舞

zaocao 早操　　zhangxin 掌心　　shuixian 水仙　　ManQing 满清

zhizhen 指针　　shizhong 始终　　tuqiang 土枪　　lingban 领班

lihua 礼花　　　yuanfang 远方　　dagong 打工

4.阴平和上声对比练习

包藏—保藏　　奔命—本命　　　标明—表明　　车皮—扯皮

规划—鬼话　　关长—馆长　　　西医—洗衣　　姑舅—古旧

书名—署名　　西头—洗头　　　三包—三宝　　大兵—大饼

小吃—小齿　　半包—半饱　　　通分—通粉　　不休—不朽

托收—脱手　　变通—便桶

5.四声双音节练习

古舒声字　　　　　　　　　　古入声字

1＋1　工兵 gōngbīng　班车 bānchē　　剥削 bōxuē　　切割 qiēgē

1＋2	鲜明 xiānmíng	安全 ānquán	惜别 xībié	曲折 qūzhé
1＋3	批准 pīzhǔn	根本 gēnběn	摸索 mōsuǒ	插曲 chāqǔ
1＋4	希望 xīwàng	中外 zhōngwài	逼迫 bīpò	接力 jiēlì
2＋1	南方 nánfāng	群居 qújū	白鸽 báigē	拔出 báchū
2＋2	传奇 chuánqí	昂扬 ángyáng	集合 jíhé	习俗 xísú
2＋3	黄海 HuángHǎi	平坦 píngtǎn	白雪 báixuě	直角 zhíjiǎo
2＋4	行政 xíngzhèng	雄厚 xiónghòu	格律 gélù	着陆 zhuólù
3＋1	讲师 jiǎngshī	取消 qǔxiāo	嘱托 zhǔtuō	抹杀 mǒshā
3＋2	里程 lǐchéng	反常 fǎncháng	朴实 pǔshí	蜀国 Shǔguó
3＋3	小品 xiǎopǐn	整改 zhěnggǎi	铁索 tiěsuǒ	笔法 bǐfǎ
3＋4	访问 fǎngwèn	讲课 jiǎngkè	辱没 rǔmò	法律 fǎlù
4＋1	矿工 kuànggōng	气温 qìwēn	特约 tèyuē	目击 mùjī
4＋2	自然 zìrán	电台 diàntái	密集 mìjí	脉搏 màibó
4＋3	下雨 xiàyǔ	运转 yùnzhuǎn	烙铁 làotiě	乐曲 yuèqǔ
4＋4	灿烂 cànlàn	气派 qìpài	策略 cèlüè	碧绿 bìlù

6.四声四音节练习(加点字为古入声字)

同调练习

1＋1 乡村医生 xiāngcūnyīshēng　　珍惜光阴 zhēnxīguāngyīn

2＋2 提前完成 tíqiánwánchéng　　学习哲学 xuéxízhéxué

3＋3 远景美好 yuǎnjǐngměihǎo　　铁血手法 tiěxiěshǒufǎ

4＋4 胜利闭幕 shènglìbìmù　　变幻莫测 biànhuànmòcè

异调练习

四声顺序 中华伟大 zhōng huá wěi dà　　山河美丽 shān hé měi lì

　　　　身强体壮 shēn qiáng tǐ zhuàng　　英明果断 yīng míng guǒ duàn

四声倒序 具体而微 jù tǐ ér wēi　　大好河山 dà hǎo hé shān

　　　　刻苦读书 kè kǔ dú shū　　忘我无私 wàng wǒ wú sī

7.朗读下列句子

(1)一群女孩在新舞台彩排。

(2)我住的是窑洞,不是妖洞。

(3)学生会组织大家学习"科学发展观"。

(4)煤炭产量翻番,更要关心矿工安全。

(5)他姓方,我姓房,不要乱喊。

8.练习声调并标出调号

(1)gong shi——公事　拱式　共时　工时

(2)yu yan——鱼眼　渔谚　语言　预演　寓言

(3)zhu yi——主义　逐一　竹椅　主意　注意

(4)qi zhi——迄止　起止　奇志　气质　岂知　启智

(5)shang wu——商务　晌午　尚无　尚武　上屋　赏舞

(6)qi zhong——其中　期中　七种　器重　起重

(7)shi shi——石狮　事实　逝世　誓师　史实　实事　失事

(8)da zhong——大中　大众　打肿　打中　打钟

课外阅读

颜氏家训　颜之推

　　生不可不惜，不可苟惜。涉险畏之途，干祸难之事，贪欲以伤生，谗慝而致死，此君子之所惜者；行诚孝而见贼，履仁义而得罪，丧身以全家，泯躯而济国，君子不咎也。

【第三十一讲】

声调辨正(二)

一、什么是入声

入声是汉语里的一种重要的语音现象。它是指带有塞辅音韵尾[－p－t－k]或喉塞音韵尾[－ʔ]的一种短促声调。读入声的字就叫做入声字。如"甲、杀、白"三个字,广州话分别念成以[－p－t－k]收尾的音节,所以它们都是入声字,又如"八、夹、活"三个字,在太原话里分别念成[paʔ]、[tɕiəʔ]、[xuɑʔ],三个音节都以[－ʔ]收尾,所以它们也是入声字。

二、入声的演变

前面说过,古代汉语有平上去入四个声调。由于语音的演变发展,到了现代汉语,除我国东南部的几个大方言区(粤方言、闽方言、赣方言、客家方言、吴方言、湘方言)仍保留入声以外,在广大的北方官话区,入声已基本上

消失,变到古平上去三声中去了。以北京话为例,古入声的演变情况如下表:

古调类＼今调类		阴 平	阳 平	上 声	去 声
入 声	清 次浊 全浊	哭桌瞎黑	革国博竹 白敌学直	谷百北铁	必式阔客 木纳日叶

从上表可以看出,古入声分配到北京话的四声中,情况是不一样的,如果拿常用的五六百个入声字作一粗略统计,古入声字今读去声的最多,约占入声字的52%;读阳平的次之,约占34%;读阴平的为10%,读上声的最少,只占4%。

古入声变为今四声的大体规律是:

1.古全浊声母字今读阳平

例如:

杂乱	匣子	协作	集合	实习	第十	及格
达到	选择	分别	舌头	杰出	昨天	直接
食物	处罚	实在	掠夺	滑头	绝对	极大
白色	光泽	核心	主席	石头	敌人	单独
读书	民族	服从	驱逐	风俗	合作	

这一类例外字较多,常见的例外字有以下几类,其中去声字最多:

[阴平] 跌倒 夕阳 突出 凹凸
[上声] 属于 玉蜀黍
[去声] 接洽 交涉 秩序 算术 叙述 特别 戏剧
　　　 或者 收获 手续 硕士

2.古次浊声母(今北京 m、n、l、r 及零声母)字今读去声

例如:

麦子	蔑视	树木	消灭	藏匿	叛逆
虐待	法律	热烈	排列	力量	陆地
立场	降落	业务	月亮	回忆	袜子
优越	欲望	日子	褥子		

这一类常见的例外字只有以下几个:

[阴平]	摸索	拉住	子曰	条约	屋子	鸭子	挖沟	压迫
[阳平]	肋膜	额头						
[上声]	抹杀	恶心	辱骂	乙醇				

3.古清声母的入声字今归阴平、阳平、上声、去声的都有,没有显著的条理。这一些入声字有一半以上归入去声,剩下的字并不多,分入其他三声,常见的有以下这一百来字:

—i	[阴平]	逼迫	点滴	踢球	激昂	积极	第七
		漆布	吸气	可惜	第一		
	[阳平]	鼻子	紧急	即使			
	[上声]	钢笔	马匹	乞丐	甲乙		
—u	[阴平]	秃头	啼哭	忽然	出去	叔父	
	[阳平]	幸福	竹子	足球			
	[上声]	骨肉	谷子	嘱咐			
—ü	[阴平]	冤屈					
	[阳平]	橘子					
	[上声]	歌曲					
—a	[阴平]	第八	发展	答应	杀死	摩擦	撒手
	[阳平]	疲乏	回答				
	[上声]	方法	水塔				
—o	[阴平]	剥削	泼水				
	[阳平]	伯父					
—e	[阴平]	喝水					
	[阳平]	得到	道德	革命	阁子	隔开	风格
		折断					
		原则	责任				
	[上声]	口渴					
—i[ʅ]	[阴平]	一只	吃饭	遗失	潮湿		
	[阳平]	职工	识别				
	[上声]	三尺					
—ai	[阴平]	拍手	塞住	摘下			

[上声]	一百	狭窄				
– ei [阴平]	勒死	黑色				
[阳平]	没有					
[上声]	北京	给你				
– ou [阴平]	喝粥					
– ie [阴平]	贴紧	接触	揭发			
[阳平]	结果	清洁	节目			
[上声]	钢铁					
– üe [阴平]	缺点	剥削	大约			
[阳平]	解决	觉悟				
[上声]	下雪					
– uo [阴平]	委托	解脱	桌子	说话	缩小	
[阳平]	国家					
– ua [阴平]	刮风	洗刷				
– ia [阴平]	夹住	鸭子	压迫			
[上声]	甲等					
– iao [上声]	手脚	角膜				

三、山西方言入声字的读音

山西全省 118 个县、区、市，除运城、临汾两地区，雁北的广灵县和晋东南的沁水县，其他地方的方言都有入声。我们把有入声的山西话称为"晋语"。晋语入声的特点是收喉塞尾音[–ʔ]，如太原话就有七个入声韵，它们是：

[ɑʔ]八杀　　　　[iɑʔ]夹瞎　　　　[uɑʔ]刮活　　　　[əʔ]不失

[iəʔ]百立　　　　[uəʔ]夺出　　　　[yəʔ]略足

晋语的入声从调类看可分为两种类型：一种是分阴阳入，即黑≠合，失≠石；一种是不分阴阳入，即黑＝合，失＝石。

有两个入声的方言点共 42 个，它们是：太原、阳曲、清徐、榆次、交城、文水、太谷、祁县、平遥、孝义、介休、寿阳、榆社、娄烦、盂县、灵石、离石、汾阳、中阳、柳林、方山、临县、兴县、岚县、静乐、隰县、石楼、永和、大宁、蒲县、汾西、长治(县)、潞城、黎城、平顺、壶关、屯留、长子、沁县、武乡、襄垣、陵川。

只有一个入声的方言点共 35 个,它们是:

大同、阳高、天镇、怀仁、左云、右玉、应县、山阴、繁峙、忻州、定襄、原平、五台、代县、浑源、灵丘、朔州、平鲁、神池、宁武、五寨、岢岚、保德、偏关、河曲、阳泉、平定、昔阳、和顺、左权、长治(市)、沁源、晋城、阳城、高平。

四、入声改读舒声——"合口"与"河口"同音,"公式"与"公事"无别

由于普通话没有入声,所以晋语区的人学习普通话时,要注意把入声改为舒声(即阴阳上去)。改读的关键是把喉塞尾音去掉,变为元音韵尾,如方言里入声字"八"念[pɑʔ],去掉喉塞尾"‑ʔ"后,变为 bā,就是普通话的读音了。对于入声韵母与普通话韵母元音不相同的,除了去掉喉塞尾,还要变更元音,如"活",方言里念[xuɑʔ],而普通话念 huó,这就既要去掉‑ʔ,而且要把[ɑ]改变为 o,下面是改读入声字读音时应该掌握的几条规律:

1．凡声母为 m、n、l、r 及零声母的入声字,除少数例外字,可以一律念成去声,如"麦、纳、立、弱、月",普通话均念去声。

2．入声分阴阳的地区,可以把阳入字念成阳平调。

3．采用记少不记多的办法,掌握念上声调的入声字,因为这类字最少,常用的只有四十多个,很容易记住。(见《古入声归入普通话的常用字》字表)

附 录

古入声归入普通话四声常用字

(1)归入阴平的有:八捌发展答应搭塌踏实拉哈扎杀刹车煞剥拨泼摸割搁胳疙鸽咯瞌磕喝水逼劈滴剔踢击积激缉鞋儿七柒戚昔惜膝吸息析晰夕悉蟋熄锡一壹揖只身织汁吃失湿扑叔督突秃凸窟哭忽出屋鞠拍摘拆瓶塞黑粥夹板掐瞎压押鸭鳖撒憋跌贴帖接结实揭疖切开歇蝎削刮刷托脱郭豁桌捉拙戳说作坊

第三十一讲　声调辨正(二)　229

撮缩缺薛约。

（2）归入阳平的有：拔罚乏伐筏阀报答瘩达蛤蟆铡闸轧钢挣扎油炸伯柏林卓泊箔薄搏博勃渤驳膜佛得德格阁革隔葛布咳壳合盒核折哲蜇蛰折(shé)舌则责泽择额敌的确笛及圾极级集急吉疾即籍辑习席媳袭直植值殖执职十拾识石食蚀实什仆服福蝠幅伏独毒读核竹烛逐熟赎足卒族俗局菊橘白宅瞿没有贼厚薄雹着急勺芍凿轴夹袄荚峡狭匣辖别谍碟蝶迭总结洁节截劫杰竭捷协胁挟叶韵滑猾夺国活着手酌浊啄灼作料昨决诀觉悟绝倔掘角色橛镢学穴。

（3）归入上声的有：法塔獭眨抹姓葛渴恶心笔匹劈柴给脊乙尺卜占朴骨谷属嘱蜀辱百佰柏树迫击炮指窄色掉北郝甲卡瘪铁帖血脚角落索雪撮量词。

（4）归入去声的有：理发踏纳捺辣腊栅霎压迫魄墨沉没末沫莫寞漠特勒乐各喝彩褐吓赫鹤这浙设涉热策厕侧测册角色涩瑟啬闭塞善恶扼谔腭鄂华壁辟碧僻必泌秘蜜密目的匿逆力历立泣粒笠栗绩寂迹鲫吃迄隙益疫役翼译邑逸亿忆抑屹质秩掷斥赤式室适饰释日不木目牧幕睦复腹缚陆记录禄绿林鹿辘酷祝筑牧畜触瀑术述束入褥促簇速宿肃粟勿物律效率绿豆剧续畜牧恤育玉塔浴欲狱郁麦脉肋烙酪肉恰洽轧灭蔑列烈劣猎亲切袜诺洛络落窈泄页业树叶谒睡觉药钥六骆扩阔括廓或惑获霍硕若弱工作握率领蟀虐疟略掠确却雀鹊贫血越月音乐跃阅悦粤岳。

1.按四声顺序念下面各组入声字

（1）同声同韵练习

ā	á	ǎ	à	扎手	闸	眨	栅
ē	é	ě	è	割	革	葛	各
ī	í	ǐ	ì	击	集	脊	迹
iē	ié	iě	iè	歇	协	血	屑
ū	ú	ǔ	ù	叔	赎	蜀	术

uō　uó　uǒ　uò　　　　作坊　昨　一撮毛　工作

(2)同声异韵练习

ō	ái	ěi	ì	剥	白	北	必
āi	ú	iě	ò	拍	仆	撇	魄
uā	uó	ǔ	è	刮	国	谷	各
ēi	é	ǎo	uò	黑	合	郝	获
iē	í	iǎ	ù	接	急	甲	剧
ī	iá	üě	ù	夕	辖	雪	续
uō	ú	ǎi	一ì	桌	竹	窄	秩
ū	á	一ǐ	è	出	察	尺	彻
uā	í	ǔ	uò	刷	食	属	硕
ū	é	ǐ	iào	屋	额	乙	钥

(3)同调练习

阴平—出屋捉鸭　　chū　　wū　　zhuō　　yā
　　　七夕黑哭　　qī　　xī　　hēi　　kū
阳平—学习合格　　xué　　xí　　hé　　gé
　　　角逐级别　　jué　　zhú　　jí　　bié

上声—葛甲笔法　　gě　　jiǎ　　bǐ　　fǎ
　　　铁塔百尺　　tiě　　tǎ　　bǎi　　chǐ
去声—克日毕业　　kè　　rì　　bì　　yè
　　　策划越狱　　cè　　huà　　yuè　　yù

2.读准下列词语,并加注拼音

特别	确切	日历	白鹤	酷热	落魄	踏实
目的	骨骼	活泼	薄膜	笔墨	覆灭	驳斥
阅历	缩瑟	抑郁	决裂	克服	郭沫若	积极
福禄	失落	督察	活佛	哭泣	值日	熟肉
畜牧	涉足	杀敌				

3.把下面各组字中的入声字找出来并加注拼音

巴八把拔吧坝/插叉茶察/压押牙轧哑/滑花划画化/和合核何贺鹤/罗洛

落裸/之植执止帜炙志质/虱实时使式适/白摆百柏败麦脉/要耀药钥/玉遇育喻欲郁裕/序蓄旭叙恤续/基击级机辑积及棘己季济寂/西息席溪锡系隙。

忆秦娥　　　李白

箫声咽，秦娥梦断秦楼月。秦楼月，年年柳色，霸陵伤别。乐游原上清秋节，咸阳古道音尘绝。音尘绝，西风残照，汉家陵阙。

满江红　　　毛泽东

小小寰球，有几个苍蝇碰壁。嗡嗡叫，几声凄厉，几声抽泣。蚂蚁缘槐夸大国，蚍蜉撼树谈何易。正西风落叶下长安，飞鸣镝。

多少事，从来急；天地转，光阴迫。一万年太久，只争朝夕。四海翻腾云水怒，五洲震荡风雷激。要扫除一切害人虫，全无敌。

常如作客，何问康宁，但使囊有余钱，瓮有余酿，釜有余粮，取数叶赏心旧纸，放浪吟哦，兴要阔，皮要顽，五官灵动胜千官，过到六旬犹少。

定欲成仙，空生烦恼，只令耳无俗声，眼无俗物，胸无俗事，将几枝随意新花，纵横穿插，睡得迟，起得早，一日清闲似两日，算来百岁已多。

（郑板桥六十自寿联）

【第三十二讲】

音 节

我们学习了普通话所有的音节,通过同韵字表掌握了一些同音字,从中我们可以看出,一个汉字一般就是一个音节(儿化词除外)。一个音节是由声母、韵母和声调三个部分构成的,韵母又是由韵头、韵腹和韵尾组成的,由于有的音节是单独由韵母充当的(零声母字),有的音节的韵母不一定都有韵头或韵尾,所以音节结构的情况是多种多样的。下面列一个普通话音节结构表:

结构 例字	声母	韵头 (介音)	韵腹 (主要元音)	韵尾		声调
				元 音	辅 音	
衣			i			阴平
窝		u	o			阴平
爱			a	i		去声
油		i	o	u		阳平
运			ü		n	去声
勇		i	o		ng	上声
读	d		u			阳平

结构\例字	声母	韵头(介音)	韵腹(主要元音)	韵尾		声调
				元音	辅音	
缺	q	ü	e			阴平
秒	m	i	a	o		上声
春	ch	u	e		n	阴平
江	j	i	a		ng	阴平

从表中可以看出普通话音节结构有这么几个特点：

（1）一个音节可以没有声母，可以没有韵头，可以没有韵尾，但韵腹、声调是必不可少的。

（2）一个音节至少要有一个音素（如"衣"），最多可以有四个音素（如"秒"、"春"、"江"）。

（3）一个音节至少要有一个元音（如"衣"、"运"、"读"），最多可以有三个元音（如"秒"、"油"），通常有两个元音（如"窝"、"爱"、"勇"、"缺"、"春"、"江"）。所以在普通话里元音在音节中占优势。

（4）一个音节可以没有辅音（零声母字）。有辅音的音节，辅音只能出现在音节的开头充当声母（如"读"、"缺"等），或在音节的末尾充当韵尾（如"春"、"江"）。

我们从学过的音节可以看出，不是普通话的 21 个声母和 39 个韵母都可以相拼，什么声母和什么韵母能拼，什么声母和什么韵母不能相拼，是有一定规律的。普通话声母和韵母拼合规律，往往以声母的发音部位和韵母的四呼为依据。我们把前面所学过的音节的声、韵拼合规律列一个声韵配合简表：

普通话声韵配合简表

例字\韵母\声母	开	齐	合	撮
b p m	班	编	布（限于 u）	○
f	番	○	富（限于 u）	○
d t	单	颠	端	○

例字 韵母 声母	开	齐	合	撮
n l	难	年	暖	虐
j q x	○	坚	○	捐
g k h	干	○	官	○
zh ch sh r	赞	○	钻	○
z c s	赞	○	专	○
ø	安	烟	弯	冤

　　表中画○的表示不能拼合,有例字的表示能拼合,从简表中可以看出以下几点规律:

　　(1)能和开口呼韵母相拼的声母最多,除了舌面音 j、q、x,其余声母都能拼;能和撮口呼韵母相拼的声母最少,只有舌尖中音的 n、l 和舌面音 j、q、x。

　　(2)能和四呼相拼的声母只有 n、l 和零声母。

　　(3)双唇音 b、p、m 和舌尖中音 d、t 不与撮口呼韵母相拼。b、p、m 不与 u 以外的合口呼韵母相拼。唇齿音 f 只与开口呼韵母及合口呼 u 韵母相拼。

　　(4)舌面音 j、q、x 与齐齿呼、撮口呼相拼,舌根音、舌尖后音、舌尖前音只与开口呼、合口呼相拼。

　　这是从声母的角度反映出的声韵拼合规律,这些规律我们学习普通话所有音节时都有过初步的了解。上面的普通话声韵配合简表,使我们对普通话声韵配合情况更能有个全面而具体的了解。

　　从普通话声韵配合表中,还能从韵母的角度对普通话的声韵配合的规则作些补充。

　　(1)o 韵母只与唇音 b、p、m 相拼,e、uo 韵母与 o 相反,只与唇音以外的声母相拼。所以普通话里只有 bo、po、mo、fo,没有 be、pe、me、fe;只有 duo、tuo、de、te,没有 do、to。

　　(2)ueng 韵母只能自成音节,ong 韵母不能自成音节;ong 韵母不与唇音 b、p、m、f 拼,eng 能与 b、p、m、f 相拼。所以普通话里只有 beng、peng、meng、feng,没有 bong、pong、mong、fong。

　　(3)en、in 韵母不与舌尖中音 d、t 相拼,eng、ing 韵母能与 d、t 相拼。所以只有 deng、teng、ding、ting 而没有 den、ten、din、tin。

(4)ua、uai、uang 韵母不能与舌尖前音 z、c、s 相拼,只与舌尖后音 zh、ch、sh 相拼。所以只有 zhua、chua、shua,没有 zua、cua、sua。

(5)－i[ ]韵母不能与舌尖前、舌尖后以外的声母相拼。

普通话里声母、韵母和声调配合的规律不是很强的,较为明显的规律有以下两条:

(1)凡不送气的塞音声母 b、d、g 和不送气的塞擦音声母 j、zh、z 跟鼻韵母相拼都没有阳平字。如 b 与 an 拼有 bān、bǎn、bàn,没有阳平;d 与 ang 拼有 dāng、dǎng、dàng,没有阳平;j 与 ing 拼有 jīng、jǐng、jìng,也没有阳平等等。因为这 6 个声母的阳平字都来自古入声字,而古入声字的韵母在普通话里都不是鼻韵母。

(2)浊音声母 m、n、l、r 的阴平字很少,并且限于口语常用的字。如妈 mā、猫 māo、妞 niū、捏 niē、拉 lā、扔 rēng 等。

各地方言的声韵拼合关系和普通话不完全一样,我们掌握了普通话声韵配合关系,便于比较方言的声韵拼合关系,也就能更好地进行方音辨正。

我们认读了不少音节,也学了不少拼音读物,从中可以发现,音节的拼写、现代汉语的拼写都有一定的规则。

音节的拼写要注意隔音、省写和标调三个问题:

隔音:为了在连写中明确音节的界限,要求用符号隔音或字母隔音。

以 a、o、e 开头的零声母音节与前边的音节连写时,要在 a、o、e 前边加上隔音符号。如:pí'ǎo(皮袄)、xī'ān(西安)、xī'ōu(西欧)、sàng'ǒu(丧偶)、jī'è(饥饿)、shuì'é(税额)。

以 i、u、ü 开头的零声母音节自成音节或前边的音节连写时,要用隔音字母 y(念"呀")、w(念"哇")。i、in、ing 三个韵母自成音节时前加 y,写成 yi、yin、ying,其余以 i 开头的零声母音节都是改 i 为 y,如 ia、iao 等写成 ya、yao。u 自成音节时前加 w,写成 wu,其余以 u 开头的零声母音节都是改 u 为 w。如自 ua、uai 等写成 wa、wai。ü、üe、üan、ün 自成音节时一律前加 y,写成 yu、yue、yuan、yun。

省写:iou、uei、uen 三个韵母前边加声母时,要省去中间的 o、e 写成－iu、－ui、－un,如 xiū(修)、huī(灰)、zūn(尊)。ü、üe、üan、ün 自成音节或前边加

j、q、x 声母时,ü 上的两点可以省掉,写成 yu、yue、yuan、yun 和 jū(居)、quē (缺)、xūn(熏)。

标调:声调符号要标在音节韵母的韵腹上。如 ēn(恩)、bái(白)、jiǎn (剪)、chuáng(床)。－iu、－ui 韵腹省掉,调号一律标在后一个元音上。如 xiù(绣)、huì(会)。轻声不标调,如 māma(妈妈)、zhuōzi(桌子)、chī de(吃的)、 kànbuqīng(看不清)。

现代汉语的拼写规则见《汉语拼音正词法基本规则》。

语 音 训 练

1.标出下列汉字的读音

意　因　牙　要　银　五　弯　文　语　约

爷　云　央　月　用　歪　伟　冤　影　仰

2.指出下列音节中有哪些是普通话里没有的

fo	to	zuo	go	ha	qiou	kiang
liong	shong	zua	pua	zhin		quang
dian	sue	hiang	leng	yie		muo
chun	tin	jao	pong	qia		suai

朗　读

乡　愁　　余光中

Xiǎo shíhou,　　　　　　　　　　小时候,

Xiāngchóu shì yī méi xiǎoxiǎo de yóupiào,　乡愁是一枚小小的邮票,

Wǒ zài zhètou,　　　　　　　　　我在这头,

Mǔqīn zài nàtou.   母亲在那头。

Zhǎng dà hòu,   长大后，
Xiāngchóu shì yī zhāng zhǎizhǎi de chuánpiào,   乡愁是一张窄窄的船票，
Wǒ zài zhè tou,   我在这头，
Xīnniáng zài nàtou.   新娘在那头。

Hòulái a,   后来啊，
Xiāngchóu shì yī fāng ǎi ǎi de fénmù,   乡愁是一方矮矮的坟墓，
Wǒzài wàitou,   我在外头，
Mǔqīn zài lǐtou.   母亲在里头。

Ér xiànzài,   而现在，
Xiāngchóu shì yī wān qiǎnqiǎn de hǎixiá,   乡愁是一湾浅浅的海峡，
Wǒ zài zhètou,   我在这头，
Dàlù zài nàtou.   大陆在那头。

美与风度　　汪国真

Bùlùn shì měi háishi fēngdù,   不论是美还是风度，
Dōu líbukāi zìran,   都离不开自然，
Rúguǒ bù zìran, nánrén yù biǎoxiàn xiāosǎ,   如果不自然，男人欲表现潇洒，
Biàn chéngle zuòzuo;   便成了做作；
Nǔrén yù xiǎnshì wǔmèi,   女人欲显示妩媚，
Biàn chéngle mèisú.   便成了媚俗。
Jídù de měi ràng wǒmen jīngxiàn,   极度的美让我们惊羡，
Jídù de yōuyǎ ràng wǒmen xīnzhé.   极度的优雅让我们心折。
Yōuyǎ de fēngdù yǒulàiyú fēngfù de nèixīn,   优雅的风度有赖于丰富的内心，
Zhè yě jiù shì wèishénme nàxiē shòuguo   这也就是为什么那些受过

liánghǎo jiàoyù de rén,　　　　　良好教育的人,

Wǎngwǎng fēngdù gāoyǎ.　　　　往往风度高雅。

Měi shì yī zhǒng qiǎn céngcì de yōuyǎ,　美是一种浅层次的优雅,

Yōuyǎ shì yī zhǒng shēnkè de měi,　优雅是一种深刻的美,

Měi ràng wǒmen liúlián－wàngfǎn,　美让我们流连忘返,

Fēngdù ràng wǒmen ruò yǒu suǒ sī,　风度让我们若有所思,

Wǒmen cóng měi zhōng dédào de shì yúyuè,　我们从美中得到的是愉悦,

Wǒmen cóng fēngdù zhōng dédào de shì qǐdí.　我们从风度中得到的是启迪。

课外阅读

鞋带和海带

　　小兰从北京旅游回来,向人们说起自己闹的笑话。她去故宫参观,刚一下车,鞋带就断了,于是到前门百货商店去买鞋带。她问售货员:"你们这儿有 hǎi 带吗?"售货员答:"我们这是百货公司,不卖海带,你到副食品店去吧。"小兰见售货员听不懂,便自己找。找了半天才找到,便说:"我要这个。"售货员笑了:"这叫 xié 带,我还以为你要买海带呢,敢情你们那里'鞋'叫'海'呀。"小兰也笑了,旁边一老人插嘴说:"听口音,你是山西人吧? 你们那儿鞋叫孩,街叫该,上叫舍,下叫哈。我在山西工作时,也闹过几次误会呢。"

音 变(一)

　　学会普通话音节,掌握音节的基本发音,是学习普通话语音的第一步,要说普通话还要进一步学习普通话的一些语音变化,因为平时说话不能只用一个音节来表达,总要用几个甚至几十个音节组成的词语、句子来表达。在一串语音连续发出的时候,音节与音节、音素与音素、声调与声调之间,由于互相影响会使语音发生或多或少的变化,我们把这种变化叫做音变,普通话语音里重要的、明显的音变有变调、儿化、语气词"啊"的变化,不掌握这些语音的变化就不能说你学会了普通话,有时还会影响意思的表达。

　　变调。某个音节的声调在连读中和在单念时不同,就叫变调。

　　普通话的变调包括轻声,上声和去声的变调以及"一"、"不"的变调。

　　所谓轻声,是指每一个汉字本来都有自己的调子,但不论哪一个声调的字若跟在其他字的后面,失去了原来的调子而读成的一种既轻又短的调子的。轻声是音节连读时产生的一种特殊的变调现象。轻声不仅是一种语音现象,而且和词汇、语法有密切的关系,在普通话里,有些词读不读轻声,词义和词性往往是不同的。比如:"自然"不念轻声是"zìrán",指自然界,是名词;念轻声"zìran"意思是"当然"、"不勉强",是形容词。轻声音节虽然都是读得又轻又短的调子,但轻声音节也有音高的差别,一般上声后面的轻声较高,依次是阳平、阴平和去声。另外,轻声不仅引起音高的变化,有的还影响到声母和韵母的变化。如"烦"念 fán,但"麻烦"念 máfan。哪些词不读轻声,哪些词读轻声? 一般说来,新词、科学术语不读轻声,口语中的常用词才有读轻声音节的。比如:句末语气词(你去吗? 我们走吧?)、助词、叠音词的第二个音节(去过北京、哥哥、星星)、名词后缀(桌子、我们)等等读轻声,另外还有一批口语中常用的双音节词第二个音节习惯上要读轻声,如打听、痛快。在国家《普通话水平测试实施纲要》里,共收录必读轻声词 548 条,其中大部分为词尾相同的轻声词。特别是"头"尾(指头、舌头、丫头、馒头等)和"子"尾(刀子、虫子、脑子、帘子等)。尤其是"子"尾词,总数达 207 条之多,占了 2/5,其余的词尾相同必读轻声词有两个、三个、四个至七八个不等,如:

2 个词:"计"尾——算计、伙计

3 个词:"识"尾——知识、见识、认识

4 个词:"实"尾——结实、扎实、壮实、老实

5 个词:"家"尾——婆家、娘家、人家、亲家、东家

6 个词:"么"尾——多么、怎么、这么、什么、那么、怎么样

8 个词:"气"尾——福气、力气、秀气、运气、小气、客气、脾气、阔气

普通话的上声、去声连读时也要变调。普通话的上声原来是降升调,调值是 214。若两个上声字相连,前一个上声字的调子就变了,变得近似普通话的阳平调。比如"土改"连读听起来和"涂改"差不多,"涂"的调子就是阳平。上声字若和阴平、阳平、去声(非上声字)相连,上声就念成"半上",214调念成 21 调。比如:"解剖"(jiěpōu)、"解除"(jiěchú)、"解散"(jiěsàn)。叠音的上声字或上声字后面跟着轻声,第一个上声念"半上"或阳平。如:姥姥(lǎolao)、姐姐(jiějie)、尾巴(wěiba)、走着瞧(zǒuzheqiáo)——以上第一个字念"半上",想起(xiǎngqi)、讲讲(jiǎngjiang)——以上第一个字念阳平。两个以上的上声相连,要根据词语的含义适当分组,一般按两个音节连读办法变调,快读时也可以只保留最后的一个字音读上声,前面一律变为阳平。如:很苦恼(hěn kǔnǎo/hén kúnǎo)、岂有此理(qǐ yǒu cǐ lǐ/qí yóu cí lǐ)。

普通话去声的变调。去声原为高降调,调值是 51,两个去声字连读时,前一个去声读为"半去",念成 53 调。如:现代(xiàndài)、社会(shèhuì)。

普通话的"一"和"不"的特殊变调。普通话的"一"和"不"分别读阴平 55

调和去声 51 调,但普通话的"一"和"不"不论读音快慢都有变调规律必须遵守。"一"有 yī、yí 和 yì 三种念法:单念或停顿前念 yī,如一、二十一、第一;在去声前念阳平 yí,如:一夜、一幢、一半;在阴平、阳平、上声(非去声前)念去声 yì,如:一天、一年、一尺。"不"单念或停顿前念去声 bù,如:"不"、"就不";在非去声前也念去声 bù,如:不高(bùgāo)、不平(bùpíng)、不少(bùshǎo);在去声前念阳平 bú,如:不去(búqù)、不快(búkuài)。"一"和"不"用在相同的单音节动词中间或肯定否定连用时,读轻声。如"想一想""肯不肯"。

语 音 训 练

1.轻声的练习

(1)轻声词语与非轻声词语的比较

| 地道 dìdào | 大意 dàyì | 东西 dōngxī | 把守 bǎshǒu |
| 地道 dìdao | 大意 dàyi | 东西 dōngxi | 把手 bǎshou |

| 废物 fèiwù | 对头 duìtóu | 反正 fǎnzhèng | 报仇 bàochóu |
| 废物 fèiwu | 对头 duìtou | 反正 fǎnzheng | 报酬 bàochou |

| 老子 Lǎozǐ | 孙子 Sūnzǐ | 兄弟 xiōngdì | 早起 zǎoqǐ |
| 老子 lǎozi | 孙子 sūnzi | 兄弟 xiōngdi | 早起 zǎoqi |

(2)轻声音节音高、音色的变化

椅子 yǐzi   紫的 zǐde   苦瓜 kǔgua   盘子 pánzi

红的 hóngde   黄瓜 huánggua   杯子 bēizi   灰的 huīde

西瓜 xīgua   棍子 gùnzi   绿的 lǜde   木瓜 mùgua

嘴巴 zuǐba   我的 wǒde   棉花 miánhua   晚上 wǎnshang

脊梁 jǐliang   显摆 xiǎnbai   豆腐 dòufu   意思 yìsi

(3)念轻声的词语举例

看书的 kànshū de   勇敢地 yǒnggǎn de   吃得好 chī de hǎo

说着 shuōzhe   走了 zǒule   去过 qùguo

快走吧 kuàizǒu ba	他呢 tā ne	喝啊 hē a
妈妈 māma	坐坐 zuòzuo	合计合计 héji héji
桌子 zhuōzi	木头 mùtou	孩子们 háizimen
树上 shù shang	屋里 wū li	进来 jìnlai

(4)常用的双音节轻声词

被子 bèizi	比方 bǐfang	指甲 zhǐjia	别扭 bièniu
玻璃 bōli	折腾 zhēteng	裁缝 cáifeng	颤悠 chànyou
抽屉 chōuti	窗户 chuānghu	凑合 còuhe	打扮 dǎban
德行 déxing	点心 diǎnxin	动静 dòngjing	耳朵 ěrduo
奉承 fèngcheng	干粮 gānliang	告诉 gàosu	勾搭 gōuda
规矩 guīju	含糊 hánhu	和气 héqi	胡同 hútong
花哨 huāshao	晃悠 huàngyou	机灵 jīling	见识 jiànshi
考究 kǎojiu	咳嗽 késou	阔气 kuòqi	邋遢 lāta
利害 lìhai	麻烦 máfan	门道 méndao	名堂 míngtang
脑袋 nǎodai	能耐 néngnai	佩服 pèifu	漂亮 piàoliang
热闹 rènao	扫帚 sàozhou	俗气 súqi	头发 tóufa
稳当 wěndang	消息 xiāoxi	严实 yánshi	月亮 yuèliang

2.上声、去声连读变调

海军 hǎijūn	海防 hǎifáng	海浪 hǎilàng	海水 hǎishuǐ
粉丝 fěnsī	粉皮 fěnpí	粉面 fěnmiàn	粉笔 fěnbǐ
口音 kǒuyīn	口粮 kǒuliáng	口气 kǒuqì	口语 kǒuyǔ
古书 gǔshū	古文 gǔwén	古物 gǔwù	古老 gǔlǎo
彼此 bǐcǐ	洗澡 xǐzǎo	冷饮 lěngyǐn	保险 bǎoxiǎn
采访 cǎifǎng	了解 liǎojiě	举止 jǔzhǐ	影响 yǐngxiǎng
浪费 làngfèi	祝贺 zhùhè	变化 biànhuà	贡献 gòngxiàn

3."一"、"不"的变调

(1)"一"念 yī

一、二、三 yī、èr、sān　　一一得一 yīyīdéyī　　一一过问 yīyīguòwèn

十一 shíyī　　第一 dìyī　　万一 wànyī　　百里挑一 bǎilǐtiāoyī

(2)"一"念 yí

一半 yíbàn　　　一道 yídào　　　一定 yídìng　　　一共 yígòng

一面 yímiàn　　　一刻 yíkè　　　一路 yílù　　　一致 yízhì

(3)"一"念 yì

一般 yìbān　　　一些 yìxiē　　　一身 yìshēn　　　一心 yìxīn

一连 yìlián　　　一时 yìshí　　　一同 yìtóng　　　一直 yìzhí

一口 yìkǒu　　　一早 yìzǎo　　　一起 yìqǐ　　　一手 yìshǒu

(4)"一"念轻声

听一听 tīngyitīng　　　说一说 shuōyishuō　　　吃一吃 chīyichī

读一读 dúyidú　　　谈一谈 tányitán　　　尝一尝 chángyicháng

走一走 zǒuyizǒu　　　写一写 xiěyixiě　　　洗一洗 xǐyixǐ

试一试 shìyishì　　　坐一坐 zuòyizuò　　　笑一笑 xiàoyixiào

(5)"不"念 bù

不,不! bù,bù!　　　我绝不。wǒ juébù.　　　我偏不。wǒ piān bù.

不安 bù'ān　　　不公 bùgōng　　　不甘 bùgān

不堪 bùkān　　　不和 bùhé　　　不如 bùrú

不曾 bùcéng　　　不祥 bùxiáng　　　不可 bùkě

不满 bùmǎn　　　不久 bùjiǔ　　　不管 bùguǎn

(6)"不"念 bú

不必 búbì　　　不便 búbiàn　　　不对 búduì　　　不但 búdàn

不用 búyòng　　　不够 búgòu　　　不幸 búxìng　　　不测 búcè

(7)"不"念轻声

擦不擦 cābucā　　　忙不忙 mángbumáng　　　冷不冷 lěngbulěng

等不等 děngbuděng　　　快不快 kuàibukuài　　　热不热 rèburè

朗　读

(1)Yì chūn cháng shì yǔ hé fēng.　　　一春常是雨和风。

(2)Yì zhī hóngxìng chū qiáng lái.　　　一枝红杏出墙来。

(3)Yìnián míngyuè jīnxiāo duō.　　　一年明月今宵多。

(4)Yìjǔ chéngmíng tiān xià zhī.　　　一举成名天下知。

(5)Yí yè luò zhī tiānxià qiū.　　　　　　一叶落知天下秋。

(6)Yí piàn bīngxīn zài yùhú.　　　　　　一片冰心在玉壶。

(7)Bù yǐ yìjǐzhīlì wéi lì.　　　　　　　不以一己之利为利。

(8)Bù zé rén yǐ xìguò.　　　　　　　　不责人以细过。

(9)Bù dēng gāoshān bùzhī tiān zhī gāo.　　不登高山不知天之高。

(10)Bú xìn dōngfēng huànbuhuí.　　　　不信东风唤不回。

(11)Shuǐ biān yángliǔ lǚsī chuí.　　　　水边杨柳绿丝垂。

(12)Shuǐ suí tiān qù qiū wújì.　　　　　水随天去秋无际。

(13)Shuǐ lǜ tiān qīng bù qǐ chén.　　　　水绿天青不起尘。

(14)Shuǐ mǎn qīngjiāng huā mǎn shān.　　水满清江花满山。

(15)Zhǐyǒu méihuā zhī shàng xuě.　　　　只有梅花枝上雪。

(16)Cǐ qǔ zhǐ yīng tiānshang yǒu.　　　　此曲只应天上有。

说轻声

甲:汉语里有轻声现象……

乙:什么叫轻声现象?

甲:我说"东西(xī)",指的是东边和西边,东西方向;我要说"东西(xi)"这个"西"就是轻声,指的是吃的、喝的、穿的、用的、玩儿的各种物品。

乙:我懂了,轻声就是声调读得又短又轻,有的词儿,一读轻声,意思就变了,成了另外一个词儿。

甲:还真聪明,你懂了可不一定会说呀!

乙:你听这个,我说"买卖(mài)"指的是买东西,卖东西;"买卖(mai)"指的是做各种生意。

甲:我说"拉手(shǒu)"指的是"握手";"拉手(shou)"指的是桌子、柜子上的把手,公共汽车上的"扶手"。

乙:我说"地道(dào)"指的是在地下修的路;"地道(dao)"指的是人的品质和东西的质量好。矨(ê)你这个人地道不地道?

甲:我挺地道的。我说"狼头(tóu)"指的是狼的头……

乙:嘫(huō),大灰狼也来了!

甲：我说"榔头（tou）"指的是钉东西的锤子。

乙：狼头和榔头这两个 láng 字可不一样。

课外阅读

容易读错的姓

卜读 Bǔ 不读 bo   朴读 Piáo 不读 pǔ

褚读 Chǔ 不读 zhǔ   溥读 Pǔ 不读 fù

啜读 Chuài 不读 chuò   仇读 Qiú 不读 chóu

干读 Gān 不读 gàn   任读 Rén 不读 rèn

葛读 Gě 不读 gé   单读 Shàn 不读 dān

诸葛读 Zhūgě 不读 zhūgé   盛读 Shèng 不读 chéng

过读 Guō 不读 guò   宿读 Sù 不读 xiǔ xiù

华读 Huà 不读 huá   解读 Xiè 不读 jiě

纪读 Jǐ 不读 jì   尉迟读 Yùchí 不读 wèichí

贾读 Jiǎ 不读 gǔ   应读 Yīng 不读 yìng

宁读 Nìng 不读 níng   曾读 Zēng 不读 céng

区读 ōu 不读 qū   查读 Zhā 不读 chá

音 变(二)

普通话的音变除了变调,还有儿化和语气词"啊"的变化。在普通话里,单韵母 er,是不能与声母相拼的,但它常常跟在一个字音韵母的后面,影响这个韵母,使这个韵母变成一种具有特殊音色的卷舌韵母,这种现象,就叫"儿化"。儿化了的韵母就叫"儿化韵"。普通话的"儿化"具有区别词义、区分词性和表达感情色彩的作用。如:头 tóu(脑袋),头儿 tóur(头目、起点);画 huà(用笔画出图形,动词),画儿 huàr(画成的艺术品,名词);小手绢儿 xiǎoshǒujuànr,小男孩儿 xiǎo nánháir(表细小、可爱的感情色彩)。

普通话的韵母除掉个别的如 er 和 ê 以外,都可以成为儿化韵。儿化韵的念法是在读到一个字音的末尾时随即把舌头向上轻轻卷起接近硬腭,也就是带上一个卷舌动作。因受卷舌动作的影响,一般韵母在儿化了之后会发生或大或小的音变:有的韵母的韵腹直接带上卷舌色彩,如小肚儿 dur,老婆儿 por;有的韵母变成较低较央的元音,如瓜子儿 zi > zər;有的丢失韵尾或增加元音[ə],如牌儿 pai > par,鸡儿 ji > jiər。儿化之后的韵母,有一些就成了同韵韵母。带儿化韵母的音节一般用两个汉字来表示,如"huār 花儿"。用汉语拼音字母拼写这些儿化音节,只需在原来的音节之后加上"r"就可以了。

普通话语气词"啊"a 是表达感情和语气的基本音节。若用在句首不受什么音的影响,它仍念 a;若用在句子末尾,由于受它前边一个字音韵母的最后一个音素的影响,通常要发生音变,有的念做 ya(呀),有的念做 wa(哇),有的念做 na(哪)等等。下面列出"啊"字读音变化表。

所用汉字	变读字音	所接前一字音的韵母
呀	ya	a、ia、ua、o、uo、e、ie、üe、i、ai、uai、ei、uei、ü
哇	wa	u、ou、ao、iao、iou
哪	na	an、en 等所有的前鼻音韵母
啊	nga	ang、eng、ong 等所有的后鼻音韵母
	[z]a	(z、c、s)－i
	ra	(zh、ch、sh、r)－i、er

语|音|训|练

1.儿化

(1)儿化词语与非儿化词语比较

{ bāng 帮
{ bāngr 帮儿

{ bāo 包
{ bāor 包儿

{ bǎobèi 宝贝
{ bǎobèir 宝贝儿

{ gài 盖
{ gàir 盖儿

{ diào 调
{ diàor 调儿

{ duī 堆
{ duīr 堆儿

{ huó 活
{ huór 活儿

{ jiān 尖
{ jiānr 尖儿

{ miàn 面
{ miànr 面儿

{ pòlàn 破烂
{ pòlànr 破烂儿

{ xìn 信
{ xìnr 信儿

{ yǎn 眼
{ yǎnr 眼儿

{ kòng 空
{ kòngr 空儿

{ cì 刺
{ cìr 刺儿

{ pǔ 谱
{ pǔr 谱儿

{ kòu 扣
{ kòur 扣儿

(2)儿化的读音

直接加上卷舌动作——韵母或韵尾音素是 a、o、e、ê、u 的

hàomǎr 号码儿	qùnǎr 去哪儿	dòuyár 豆芽儿
mùxiár 木匣儿	niánhuàr 年画儿	hónghuār 红花儿
tǔpōr 土坡儿	fěnmòr 粉末儿	shūzhuōr 书桌儿
méihuór 没活儿	chànggēr 唱歌儿	xiǎochēr 小车儿
xiǎodiér 小碟儿	táijiēr 台阶儿	xiǎoxiér 小鞋儿
chǒujuér 丑角儿	mùjuér 木橛儿	pèijuér 配角儿
báitùr 白兔儿	shuǐzhūr 水珠儿	xiǎohóur 小猴儿
niǔkòur 纽扣儿	píqiúr 皮球儿	duǎnxiùr 短袖儿
máotáor 毛桃儿	cǎomàor 草帽儿	màimiáor 麦苗儿
miàntiáor 面条儿	xiǎoniǎor 小鸟儿	zhīliǎor 知了儿

韵尾失落,加上卷舌动作——韵尾是 i、n 的

chēpáir 车牌儿	guōgàir 锅盖儿	xiédàir 鞋带儿
dāobèir 刀背儿	mōhēir 摸黑儿	yīkuàir 一块儿
bǐgǎnr 笔杆儿	huālánr 花篮儿	yīdiǎnr 一点儿
xīnyǎnr 心眼儿	fànguǎnr 饭馆儿	guǎiwānr 拐弯儿
hǎowǎnr 好玩儿	gōngyuánr 公园儿	yuánquānr 圆圈儿
shūběnr 书本儿	shùgēnr 树根儿	nàmènr 纳闷儿

韵尾失落,韵腹变成鼻化元音,同时加上卷舌动作——韵尾是 ng 的

bāngmángr 帮忙儿	chìbǎngr 翅膀儿	guārángr 瓜瓤儿
chāyāngr 插秧儿	xiǎoxiàngr 小巷儿	jièguāngr 借光儿
zhúkuāngr 竹筐儿	bǎndèngr 板凳儿	xìnfēngr 信封儿
diànyǐngr 电影儿	huāpíngr 花瓶儿	xiǎochóngr 小虫儿
xiǎocōngr 小葱儿	xiǎoxióngr 小熊儿	wèngr 瓮儿

韵母不变,加 er——韵母是 i、ü 的

xiǎojīr 小鸡儿	mǐlìr 米粒儿	xìnpír 信皮儿

wányìr 玩意儿	liángxír 凉席儿	xiǎoqír 小旗儿
xiǎoyúr 小鱼儿	xiǎoyǔr 小雨儿	tányúr 痰盂儿
yǒuqùr 有趣儿	xiǎoqǔr 小曲儿	máolǘr 毛驴儿

失落韵尾，加 er——韵母是 ui、in、un、ün 的

màisuìr 麦穗儿	mòshuǐr 墨水儿	shǒuyìnr 手印儿
shǐjìnr 使劲儿	méizhǔnr 没准儿	bīnggùnr 冰棍儿
xiǎoqúnr 小裙儿	héqúnr 合群儿	huāqúnr 花裙儿

韵母变作 er——单韵母 –i[ɿ][ʅ]

xiězìr 写字儿	méicír 没词儿	tiěsīr 铁丝儿
qízǐr 棋子儿	yǒucìr 有刺儿	xìsīr 细丝儿
shùzhīr 树枝儿	jùchǐr 锯齿儿	yǒushìr 有事儿
guǒzhīr 果汁儿	tāngshír 汤匙儿	zhūshír 猪食儿

2. 语气词"啊"

(1)"啊"念 ya

- Wǒ shuō de jiùshì tā ya!
  我说的就是他呀!

- Zěnme gěi wǒ zhème duō ya!
  怎么给我这么多呀!

- Jīntiān zhēn rè ya!
  今天真热呀!

- Huāfèi le tā bìshēng de xīn xuè ya!
  花费了他毕生的心血呀!

- Zhè shìr shì nǐ méi lǐ ya!
  这事儿是你没理呀!

- Jīnr gè huì bu huì xià yǔ ya?
  今儿个会不会下雨呀?

- Nǐ dǎ nǎr lái ya?

你打哪儿来呀?

(2)"啊"念 wa

- Wǒ zài nǎr zhù wa?
  我在哪儿住哇?

- Chàng de duō hǎo wa!
  唱得多好哇!

- Zánmen kuài zǒu wa!
  咱们快走哇!

(3)"啊"念 na

- Zhè shìr zěnme bàn na?
  这事儿怎么办哪?

- Zhè huār duō yàn na!
  这花儿多艳哪!

- Zhè cài zhēn nèn na!
  这菜真嫩哪!

- Zhè háizi zhēn hún na!
  这孩子真混哪!

(4)"啊"念 nga

- Dàhuǒr fàngshēng de chàng nga!
  大伙儿放声地唱啊!

- Zhè bīngxiāng kě bù néng pèng nga!
  这冰箱可不能碰啊!

- Zhème lǎn zěnme xíng nga!
  这么懒怎么行啊!

- Dǎ shuǐ méi tǒng nga!
  打水没桶啊!

(5)"啊"念 za(z = [z̪])

- Zhè shì shuí xiě de zì za?
  这是谁写的字啊?

- Nǐ qùguo Běijīng jǐ cì za?

你去过北京几次啊?

- Zhè kě shì zhēnsī za!
  这可是真丝啊!

(6)"啊"念 ra

- Jiāo Yùlù zhēn shì ge hǎo tóngzhì ra!
  焦裕禄真是个好同志啊!

- Zhè dàodǐ shì zěnme yī huí shì ra?
  这到底是怎么一回事啊?

- Zhè huìr qù hái bù chí ra!
  这会儿去还不迟啊!

- Wǒ de ér ra!
  我的儿啊!

朗　读

说"边儿"

　　这位南方来的同志一边儿走一边儿念叨着:"东边儿,南边儿,北边儿……我们南方只说左边儿右边儿,怎么北京这么多边儿? 哎呀,王府井在哪边儿来着? 啊,有了,反正我哪边儿都没去过,我就东边儿、南边儿、北边儿都走它一趟,岂不逛得更痛快!"

去大使馆　　　　胡炳忠

(甲、乙二人路遇)

甲:你好!

乙:你好! 去哪儿?

甲:去大使馆儿。

乙:去哪儿?

甲:大使馆儿。

乙:大使馆哪,可不能说成"大使馆儿",这个词儿不能儿化。

甲:儿化不是有表示喜爱的意思吗?

乙:是啊。

甲:我很喜欢我们的大使馆,所以应该说成"大使馆儿"。

乙:不行,不能这么说。

甲:为什么?

乙:因为大使馆是个很严肃的地方,这类词儿一般都不能儿化。

甲:哦,是这么回事,我去大使馆看我爸爸,我爸爸是个官。

乙:官?哦,官儿啊,这儿可得儿化,说"官儿"。

甲:你说带有严肃意思的词儿不能儿化,"官"说成"官儿"不就不严肃了
　　吗?

乙:口语里就得说"官儿",说"官"人家还不容易听懂,欸,你爸爸是什
　　么官儿?

甲:是大使儿(音同"大婶儿")。

乙:大婶儿!还大叔儿呢!

甲:什么大叔儿?

乙:"大使"说成"大婶儿"这不闹笑话了吗! 大叔的爱人才是大婶儿呢。

甲:你不是说口语的"官"得说成"官儿"吗? 大使是官儿,当然也得儿化
　　说成"大使儿"。

乙:那可不行,"大使"也是个严肃的词儿,不能按口语儿化。

甲:我又错了! 还真得感谢你,再说就不会错了。欸,你去哪儿?

乙:我也去大使馆看我爸爸。

甲:你爸爸是什么官儿?

乙:我爸爸是武官儿,嘿,我也错了!

语 调

在汉语中,字有字调,句有句调。字调即声调,句调即语调。语调是贯穿于整个句子的声音的高低升降和轻重顿挫的变化。任何句子都有一定的语调,它是一种辅助语句更好地表达语意和思想感情的手段。

语调主要包括停顿、重音、快慢、升降四个方面。

一、停顿

停顿就是语言进行中的间歇。停顿大体可以分为:

1.语法停顿

语法停顿是句子中一般的间歇,反映句子结构中的语法关系。停顿时间有长有短,由长到短依次是:句号、问号、叹号 > 分号、冒号 > 逗号 > 顿号。

2.强调停顿

强调停顿是句子中的间歇。为了强调某一事物、突出某个语意或某种感情,或者为了加强说话的语气,在不是语法停顿的地方作适当停顿,或者在语法停顿的基础上变动停顿时间,这就叫"强调停顿"。这样的停顿也可以称为"感情停顿"或者"逻辑停顿"。

如：在一篇介绍画家张乐平的文章中，谈到他在新中国成立前为救济贫苦儿童举行义卖画展时有这样一句话："最贵的一张值八百美元。"这句话的逻辑停顿可以有以下三种安排：

①最贵的一张值八百美元。

②最贵的一张∧值八百美元。

③最贵的∧一张值八百美元。

我们可以看出：①是没有停顿的，语意并不明晰；②是说一张画最贵，卖到八百美元；③是说最贵的有好几张，每一张都可以卖八百美元。两种不同的停顿反映了两种不同的语法关系（②的主语"最贵的一张"是偏正短语，谓语"值八百美元"是动宾短语；③的主语"最贵的"是"的"字短语，谓语"一张值八百美元"是主谓短语），表达出两种不同的语意。

④中国队战败了∧美国队夺得了冠军。

⑤中国队战败了美国队∧夺得了冠军。

⑥下雨天留客∧天留人不留。

⑦下雨天留客天∧留人不∧留。

非常清楚：句子④和⑤，⑥和⑦逻辑停顿不同，意义截然相反。

3.节拍

节拍，主要是指诗歌朗读中的停顿。朗读诗歌，每一行诗根据词和短语的疏密分成几段，以体现节奏的鲜明、语言的韵味，这样的段称节拍，也称音步或顿歇。节拍的划分，一般地说，格律诗、民歌、快板等，都是五言二拍，第二字拖腔；七言三拍，第二、四字拖腔。如：

①攻城/不怕坚，

　　攻书/不畏难。

　　科学/有险阻，

　　苦战/能过关。

（叶剑英《攻关》）

②春风/杨柳/万千条，

　　六亿/神州/尽舜尧。

　　红雨/随心/翻作浪，

青山/着意/化为桥。

(毛泽东《七律·送瘟神》)

自由诗由于节奏自由,划分节拍时,要体现自由诗的语言待点。如:

轻轻的/我/走了,

正如我/轻轻的/来,

我/轻轻的/招手

作别/西天的/云彩。

(徐志摩《再别康桥》)

关于停顿的方式,有斩钉截铁式的停顿,以造成强烈而肯定的气势;也有藕断丝连式的,即用语音的延长保留语势的连贯,以造成一气呵成的氛围。应根据表达的需要采用不同的停顿方式。

二、重音

重音也叫重读,是指朗读说话时对句子中某些词语从声音上加以突出的现象。

1.语法重音

这是根据句子的语法结构的特点在某些词语上读出的重音。这种重音往往是自然重读,并不表示什么特殊的思想感情。语法重音比较固定,一般规律是在以下这些地方重读。

(1)一般短句里的谓语部分,如:

①我们爱祖国,我们爱人民。

②今天是晴天。

(2)名词前面的定语,如:

①知识分子的地位越来越高。

②我们的哨所,在那高高的山崖上。

(3)动词或形容词前面的状语,如:

①他深情地爱着自己的祖国和人民。

②祖国的山河多么美丽呀!

(4)动词后面由形容词或其他动词充当的补语,如:

　　①这篇文章写得十分深刻。

　　②几对燕子飞倦了。

(5)某些代词,如:

　　①这本书是从哪儿借来的?

　　①你有什么事?

2.强调重音

又叫逻辑重音或感情重音,这是为了表达某种特殊意义或特殊感情而重读的音,句子有强调重音,语法重音就自然消失,或者说,语法重音要服从强调重音。

强调重音在语句中出现并没有固定的规律,它是由说话人根据所要强调的语意而安排的重读,它与语境有密切关系。同样的一句话,在不同的语言环境或不同的思想感情支配下,强调重音所在的位置并不相同,只有读出强调重音才能正确表达每句话的意思。如以下各句用词和词序完全相同,但由于强调重音不同,便造成了句意的明显差异:

　　①我今天去北京。(不是别人)

　　②我今天去北京。(不是明天)

　　③我今天去北京。(谁说不去)

　　④我今天去北京。(不是去天津)

朗读时,必须深入体会文章的思想内容,确立好强调重音,才能准确地表达作者的写作意图和思想感情。应该提醒朗读者注意的是,作者刻意锤炼过的词语往往就是语意的重点,需要重读。请看下面的例子(老舍《在烈日和暴雨下》):

六月十五那天,天热得发了狂。太阳刚一出来,地上已经像下了火。一些似云非云似雾非雾的灰气低低地浮在空中,使人觉得憋气。一点风也没有。

三、快慢

快慢是语言的速度问题。语速的快慢包含两个方面:每个音节发音的长短和音节与音节间连续的紧密程度。语速是由内容的表达需要决定的，快慢适当才能表达作者在文章中所寄托的思想感情。

一般说来，读得较快的是反映情绪紧张、热烈，或愉快、兴奋、慌乱和惊惧的地方；此外，表达慷慨、愤怒、反抗、驳斥、申辩等内容时，语速也较快。读得较慢的是叙述、写景的地方，表达情绪平静、沉郁、失望，或气氛庄严、行动迟疑等内容；悲伤的地方，应读得深沉清晰、速度更慢，以表达沉痛的感情。

四、升降

升降是指句子语调的上升和下降，也有人称做句调。它应该是属于整句话的，但往往表达在句末。升降最能表达说话人的态度、情感。同一句话，升降不同，所表达的态度、情感甚至语意都不相同。如：

①这事少了你不行！（降调，态度恳切、真诚）

②这事少了你不行？（升调，反诘语气，态度迂缓）

③这事少了你不行？（曲调，讽刺挖苦语气）

句调通常分为四种类型：

1. 升调

调子由平升高，常用来表示疑问、反问、惊异、号召等语气。如：

①你找谁？（疑问）

②我怎么会把你喝的水弄脏呢？（反问）

③原来是他呀！（惊异）

④大家赶快行动起来！（号召）

此外，升调还用在全句未完、中途停歇处，表示前后话语关系紧密。如：

就算这样吧，你总是个坏家伙！

2. 降调

调子先平后降，常用来表示陈述、感叹、请求等语气。如：

①船慢慢儿地向前驶着。（陈述）

②多么懂事的孩子啊！（感叹）

③请别在这儿吸烟。（请求）

3.平调

调子始终保持同样的高低,常用来表示庄严、悲痛、冷淡、叙述、说明等语气。如:

①三月十四日下午两点三刻,这位当代最伟大的思想家停止了思想。（庄严）

②灵车缓缓地前进,牵动着千万人的心。（悲痛）

③想从我这里发洋财,是想错了。（冷淡）

④鲁迅,浙江绍兴人。（一般叙述）

⑤玻璃纸是透明的。（一般说明）

4.曲调

调子升高再降,或降低再升,常用来表示讽刺、双关等复杂的语气。如:

①哎呀呀,你这么大的力气,山都会被你推倒呢!

②人的身躯怎能从狗洞里爬出!（双关）

在实际的语言运用中,语调的各种因素(停顿、重音、快慢和高低升降)应该是紧密联系、互相影响和互相配合的。只有这样,才能有效表达丰富多彩的思想内容和复杂的感情。

朗 读

朗读，就是清晰响亮、有感情地把文章读出来，是化静止的书面语言为有声的口头语言的再创作活动。

朗读在语文教学、文化生活和宣传工作中有着不可低估的作用。通过朗读，可以提高普通话表达的标准程度，丰富语言的表现力；还可以汲取优秀作品的语言精华，陶冶情操。朗读是教师必须熟练掌握的一种基本技能，更是语文课必不可少的教学环节。

朗读和朗诵不同，朗诵是指舞台上的表演艺术，需要进行艺术夸张，并运用一定的表情和手势来强化它的表达效果。它对声音再现的要求是风格化、个性化，甚至可以是戏剧化的。而朗读则仅是指在课堂上、会场上或播音室里读书面材料——课文、报告、消息等等。它对声音再现的要求是自然化、本色化和生活化。朗读时，声音需洪亮，音量要均匀。节奏、停顿及声音的高低对比可以根据表达需要而有所变化，但不宜有太大的变化。因为朗读越接近生活语言，就越会使听者感到亲切，从而去打动他们，使之引起共鸣。朗读者必须注意把握朗读与朗诵在声音再现上的细微差别，做到夸张适度、娓娓动听。

一、朗读的基本要求

1.深入地理解作品

理解,就是通过一系列的分析、判断、综合活动,达到对作品的了解、领会,掌握它的全部思想内容和精神实质。作为一个朗读者,首先需要理解作品,其次才是寻求适当的表达方法,只有透彻地理解了作品的内容,才谈得上正确而完美的表达,因此,"理解"是朗读者必不可少的第一项工作,是朗读者设计声音技巧、表达思想感情、进行艺术再创作的依据。

2.细致地分析作品的层次结构

朗读者为了了解作者谋篇布局的意图,即弄清文章的主题和重点,可以首先从结构入手,理顺文章的段落之间、层次之间、句子之间甚至词语之间的逻辑关系。只有理清了结构,朗读时才能顺利运用语言技巧,使书面上的文字化为具有生命力的声音形象。

以朗读杨朔的散文《荔枝蜜》为例。文章以"我"对小蜜蜂的感情变化为线索,分为四个层次:第一层,写"我"不太喜欢蜜蜂,每逢看见蜜蜂,感情上就疙疙瘩瘩的,总不怎么舒服;第二层,写"我"喝了荔枝蜜后,不觉动了情,想去看看一向不大喜欢的蜜蜂;第三层,写"我"听了养蜂人老梁赞扬蜜蜂的一番话后,心不禁一颤,开始喜欢小蜜蜂;最后一层,由物及人,写"我"望见正在酿造生活之蜜的劳动人民,这天夜里……梦见自己变成一只小蜜蜂。全文层次分明,如剥笋似的,一层深入一层。如果弄清了这篇文章的结构,朗读时就可以掌握全文和各段的基调了。每一层可随着"我"的情感发展而发展:厌倦—新奇—钦佩—向往。各层次的转折处,可设计一个较长的停顿,让听众感受到文章清晰的脉络和"我"的情绪变化过程。

文章的结构千变万化,各有特点,因内容和体裁而异。朗读时只有做到心中有数,才能通过声音形象把各种不同内容和体裁的文章都有条理、有层次和有情感地表现出来。

3.态度鲜明,有真情实感

鲜明的态度和真实的感情是朗读的灵魂。朗读时只有朗读者真正受到感染和教育,产生了某种感情,才能正确表达作品的内容,并在声音、语气中自然流露出来,做到以情带声。如果朗读者本身并没有什么感受,硬要用矫揉造作的腔调去读,就会形成虚假的感情。这样,朗读就失去了生命力,当然也就不可能去感染听者、打动听者了。所以,深刻感受作品,融入自己的感情,朗读才会动情传神。

4.必须用普通话标准音来朗读

坚持用普通话标准音读准每一个音节的声、韵、调,这是任何朗读的起码条件。为此,朗读者要学好普通话,克服方言障碍,用尽可能标准的北京语音来朗读作品,并做到吐字清晰,声音响亮。同时要忠实于原作,注意避免添字、漏字、改字及读破句。

5.准确把握朗读作品的基调

从朗读的角度说,基调是指作品内在的总的精神和情感。如朱自清的《春》,通过盼春、迎春,表现春天来临之际万象更新、欣欣向荣的景象,表达人们对美好生活的憧憬。这样,《春》的基调可确立为喜悦、轻快,这也就从整体上把握了感情发展的脉络。不过,作品各段落的情感变化又不尽相同。因此,既要明确基调,又要依据实际情况作具体分析。

6.综合运用各语调要素

朗读者在深入理解作品思想内容、调动朗读情绪的同时,要选择恰当的语音形式。而选择恰当的语音形式,主要是指运用语调的各要素。只有调动语调的各要素,形成准确、真实、富有生命力的语音形式,才能做到以声传情。

语调是情感的产物,具有明显的感情色彩。情感是丰富多彩的,语调也是丰富多彩的,没有固定的模式。也就是说,不同的语调表达不同的语气口吻。它能帮助朗读者更准确地表情达意,从而让听众产生共鸣。但必须注意的是,语调的正确运用,只能以作品的思想感情为依据。脱离作者的思想感情,一味地追求语音的形式美,只会使语言变得庸俗无力。

此外,朗读者在运用语调时,切忌形式化、表面化地套用语调规律,切忌卖弄技巧、矫揉造作、哗众取宠。语调的各要素在活的语言中不是孤立存在的,而是互相依存、紧密配合的。所以,要使朗读具有抑扬顿挫的艺术效果,语调的恰当运用是不可忽视的。

二、各类文体的朗读

文体即文学作品的体裁。不同的体裁对朗读有不同的要求。这里只简略谈谈几种主要文体的朗读要求。

1.诗歌的朗读

朗读诗歌在我国有悠久的传统,诗歌是最适合朗读的文体。诗歌的特点是,有深邃的意境和鲜明的节奏。朗读诗歌,必须注意诗歌这种体裁的特点。

什么是"意境"呢?"意"指的是诗人的思想情感,"境"指的是诗人所描绘的客观事物情景。具体讲,朗读者在朗读诗歌时,要展开想像的翅膀,通过想像将自己置身于诗所描绘的情境中,从而获得诗人的情感,使朗读声情并茂,真切感人。例如郭沫若的诗《天上的街市》描绘了一幅和平自由的幸福生活图画,表现了处于旧中国黑暗社会的诗人不满现实,向往美好生活,追求光明幸福这样一个主题。要朗读好这首诗,必须明确它的主题和诗人的感情,即不仅要陶醉在诗所描绘的意境里,得到美的感受,而且要采用亲切、舒缓的语调,传达诗中这种优美的意境,抒发诗人向往光明幸福、追求自由美好生活的欣喜、执著而深沉的感情。

诗歌的鲜明节奏主要表现在节拍上。要分析和掌握节拍,读时要恰当地分好"音步"(即一句诗用停顿分成的几个声音段落),使人感觉到句式的变化,产生鲜明的节奏感,便于思考和理解。不同形式的诗歌,节拍数不一样,因而有不同的音步安排。传统格律诗中的五言诗,一般是每个诗行两个节拍,即二、三的形式。如:

　　春眠/不觉晓,处处/闻啼鸟。
　　夜来/风雨声,花落/知多少。

(孟浩然《春晓》)

七言诗一般是每个诗行三个节拍,即二、三、三的形式。如:

　　朝辞/白帝/彩云间,千里/江陵/一日还。
　　两岸/猿声/啼不住,轻舟/已过/万重山。

此外,朗读传统格律诗,还要注意读好诗歌的韵脚。在朗读时,出于音韵的需要,必须给韵脚以呼应,不可含糊带过。读的时候,可以把韵脚的音节稍稍拖长,读得响亮、清晰,平仄分明,即使在韵脚不是重音的诗句中,也要适当地比其他音节读得响亮些,使人明显地感到前后押韵的地方,产生一种和谐的韵律美。

自由诗的节拍不像格律诗那样固定整齐,其诗字数不一,长短不定。但诗的本身包含着符合诗情的音步。根据诗的情意,在语气上能停顿的,就可以分出一个音步。例如:《能够认识你,真好》

不知多少次/暗中/祷告,

只为了/心中的梦/不再缥缈。

有一天/我们/真的相遇了,

万千欣喜/却/什么也说不出,

只有微笑/说了一句:

能够/认识你,真好。

2.散文、小说的朗读

散文通常有广义和狭义之分。这里着重说的是狭义的散文,即属文学范畴的抒情散文。朗读抒情散文时,一般的叙述语句要念得自然生动,议论语句要念得充满深情,要用优美亲切的语言去诱导、感染听众,使他们通过人事景物的变化去感悟作品的内涵。例如:

没有一个人把小草叫做大力士,但是它的力量的确谁都比不上。这种力是看不见的生命力。只要生命存在,这种力就要显现。

这是《种子的力》一文里的一段话,抒发了作者对种子的力的无限赞美之情。要读出作者所要表达的意思,就必须满怀深情,用真挚、深沉的感情读得清晰、有力,对重要词语用停顿和重音加以强调。

小说由人物、情节、环境三要素构成。朗读小说要抓住这三个特点。在人物方面,要求读好人物对话。要根据人物的思想性格、情绪和心理状态,对人物语言作恰当的声音处理。声音的变化力求"神似",而不能追求"形似",否则会腔调别扭,使人感到不自然。情节方面,要弄清故事的开端、发展、高潮、结局,以便朗读时做到层次分明,脉络清晰,让人通过情节的描述听出作品所要表达的中心思想。作品中环境描写对表现人物身份、地位、性格,表达人物心情,渲染气氛等都有不小的作用。要处理好景物描写的朗读,首先要分析并明了作品中的环境描写和人物思想感情的关系,朗读时,不要把"境"和"情"分开,要使环境描写为表现中心思想和揭示人物的思想感情服务,达到寓"情"于"境","情"、"境"交融。

3.寓言、童话的朗读

寓言和童话常常是用拟人的方法或假托的故事来说明一个道理,往往带有劝诫或讽刺意味。朗读这类作品要注意理解其深刻含义。此外,要适当运用声音夸张技巧来刻画人物形象,尤其是动物寓言和童话。诸如善良的山羊、聪明的兔子、骄傲的孔雀、狡猾的狐狸、凶恶的老狼等等,其性格特征、心理活动、行为动作,常常从动物们彼此的对话中得以表现。如:《蚊子和狮子》

> 一个蚊子飞到狮子那里,对狮子说:"我不怕你,你并不比我强,你也许不信。其实,你有什么力量呢?不过能用爪抓、能用牙咬罢了。我呢,可比你强多了。如果你愿意,我们就比一比。"蚊子说着就吹起喇叭,攻上前去,向狮子脸上、鼻子周围没毛的地方乱咬。狮子用爪抵抗,把自己的脸都抓破了,也抓不住蚊子,只得要求停战。蚊子打败了狮子,就吹着喇叭,唱起凯歌来。正在得意忘形地飞着,一不小心,撞在蜘蛛网上,被蜘蛛俘虏了,眼看就要被吃掉。蚊子很痛心,有了同狮子作战的光荣经历,却死在一个小小的蜘蛛手里。

这篇寓言通过蚊子被蜘蛛消灭的故事,讽喻了狂妄自大的人必遭失败的道理。读蚊子向狮子说的那番话,要刻画出蚊子不可一世的得意相,音色可尖厉些。最后一句话是蚊子向狮子挑战,语气要充满挑逗性。

蚊子向狮子进攻是寓言的第二层,"吹起喇叭",读时可用反语处理。"向着狮子脸上、鼻子周围没毛的地方乱咬",要用夸张的语气来描绘,渲染出蚊子的狡黠、贪婪。

蚊子取胜以后,用曲折语调读"吹着喇叭,唱起歌来"进一步表达它的骄傲自负。

"正在得意忘形地飞着"是关键性转折。"一不小心",要语调上扬,强调突发事件的到来,继之用急促的语气读"撞在蜘蛛网上,被蜘蛛俘虏了",显示急转直下的气势。随后才慢慢地读出"眼看就要被吃掉"的结局,用轻快的语气读则更能增强讽刺效果。

最后一句话是全文的总结。要故意用感到惊诧的语气读,稍慢、有力,使听者感到蚊子是活该如此的。

4.议论文的朗读

议论文是由论点、论据、论证三要素构成的。它用概念、判断、推理等逻辑形式来说道理、论事实,因而具有严密的逻辑性。朗读议论文首先要态度鲜明、论点突出,即用明朗坚定的语气鲜明准确地表达出作者的观点。其次要利用各种语调来突出文章的逻辑结构,在段与段之间保持较大的停顿,并注意语句的连接和组合,用长短不等的换气和微小的停顿把词语间的关系表达出来。衔接紧凑的各分句,语调应逐步上扬、加重;关键的地方除加强音量外,还可适当加快速度或放慢速度,以显示充沛的力量,给人以深刻的印象。

【第三十七讲】

围绕话题说话

一、围绕话题说话的基本要求

　　"围绕话题说话"是山西省普通话水平测试的第四项,所占分值为总分的40%,可谓普通话水平测试的"重头戏"。说话话题由国家普通话培训测试中心制定,共30则。应试人从给定的两个话题中任选一个,在3分钟内说一段连续的话。这项测试主要考查在没有文字材料依托的情况下,应试人语音的标准化程度,词汇、语法的规范程度以及口语表达的自然流畅水平。要求应试人单向说话,必要时,主试人可以给予提示或引导。《大纲》对说话的具体内容未作硬性要求,只要应试人凭借自己的语言思维,围绕所选定的话题,在有限的几分钟内巧妙构思,表达清楚即可。尽管如此,绝大多数应试人或多或少会产生畏惧心理,难免暴露出一些问题,造成失分。由此可见,说话项测试不仅是对应试人语言水平的考查,同时也是对应试人心理素质、思维能力、应变能力等整体素质的考查。因此,应试人不仅要注意语音的训练,还应注意积累词汇,不断增加语言信息储备,锻炼快速选词组句的能力,同时也要注意训练敏捷的思维和准确的语言表达能力。

1.不凭借文字材料,表达口语化

　　围绕话题说话要求应试人在没有文字凭借的情况下,把内部语言转化为自然、准确、流畅的外部语言。和朗读相比,说话可以有效地考查应试人在自然状态下,灵活运用普通话语音、词汇、语法的能力。说话是一种口语表达,口头说的就应该自然、平实,不刻意修饰,要按日常讲述时的自然语调来说话,不必像书面语那样讲求句子结构的完整和表意的详尽周密。应避免使用容易引起歧义的同音词,少用文言词和书面色彩较浓的词语,多用短句,力求口语化,力求通俗易懂。应试人说什么、怎么说,完全由自己根据选定的题目临时酌定。可以在备测的几分钟内列出提纲,但不能把事先准备好的书面材料带进考场。因为说话项测试不允许有"文字凭借",既不允许背诵稿子,更不允许照本宣科。若背诵事先准备好的书面材料,必然会露出朗读或背诵的腔调,失去口语表达的特点。再者,若死记硬背,会因遗忘造成思维混乱,语无伦次,不能自然流畅地表达,还有可能增加语音、词汇、语法方面的失误。

2.语音标准规范

　　说话项测试最重要的内容就是检测应试人在说话时普通话语音是否标准规范。现阶段,绝大多数应试人朗读书面材料时普通话运用得较好,但说话时普通话运用得欠佳。可见,普通话水平主要体现在口语的语音规范程度上。因此,普通话语音标准程度是说话项考查的重点。说话项测试的语音分值明显高于词汇、语法,在40分中,语音标准程度的分值为25分,占该项总分值的62.5%。语音标准规范不仅指单个音节的声、韵、调要发音正确,更是指整段话所表现的普通话语音系统要正确规范,即掌握轻声、儿化、变调等音变要素的正确发音,掌握双音词的轻重音格式,掌握句子的停顿、重音、句调等语调要素。说话时,应试人是在一种自然状态下发挥,自由度加大,选用词语的不确定性增多,可能会将一些自己没有准确掌握其语音的词语误读出来,形成语音"错误"或"缺陷"也会不自觉地流露出方言声调和语调,这些都会影响普通话语音的规范程度。

3.遣词造句准确规范

　　说话项要对应试人词汇、语法规范程度进行考查。这就是说,在说话中,除注意语音标准外,还要注意用词规范和造句规范。词汇、语法规范的最根本要求是以北方方言为基础方言,以典范的现代白话文著作为语法规范。但是在无文字凭借下的即兴说话,遣词造句都必须即时完成,不可能达到书面语那样的准确规范程度,所以这里的"规范"主要是两个方面的要求:用词规范和造句规范。用词规范是指,使用普通话词语,不使用方言词语和生造词。造句规范是指组织句子和选用句式时,一定要遵守普通话语法规则,不要使用方言语法句式或杜撰的句子。社会上流行的"时髦语"和"网络语",多数有待规范,最好少用。由于即兴说话,应试人会下意识地使用方言词语或句式,有人为追求语言生动有感染力,特意使用一些不规范的词语,这些现象都应注意避免。

4. 内容充实,紧扣话题

测试大纲对说话内容的立意、选材、布局、谋篇并未提出具体的要求,但布局谋篇、内容充实也是题中应有之义。围绕话题说话如同口头作文,也有审题、选材、布局等方面的问题。审题是说话的关键,审题不当,无的放矢或偏离话题是说不好话的。选材不当,说话内容空洞无物、拖沓繁冗、主次不分,效果当然就差。此外还应注意话语结构层次的安排,一段话内容充实、结构合理、层次分明,会给人留下深刻的印象,否则就会使人感到残缺不全,甚至不知所云。所以,说话前准备时应紧扣所选题目确定内容范围构思,大致形成主题,这样说话就不会离题。选材要适合并紧紧围绕主题,要真实准确,并根据情况尽量使材料具体、新颖,使说话内容丰富、主题鲜明。

5. 语速适中,流畅自然

语速适中是说话自然流畅的重要表征,正常语速大约 240 个音节/分钟。若每分钟超过 270 个音节,即视为过快;若每分钟在 180～210 个音节之间,即等同于朗读。如果因说话内容、情节、语气的要求偶尔使用十几个稍快或稍慢的音节视为正常。语速和语言流畅程度是成正比的,说话效果也取决于应试人普通话的自然流畅程度。一般说来,语速越快,流畅程度越高,但语速过快会导致口腔开口度不够、复元音韵母动程不够、归音不准确,增加差错率;而语速过慢,容易导致语流凝滞,说话不够连贯。

围绕话题说话是应试人的单向独白,说话之前会有一个短暂的准备过程,最好列一个提纲或打一个腹稿,做到心里有谱儿。有的应试人为了不在声、韵、调上出错,说话时一个字一个字地往外蹦,听起来非常生硬;有的应试人吞吞吐吐,说一句想一句,思路和语流都不畅通;有的应试人背诵事先准备好的稿子,因遗忘而重复某些字句。这些都影响了语速和流畅程度。因此,应试人不仅要注意成句、成段语音的自然度,同时也应选用真实而熟悉的素材,理清思路,用亲切平和的语气语调,保证语句通畅。另外还要做好应试心理调适,做到从容自然,不慌不忙,顺畅完整地表达。

二、围绕话题说话常见的失误

1.语音错误、缺陷过多,方音明显

普通话水平测试的前三项都是"读",但是"读"并不能完全反映应试人运用普通话的能力。因为"读"是在有文字材料依托的前提下进行的,且大多数应试人在测试前也接受了相关辅导或做了一定准备,因此,在测试中会尽量避免语音"错误"和"缺陷"。在一定程度上,"说话"才是应试人普通话水平的真实反映。尽管应试人早已知道测试用的30个说话题目,并或多或少地做了准备,但由于说话是自由表达,有一定的随意性,说话人免不了要随时补充或更改"腹稿"内容,所以更容易失误,显露出较多的语音错误、语音缺陷,严重的还会显露出方音。

(1)说话中常见的语音错误

语音"错误"原则上是指在普通话语音系统中,把一个音误读作另一个音。即把甲声母读成乙声母,把甲韵母读成乙韵母,声调读错等。

关于山西方言区内的学生最常出现的语言错误我们在前面"声母辨正""韵母辨正"和"声调辨正"各讲中已作了详细具体的讲解和分析,可一一对照学习。

(2)说话中常见的语音缺陷

"语音缺陷",概括地说是指发音没有完全达到标准程度。常见的语音缺陷有:

复韵母动程明显不够,有单元音化倾向;韵母中的元音开口度过大或过小,或响亮度不够;声调相对音高偏低,变化幅度偏小,四个声调的调值普遍

读不到位;儿化韵和轻重音格式掌握不好。

由于受方言影响,有些应试人因为发不准声调,造成语调偏误。一句话里如有两个以上音节声调不准确,就会影响句调的准确度。若出现声调、语调错误或轻重音格式把握不好现象,会明显地表露出方音色彩。判定时,测试员将根据这些问题在语音标准程度方面对"错误"作定量统计,并对应试人的语音面貌作定性分析,确定其分数档次。因此,归纳方言与普通话的对应关系,针对性地强化训练,是十分必要的。

2.用词造句不合规范

在说话项测试中,绝大多数应试人都能很好地运用普通话词语和语法规则进行口语表达,但是,一些人由于精神紧张,一些人认为既然是口语表达,就不必像书面语那样讲求严密,都会下意识地使用一些不规范的词语或不合语法规范的句子。常见的失误有:

(1)语法错误

搭配不当。例如:"我在大家的鼓励和关怀中得到了力量。"本句的语病在于状语和中心语搭配不当。句中的"在……中"应改为"从……中"。"要提高大家保持共产党员先进性教育的意识",这句话动宾搭配不当,并缺少必要的介词。可改为"提高大家对保持共产党员先进性教育的认识"或"增强大家保持共产党员先进性的意识"。

成分残缺或赘余。例如:"这次旅游拓宽了境界",句中缺定语,"境界"前应加个定语"我的精神(思想)"。"我的目标及前途打算如何? 我也不清楚。"这个句子犯了赘余的毛病,"目标""前途"都是"打算"的内容,只用其中一个就可以了。

语序不当。例如:"在医院里许多同学前天都关切地问我好些了吗?"此句的状语次序不当,应改为"前天,许多同学在医院里都关切地问我,好些了吗?"

句式杂糅,结构混乱。例如:"妈妈个子不高,留着短发,虽然不到五十岁,但已是鬓染银丝记录着生活对她的磨砺。"句中"鬓染银丝"既是对妈妈外貌的描绘,又用它作"记录"的主语,造成句子牵连杂糅。应在"银丝"后面略加停顿,再说"这缕缕银丝",补出"记录"的主语。

（2）使用方言词汇和语法格式

应试人词汇、语法使用规范与否，主要表现在话语中是否有方言成分。由于平时讲惯了方言，不少应试人往往下意识地用普通话的语音来说方言词和方言句子。例如："打盹儿"说成"丢盹"，"对眼儿"说成"对对眼"，"要紧"说成"紧要"，"膝盖"说成"圪膝盖"，"生病"说成"难活"，"搅拌"说成"圪搅"，"馒头"说成"馍馍"，"客气"说成"作假"。把"不想理你"说成"不待理你"，"我从河西来"说成"我赶河西来"，"走了一个小时"说成"走唠一个小时咧"，"他比我高"说成"他赶我高"，"那东西重不重?"说成"外东西重咧不?"，"买上什么了?"说成"买下甚咧?"，"我去商店"说成"我去商店呀么"，"你还没到那儿?"说成"你还没到那儿嘞哇?"

（3）滥用网络词语或生造词语

有些大学生在说话时，不时穿插几句时髦语或网络语（尤其是字母简缩形式）。如："美眉""大虾""帅呆""蛋白质""超爽""SB""1314"等，这些词语虽然可以风靡一时，但它们是有待规范的，应尽量少用。另外，有少数人说话时一时卡壳，想不出恰当的词语，就编造一个让人费解的词语代替。这些都是在说话时应着意避免的。

3.背诵底稿，书面语色彩过重

有些应试人选若干个说话题目分别写成了短文，或利用测试站提供的模本，事先背好，以应对测试。受测时，虽然未看稿子，但说出话来书面语色彩很重，或有明显的背诵腔调。更有甚者，在一个测试组里，十几个人所说的话题虽然不同，但内容相似。他们把老师辅导过的内容杂糅到一起，牵强附会地往所抽取的题目中套。这样千篇一律地背诵着别人的话，说着别人的事，缺乏真情实感，更谈不上自然流畅了。另一种现象是应试人说得很流畅，但没有朴实、自然的感情，话语中不乏书面语词，这也有背稿之嫌。要是将"诸如"说成"比方说"，"无须乎"说成"不必"，"我女儿很美丽"说成"我女儿很漂亮"，会显得自然活泼；将"午后二时许"改为"下午两点多"会更平实顺口；将"大家畅所欲言地谈论着心中的感受"改为"大家尽情地谈论着心中的感受"会更亲切生动。

4.内容贫乏，不达时限

应试人在开口说话之前，心中应该有一个说话提纲，这样便可以"胸有成竹""出口成章"了。然而,有些应试人在测试准备阶段,没有意识到说话的难度,根本不对所选话题作分析、列提纲,临测时又没能静下心来,围绕选定的话题进行思考和组织语言。因此,说话时没有一个确定的中心,想一句说一句,"脚踩西瓜皮,滑到哪里算哪里"。由于思维混乱,很难说出一段相对完整的话。选词不时卡壳,急不择语时,又表现得吞吞吐吐。有的人借助口头禅"嗯""啊""呃""啦""呢""这个""的话""那个"等词语,搪塞或拖延时间。有的人不善于临场应变发挥,机械地、无意义地重复着某一句话。例如有位同学在谈《学习普通话的感受》时,反复说着"说普通话其实是一件很有意义的事……"。还有人在说话中将话题引到某篇朗读短文中,背诵起其中的一些句子。如谈着《难忘的旅行》,却整段地背起了朗读篇目——《香山红叶》。有人在说《我最爱听的一首歌》时没有谈出他为什么喜欢这首歌,怎样喜欢并喜欢到何种程度,却背诵起歌词来,甚至索性唱了起来,竟忘记了此时是在考查语言表达。由于内容贫乏,无话可谈,为尽快结束尴尬局面,只好草草收场,说话不达时限。

5.说话拉杂,偏离话题

　　口语与书面语相比,最大的特点就是可以边说边修正或补充。有时在脱口而出之后,觉得说得不够清楚,可以穿插一些内容,作补充说明。但有的应试人为了解释某一个问题,穿插了相关的内容,说着说着就偏离到另一个话题上去了。例如:有人在谈《我心目中的教师职业》时,刚说了句"自己最喜欢的莫过于教师这一职业",话题一转,便谈到了他的一节物理实习课,讲开了"光学原理"。没有涉及他对教师这一职业的看法,更没有对辛勤园丁的赞美。审题不当会跑题偏离;而剪裁不当、当详不详就会表达不清,当简不简又会显得啰嗦。在说话时要紧扣中心选材,既要防止无话可说,又要避免拉拉杂杂、离题万里。例如:有人在讲《我最尊敬的人》时,把所尊敬的人性格中的优缺点,为人处事的长处、短处一股脑倒出。谈到两人曾闹过矛盾时,竟说有时自己也很讨厌他。他越说越糊涂,始终没说清楚他是尊敬这个人,还是讨厌这个人。这就是取材芜杂造成的结果。

6.过分紧张,语流不畅

　　应试人事后谈自己在测试中的表现时,大多对说话部分的发挥不满意。究其原因,主要是心理因素造成的。有的说话时心情紧张,担心不拿稿子说不好,或是无话可说。有的追求完美,认为要说就得说好,致使自己一时"金口难开"。还有的过于自卑,认为自己来自方言区,担心说不好,被人笑话,为有意回避难点音,出现思维障碍,语流不畅,吞吞吐吐。有的初次经历这样的口语考试,面对"考官"和话筒,大脑骤然高度紧张,造成呼吸急促、心跳加快、血压升高、大汗淋漓、肌肉颤抖等现象,甚至一开口便声音发颤,断断续续,话不流畅,语不成调,方言迭出,出现许多不该出现的错误。还有个别人竟坐在那里一时回不过神来,不知如何是好。

由此看来,说话项测试与常规的笔试相比,更需要应试人具备良好的心理素质,而这种心理素质是建立在具备较高的语言能力基础上的。说话是一种综合能力,它是在知识积累和技能掌握的基础上培养和发展起来的。因此,应试人既要在测试前做好充分的准备,更要注意在平时培养良好的心理素质,优化思维方式,提高自己的普通话口语表达能力,以平和心态看待成功与失败,以最佳的心理状态应对测试。

三、话题简析及围绕话题说话的准备

1.常用话题简析

《普通话水平测试大纲》提供的说话题目共 30 个,大致可分为三类。

(1)记叙类

2 号《我的学习生活》

3 号《我尊敬的人》

5 号《童年的记忆》

7 号《难忘的旅行》

8 号《我的朋友》

11 号《我的业余生活》

15 号《我的假日生活》

16 号《我的成长之路》

19 号《我和体育》

20 号《我的家乡(或熟悉的地方)》

23 号《我所在的集体(学校、机关、公司等)》

26 号《我喜欢的明星(或其他知名人士)》

29 号《我向往的地方》

(2)议论类

10 号《谈谈卫生与健康》

13 号《学习普通话的体会》

17 号《谈谈科技发展与社会生活》

24 号《谈谈社会公德(或职业道德)》

25 号《谈谈个人修养》

28 号《谈谈对环境保护的认识》

30 号《购物(消费)的感受》

(3)说明类

1 号《我的愿望》

4 号《我喜爱的动物(或植物)》

6 号《我喜爱的职业》

9 号《我喜爱的文学(或其他)艺术形式》

12 号《我喜欢的季节(或天气)》

14 号《谈谈服饰》

18 号《我知道的风俗》

21 号《谈谈美食》

22 号《我喜欢的节日》

27 号《我喜爱的书刊》

以上并非严格分类,应试人可根据自己所熟悉的材料和说话习惯,灵活运用各种表达方式。现选几个常用话题做些提示:

2 号《我的学习生活》若采用记叙式,可以叙述一日的学习生活;也可分阶段去说 (如小学、中学、大学);也可单说某一阶段。交代在何时何地学习,讲述在与老师、同学的交往中,有哪些至今难以忘怀的事情。或者重点谈谈你是如何刻苦学习的,遇到过什么困难,那段学习生活对你自己的成长有何意义。

7 号《难忘的旅行》用"难忘"一词作修饰语,可见此行非同一般,也许旅途中发生的某一事件或看到的某一景象,能触动你的心灵,引起深思,有所感悟。可以抒发对祖国大好河山的赞美之情,也可以将旅行与人生旅程相联系,谈谈你的独特感受。当然旅行的时间、地点及行程也是不容忽略的。

14 号《谈谈服饰》若采用说明式,可以首先介绍服装所具有的功效(遮体、御寒和装饰),其次谈服装的民族特点,即不同民族、不同地域在着装上的差异,再谈着装不仅体现着个人审美和文化素养,也代表着一个民族的精神风貌。还可介绍几款你喜欢的服装,从款式、面料、颜色、质地等几方面谈谈不同场合对服饰的要求。也可从观看某一服装模特大赛说起,说明服饰的变迁以及你对服饰的独到见解等。

17 号《谈谈科技发展与社会生活》首先确定表达方式,可选择议论,也可选择记叙。要讲二者的关系最好选择议论。可以按照议论文的结构形式,即提出问题——分析问题——解决问题来构思完成。先讲述科技发展与社会生活之间的关系,然后可列举若干实例,如古代的火药、地动仪、指南针……近代的电灯、电话、汽车……当今的网络、电脑等都和社会生活有着密切的关系。科技发展会推动社会进步,使人类生活得更美好。最后归纳出中心论点:我们应倡导重视科技教育和研究。

24 号《谈谈社会公德》这个题目要求回答什么是社会公德,为什么要遵守社会公德等问题。可以从当前社会对公德的呼唤去谈,也可以围绕遵守社会公德要求人们从我做起、从小事做起展开。比如在公交车上,给老人让座;维护环境卫生,不随地扔纸屑等,也可列举遵守社会公德,体现精神文明的具体事例,呼吁人们遵守社会公德,共创美好生活。

由于《普通话水平测试大纲》对说话内容没有做具体要求,且 30 个话题并不避免部分内容有重合,因此没有必要准备 30 组材料,某一素材也许能用在几个话题上。例如:《童年的记忆》、《我的成长之路》、《我知道的风俗》、《我的愿望》等话题都可以用大体相同的素材。大家尽可以“举一反三,触类旁通”。

无论你选定哪一类话题,为了要有话可说,最好说你熟悉的人和事。说人的话题,要突出人物的特点,如老师的严谨、妈妈的慈祥、朋友的宽容。都需用具体生动的事例加以叙述并说明他们如何令你敬佩。说事的话题要点明事件发生的时间、地点、人物、缘由、经过、结果,应抒发感受。说物的话题,要说明爱或憎的对象,重点说喜爱或厌恶的原因。最好选择自己熟悉的小说、电影、格言、动(植)物等,不妨借用有关的内容。议论类话题应举一两个具体事例来证明自己的观点,最后做出结论。

2.围绕话题说话的准备

也许有人会觉得为说话作准备是"小题大做",其实人们对"说话"往往有多种误解,把它当成背诵短文、即兴演讲、朗诵或者讲故事。在普通话水平测试中,这些非正常"说话"的现象是很普遍的,它们与说话的要求大相径庭。如何调整自己的语言行为,以适应普通话水平测试这个特定条件、特定要求,是每个应试人首先要解决的问题。其次,要做到应试时有话可说,就必须解决"说什么""怎么说"等问题。因此,测试前的准备是很有必要的。有许多人认为自己普通话水平还可以,说三分钟话不成问题,便懒得去了解命题说话的具体要求,抱着侥幸过关的心理,结果临场无话可说。还有的人则把 30 个话题写成作文或讲稿,死记硬背,结果临场忘了词。这两种人的"话",或者不能自然流畅地表达,或者失去了口语色彩,都违背了"说话"项测试的要求。

说话自然流畅与否在很大程度上取决于思路是否清晰,说不清楚常常是因为想不清楚。因此,测试前应该从以下几个方面做准备:

(1)要认真审题 由于题目的类型不同,它们的要求也不尽相同,应先确定话题类型和说话范围。话题的分类并不是绝对的,有的话题既可以作为记叙类,又可以作为议论类。有的话题可以从人的角度去说,也可以从事物的角度去说。明确了话题类型,确定了内容范围就能扣住题目。

(2)确定主题 主题就是应试人根据选定的题目,经过粗略选材和构思后所形成的自己要表达的主要意思,一个话题突出一个主要意思即可。

(3)合理选材 选材要紧紧围绕主题,最好说身边熟悉的人、事、物。所用材料越真实越容易表达。善于选择材料的人,说起话来有条不紊、从容不迫;不善于选择材料的人,说起话来拉拉杂杂,不得要领。

(4)结构合理,层次分明 不同的话题有不同的结构,材料的安排要详略得当,层次分明。这一点,对议论、说明类的话题尤为重要。议论要讲清自己所评论的问题,提出自己的观点,用简洁的语言概括出结论;说明要注意观察的角度和顺序,理清说明头绪。

（5）列出说话提纲　想好说话要点，再想好开头语和结束语，以后就顺理成"章"了。

（6）掌握正确的读音　在说话训练时要时刻想着"说话项"测试是在考查你的普通话水平，一定要说准所选材料中的词语，强化训练自己的难点音。同时要注意儿化韵、音变的把握以及轻重音、节奏、语气等的处理。这类问题，应以"语音""朗读"部分的知识为指导。

（7）运用规范的词语和语法　在准备说话材料时，要考虑用词用语的规范，切记不要用方言词汇和语法，应按照方言与普通话的对应关系，转换自己的用词用语，通过训练，改变自己用词用语的错误习惯。

（8）保持良好的心态　要做好应试的心理调适，顺应普通话水平测试的特定环境，灵活运用口语表达技巧，树立自信，大胆发挥，充分展示自己的普通话水平。

【第三十八讲】

普通话水平测试

一、普通话水平测试的性质和目的

普通话水平测试是检测应试人掌握普通话的规范程度和运用普通话的实际水平,并认定其等级的口语考试。它是在教育部、国家语言文字工作委员会(以下简称国家语委)的领导下,各省语言文字主管部门根据国家统一的测试大纲、标准和要求,组织进行的一项国家级标准参照性考试。它为应试人颁发全国统一的普通话水平等级证书,为逐步实行的持证上岗制度服务。所以,普通话水平测试实际上也是一种资格证书考试。开展普通话水平测试是促进普通话普及和提高的基本措施之一,也是使推普工作走上制度化、规范化、科学化轨道的重要举措之一。

二、普通话水平测试简述

普通话是我国各地区、各民族之间的通用语言。早在 1956 年,国务院就发布了《关于推广普通话的指示》,全社会迅速掀起了推广和学习普通话的热潮。从1956年到20世纪80年代初,尽管其间出现过"文化大革命"的曲折,但由于推广普通话工作符合社会发展的需要,仍然取得了显著的成效。1982年,《中华人民共和国宪法》明确规定:"国家推广全国通用的普通话。"使普通话具有了明确的法律地位。经过几十年的努力,推广普通话工作取得了显著的成效。但由于我国幅员辽阔、人口众多,方言分歧严重,人们运用普通话的水平差异很大。如何反映人们之间的这种差异,或对某个人的普通话水平作一准确评价,需要有个量化的测量标准,因此,就应当有个要求和科学地划分普通话等级的标准。可以说普通话水平测试应运而生,是适应社会发展需求而诞生的新生事物。

1986年全国语言文字工作会议的主题报告《新时期的语言文字工作》,最早以文件的形式讨论了普通话的等级问题。1988年底,国家语委成立了"普通话水平测试等级标准"课题组,组织专家进行普通话水平测试课题研究,拟定了《普通话水平测试等级标准》。1992年国务院在批转《国家语委关于当前语言文字工作请示的通知》(国发〔1992〕63号文件)中强调指出:"推广普通话对于改革开放和社会主义现代化建设具有重要意义,必须给予高度重视。"1994年10月,国家语委和原广播电影电视部联合发出《关于开展普通话水平测试工作的决定》,并以附件形式颁发了《普通话水平测试实施办法(试行)》、《普通话水平测试等级标准(试行)》。随着普通话水平测试工作在全国陆续开展,《普通话水平测试等级标准》逐步被社会认知。1997年国家语委颁布了《关于普通话水平测试管理工作的若干规定(试行)》,并正式颁布了再次修订的《普通话水平测试等级标准(试行)》。2000年9月,教育部发布的《〈教师资格条例〉实施办法》将普通话列为教师资格认定的必备条件之一。2001年1月1日起实施的《中华人民共和国国家通用语言文字法》,"是我国第一部语言文字方面的专项法律,它体现了国家的语言文字方针、政策,科学地总结了新中国成立50多年来语言文字工作的成功经验,第一次以法律的形式明确了普通话和规范汉字作为国家通用语言文字的地位,对国家通用语言文字的使用做出了规定"。这项法律再次明确"国家推广普通话",并载入了有关普通话水平测试的条款。它标志着我国的语言文字规范化工作开始走上法制轨道,进入了一个新的发展时期。

2003年5月,教育部第16号令发布了部门规章《普通话水平测试管理规定》;同年10月,教育部、国家语委正式发布了新修订的《普通话水平测试大纲》(以下简称《大纲》);2004年1月,由国家语委普通话培训测试中心编制,教育部语言文字应用管理司审定的《普通话水平测试实施纲要》(以下简称《实施纲要》)正式出版。《实施纲要》在体例和结构上与1994年版《大纲》

一致,只是在原《大纲》规定的基础上,总结几年来的经验,提高了科学性和可操作性,并保持了普通话水平测试工作的延续性。《大纲》是测试的要求,《实施纲要》是测试的内容,此次修订将二者分开,使人们更便于认识和把握。

2004年7月,全国普通话水平测试管理工作会议在山西太原召开。这次会议是普通话水平测试工作开展10年来首次召开的管理工作会议。国家语委主任做了题为《再接再厉,团结奋进,开创普通话水平测试工作新局面》的重要讲话,并对测试工作10年来的成绩给予了高度的评价。

目前,全国已有26个省(自治区、直辖市)建立了省级测试机构。共有市级测试站350个,高校测试站505个,行业测试站52个。全国已有国家级测试员3164人,省级测试员31 777人,累计测试达1400多万人次。

三、普通话水平测试的对象和应达等级

现阶段山西省应接受测试的对象和对其普通话水平等级要求是:

(一)学校或其他教育机构的教师,不低于二级乙等,其中语文教师和对外汉语教学教师不低于二级甲等,语音教师不低于一级乙等;

(二)即将毕业的大中专院校学生应达到三级以上水平,其中师范类院校学生不低于二级乙等,师范类中文专业学生不低于二级甲等;

(三)省级电台、电视台的播音员、节目主持人要达到一级甲等,其他电台、电视台的播音员、节目主持人不低于一级乙等;

(四)影视话剧演员不低于一级乙等;

(五)国家机关工作人员不低于三级甲等;

(六)公共服务行业从业人员应达到三级以上水平,其中播音员、话务员、解说员、导游员等特定岗位人员应达到二级以上水平。

以上应接受测试的对象为1954年1月1日以后出生者;1954年1月1日以前出生的上列人员,提倡使用普通话。

四、普通话水平测试内容及方式

根据《普通话水平测试大纲》,测试包括对应试人的普通话语音标准程度和掌握普通话词汇、语法规范程度以及语言表达水平的全面考查,共有5

个测试项,即读单音节字词、读多音节词语、选择判断、朗读短文、命题说话。根据山西省的实际情况,目前"选择判断"项免测,实际测试项为4项。总分100分。

普通话水平测试以口试方式进行,采取有文字凭借和无文字凭借(命题说话)两种方式进行。由经过国家和省级有关部门培训并取得资格证书的国家级和省级测试员主持评分。

第一项,读单音节字词(100个音节),共10分,限时3.5分钟。

100个音节(不含轻声、儿化音节)中,普通话的每个声母出现次数不少于3次,每个韵母出现次数不少于2次,4个声调出现次数大体均衡。目的是测查应试人的声母、韵母、声调发音的标准程度。应试人每读错1个音节(包括漏读)扣0.1分;每出现一个语音缺陷扣0.05分;超时1分钟以内扣0.5分;超时1分钟以上(含1分钟)扣1分。

第二项,读多音节词语(100个音节),共20分,限时2.5分钟。

100个音节中,大部分是双音节词,有少数多音节词。声韵调出现次数与第一项相同,此外,上声相连的词语不少于3个,上声与非上声相连的词语不少于4个,轻声词语不少于3个,儿化词语不少于4个。目的是测查应试人的声母、韵母、声调和变调、轻声、儿化等读音的标准程度。每个语音错误扣0.2分;每个语音缺陷扣0.1分;超时1分钟以内扣0.5分;超时1分钟以上(含1分钟)扣1分。

第三项,朗读短文(1篇,400个音节),共30分,限时4分钟。

朗读篇目从《普通话水平测试用朗读作品》中选取一篇,评分以朗读材料中斜线"//"前的400个音节为限。目的是测查应试人用普通话朗读书面材料的水平。在测查声母、韵母、声调读音标准程度的同时,重点测查连读音变、停连、语调及流畅程度。每读错一个音节(包括漏读、增读)扣0.1分;声母、韵母的系统性缺陷、语调偏误、停连不当、朗读不流畅(包括回读),都要视程度扣分;超时扣1分。

第四项,命题说话共40分,限时3分钟。

说话话题从《普通话水平测试用话题》中选取。由应试人从给定的两个话题中任选一个话题,连续说一段话。要求应试人单向说话。在应试人说的过程中,如有明显背稿子、偏离话题、难以继续等现象时,主试人(测试员)可及时提示或引导。目的是测查应试人在无文字凭借情况下的普通话运用水平。重点测查应试人的语音标准程度、词汇语法规范程度和自然流畅程度。

此项《大纲》规定满分为30分,并入山西省免测"选择判断"项的10分,山西省说话题满分变为 40 分。测试员根据应试人的语音标准程度(25 分)、词汇语法规范程度(10 分)、自然流畅程度(5 分)三个方面的情况分别评分。应试人说话时间若不足 3 分钟,缺时 1 分钟(含 1 分钟)内酌情扣 1~3 分;缺时 1 分钟以上,要扣 4~6 分;全部说话不足 30 秒,经测试员反复提示、干预无效,本项成绩计为 0 分。

五、普通话水平测试准备

测试是手段,提高才是目的。应试人要想真正提高普通话水平,不仅要在日常的工作和学习生活中有意识地训练,还应积极参加各测试站统一组织的测前培训或辅导。许多应试人缺乏对普通话的正确认识,自我感觉良好,不作任何测前准备就报名应试,结果大失所望。因此,在准备参加普通话水平测试前,参加测前培训,并进行针对性训练是十分必要的。

首先,应该对普通话水平测试的性质、目的、内容和方式以及普通话水平测试的相关问题,有个基本的了解,然后找出自身的不足,强化训练自己的难点音,要重点进行方音辨正的训练,改变以往用词用语的错误习惯。

其次,做好充分的心理准备,是应试人正常发挥的重要保证。若在测试中心理紧张会导致水平发挥失常;如能保持一颗平常心,对自己的测试结果有一个较客观的估计,就不会出现患得患失、发挥失常的现象。

参加普通话水平测试,除了具备扎实的普通话语音功底,保持镇定的心态外,把握应试技巧也是应该引起应试者注意的。

读单音节、多音节词语时,一定要做到字正腔圆认清、辨明并均匀地将每一个字词读准确,尽可能地减少失误。应试人往往因发音草率、太快而缩短音节的读音时间,使字音的调值读不到位,这些都容易造成缺陷而失分。读多音节词语时,应试人还要特别注意读准上声变调词语、轻声词、儿化词等音节。

朗读短文时,首先应读准字、词、句。其次要注意语音的连读音变(上声、"一"、"不"、"啊")以及停连等。朗读不同于朗诵,不需要过多地考虑感情的处理和发音艺术技巧等,应把握好节奏和速度。这里特别要强调,此项测试对读错、漏读、增读、回读及停顿、断句不当等均作错误处理。所以应试人一旦发现失误,不宜慌张,也不要对错误进行纠正(不要回读)。

命题说话项是综合性较强、检测水平较高的测试内容,是普通话水平测试的重中之重,本书中有专门的章节进行指导。

六、普通话水平测试规程

1.报名

　　按规定应接受普通话水平测试的人员由所在单位到归口的测试站集体报名。目前,山西省有市级测试站 11 个,高等院校测试站 42 个,广电系统测试站 1 个。已设站的高等院校师生和管理人员在本校报名;未设站的高等院校和其他学校的师生及管理人员到各市测试站报名;其他系统的人员到本系统或所在市测试站报名。自愿接受测试的社会人员可直接到各市测试站报名。

　　报名时,须携带有效证件(身份证、学生证、工作证等)和一寸近期免冠照片 2 张,填写《山西省普通话水平测试申报考核表》,按规定交纳测试费用。

2.规程

　　(1)各测试站应在测试前一周按报名人数到省语言文字培训测试中心领取试卷,并根据测试计划和报名情况,提前做好考场安排工作。

　　(2)考试现场应设抽签室、候测室、测试室。应试人凭有效证件进入抽签室,经查验无误后,方可抽取顺序号、试题等,进入候测室准备 10 分钟,按顺序进入测试室接受测试。每个测试室只允许一名应试人在场,由 2～3 名测试员主试。

　　(3)测试全程录音。完整的测试录音内容包括单位、姓名、试卷以及全部测试项内容,以备复审。

　　(4)普通话水平测试等级证书由国家语言文字工作部门统一印制,省语委办审核、编号并加盖印章后颁发。全国通用。

　　(5)应试人若要求再次参加测试,可重新报名,但两次测试间隔时间不得少于 3 个月。

附　录

普通话水平测试等级标准(试行)

(国家语言文字工作委员会 1997 年 12 月 5 日颁布,国语〔1997〕64 号)

一级

甲等　朗读和自由交谈时,语音标准,词汇、语法正确无误,语调自然,表达流畅,测试总失分率在3%以内。

乙等　朗读和自由交谈时，语音标准，词汇、语法正确无误，语调自然，表达流畅。偶然有字音、字调失误。测试总失分率在8%以内。

二　级

甲等　朗读和自由交谈时，声韵调发音基本标准，语调自然，表达流畅。少数难点音(平翘舌音、前后鼻尾音、边鼻音等)有时出现失误。词汇、语法极少有误。测试总失分率在13%以内。

乙等　朗读和自由交谈时，个别调值不准，声韵母发音有不到位现象。难点音(平翘舌音、前后鼻尾音、边鼻音、fu－hu、z－zh－j、送气不送气、i－ü不分、保留浊塞音和浊塞擦音、丢介音、复韵母单音化等)失误较多。方言语调不明显。有使用方言词、方言语法的情况。测试总失分率在20%以内。

三　级

甲等　朗读和自由交谈时，声韵调发音失误较多，难点音超出常见范围，声调调值多不准。方言语调较明显。词汇、语法有失误。测试总失分率在30%以内。

乙等　朗读和自由交谈时，声韵调发音失误多，方音特征突出。方言语调明显。词汇、语法失误较多。外地人听其谈话有听不懂情况。测试总失分率在40%以内。

普通话水平测试样卷

一、读单音节字词(100个音节，共10分，限时3.5分钟)

签	女	雄	块	驱	饭	炯	另	艘	床
伞	眉	醉	袜	羹	不	您	促	抬	准
枪	俘	仰	憎	熏	庞	粤	鸟	瞎	蕊
圣	神	搭	破	法	牌	苟	裙	赚	统
黯	激	跤	坠	朽	瘸	丝	劳	授	磕
蠢	塌	扰	条	篓	丢	远	国	黄	你
梳	并	恩	海	磁	跌	景	摹	炒	章
攘	糟	匾	仄	巴	电	觅	硫	内	饶
萌	黑	我	甩	肉	临	日	虫	许	让
池	倦	抵	瓜	蹲	恐	雄	尖	而	韦

二、读多音节词语(100个音节,共20分,限时2.5分钟)

综合	培育	进化	主人翁	怀念
逃走	亏损	军事	影子	放松
爆炸	封锁	加入	铺盖	佛像
刀背儿	选举	热闹	传播	聪明
奇怪	无穷	咖啡	状况	权利
扇面儿	轻描淡写	运行	虐待	牛皮
奶粉	盎然	政治	词汇	柴火
一律	战略	谬论	将来	存款
玩耍	贵宾	唱歌儿	恰当	咏叹调
偶尔	钢铁	小偷儿		

三、朗读短文(400个音节,共30分,限时4分钟)

作品12号

夕阳落山不久,西方的天空,还燃烧着一片橘红色的晚霞。大海,也被这霞光染成了红色,而且比天空的景色更要壮观。因为它是活动的,每当一排排波浪涌起的时候,那映照在浪峰上的霞光,又红又亮,简直就像一片霍霍燃烧着的火焰,闪烁着,消失了。而后面的一排,又闪烁着、滚动着,涌了过来。

天空的霞光渐渐地淡下去了,深红的颜色变成了绯红,绯红又变为浅红。最后,当这一切红光都消失了的时候,那突然显得高而远了的天空,则呈现出一片肃穆的神色。最早出现的启明星,在这蓝色的天幕上闪烁起来了。它是那么大,那么亮,整个广漠的天幕上只有它在那里放射着令人注目的光辉,活像一盏悬挂在高空的明灯。

夜色加浓,苍空中的"明灯"越来越多了。而城市各处的真的灯火也次第亮了起来,尤其是围绕在海港周围山坡上的那一片灯光,从半空倒映在乌蓝的海面上,随着波浪,晃动着,闪烁着,像一串流动着的珍珠,和那一片片密布在苍穹里的星斗互相辉映,煞是好看。

在这幽美的夜色中,我踏着软绵绵的沙滩,沿着海边,慢慢地向前走去。海水,轻轻地抚摸着细软的沙滩,发出温柔的//刷刷声。……

四、命题说话(请在下列话题中任选一个,共40分,限时3分钟)

1.我的业余生活

2.谈谈对环境保护的认识

附 录

一、普通话异读词审音表

　　中国文字改革委员会普通话审音委员会,于 1957 年、1959 年至 1962 年先后发表了《普通话异读词审音表初稿》正编、续编和三编,1963 年公布《普通话异读词三次审音总表初稿》。经过 20 多年的实际应用,普通话审音委员会在总结经验的基础上,于 1982 年至 1985 年组织专家学者进行审核修订,制定了《普通话异读词审音表》,这个审音表经过国家语言文字工作委员会、国家教育委员会、广播电视部(现为广播电影电视部)审查通过,于 1985 年 12 月联合发布。

说　明

　　一、本表所审,主要是普通话有异读的词和有异读的作为"语素"的字。不列出多音多义字的全部读音和全部义项,与字典、词典形式不同。例如:"和"字有多种义项和读音,而本表仅列出原有异读的 8 条词语,分列于 hè 和 huo 两种读音之下(有多种读音,较常见的在前。下同);其余无异读的音、义均不涉及。

　　二、在字后注明"统读"的,表示此字不论用于任何词语中只读一音(轻声变读不受此限),本表不再举出词例。例如:"阀"字注明"fá(统读)",原表"军阀"、"学阀"、"财阀"条和原表所无的"阀门"等词均不再举。

　　三、在字后不注"统读"的,表示此字有几种读音,本表只审订其中有异读的词语的读音。例如"艾"字本有 ài 和 yì 两音,本表只举"自怨自艾"一词,注明此处读 yì 音;至于 ài 音及其义项,并无异读,不再赘列。

　　四、有些字有文白二读,本表以"文"和"语"作注。前者一般用于书面语言,用于复音词和文言成语中,后者多用于口语中的单音词及少数日常生活事物的复音词中。这种情况在必要时各举词语为例。例如:"杉"字下注"(一)shān(文):紫～、红～、水～;(二)shā(语):～篙、～木"。

五、有些字除附举词例之外,酌加简单说明,以便读者分辨。说明或按具体字义,或按"动作义"、"名物义"等区分,例如:"畜"字下注"(一)chù(名物义):～力、家～、牲～、幼～;(二)xù(动作义):～产、～牧、～养"。

六、有些字的几种读音中某读音用处较窄,另音用处甚宽,则注"除××(较少的词)念乙音外,其他都念甲音",以避免列举词条繁而未尽,挂一漏万的缺点。例如:"结"字下注"除'～了个果子'、'开花～果''～巴''～实'念 jiē 之外,其他都念 jié"。

七、由于轻声问题比较复杂,除《初稿》涉及的部分轻声词之外,本表一般不予审订,并删去部分原审的轻声词,例如"麻刀(dao)"、"容易(yi)"等。

八、本表酌增少量有异读的字或词,做了审订。

九、除因第二、六、七各条说明中所举原因而删略的词条之外,本表又删汰了部分词条。主要原因是:1.现已无异读(如"队伍"、"理会");2.罕用词语(如"俵分"、"仔密");3.方言土音(如"归里包堆〔zuī〕"、"告送〔song〕");4.不常用的文言词语(如"刍荛"、"甗甊");5.音变现象(如"胡里八涂〔tū〕"、"毛毛腾腾〔tēngtēng〕");6.重复累赘(如原表"色"字的有关词语分列达 23 条之多)。删汰条目不再编入。

十、人名、地名的异读审订,除原表已涉及的少量词条外,留待以后再审。

A

阿(一)ā

～訇　～罗汉

～木林　～姨

(二)ē

～谀　～附

～胶　～弥陀佛

挨(一)āi

～个　～近

(二)ái

～打　～说

癌 ái(统读)

霭 ǎi(统读)

蔼 ǎi(统读)

隘 ài(统读)

谙 ān(统读)

埯 ǎn(统读)

昂 áng(统读)

凹 āo(统读)

拗(一)ào

～口

(二)niù

执～　脾气很～

坳 ào(统读)

B

拔 bá(统读)

把 bà

印～子

白 bái(统读)

膀 bǎng

翅～

蚌(一)bàng

蛤

(二)bèng

～埠

傍 bàng(统读)

磅 bàng

过～

龅 bāo(统读)

胞 bāo(统读)

薄(一)báo(语)

常单用,如

"纸很～"。

(二)bó(文)多用

于复音词。

～弱　稀～

淡～　尖嘴～舌

单～　厚

堡(一)bǎo

碉～　～垒

(二)bǔ

～子　吴～

瓦窑～　柴沟～

(三)pù

十里～

暴(一)bào

～露

(二)pù

一～(曝)十寒

爆 bào(统读)

焙 bèi(统读)

悖 bèi(统读)

背 bèi

～脊　～静

鄙 bǐ(统读)

俾 bǐ(统读)

笔 bǐ(统读)

比 bǐ(统读)

臂(一)bì

手～　～膀

(二)bei

胳～

庇 bì(统读)

髀 bì(统读)

避 bì(统读)

辟 bì

复~

裨 bì
　~补　~益
婢 bì(统读)
痹 bì(统读)
壁 bì(统读)
蝙 biān(统读)
遍 biàn(统读)
骠(一)biāo
　黄~马
　(二)piào
　~骑　~勇
傧 bīn(统读)
缤 bīn(统读)
濒 bīn(统读)
鬓 bìn(统读)
屏(一)bǐng
　~除　~弃
　~气　~息
　(二)píng
　~藩　~风
柄 bǐng(统读)
波 bō(统读)
播 bō(统读)
菠 bō(统读)
剥(一)bō(文)
　~削
　(二)bāo(语)
泊(一)bó
　淡~　飘~
　停~
　(二)pō
　湖~　血~

帛 bó(统读)
勃 bó(统读)
钹 bó(统读)
伯(一)bó
　~~(bo)　老~
　(二)bǎi
　大~子(丈夫的
　哥哥)
箔 bó(统读)
簸(一)bǒ
　颠~
　(二)bò
　~箕
膊 bo
胳~
卜 bo
萝~
醭 bú(统读)
哺 bǔ(统读)
捕 bǔ(统读)
鹁 bǔ(统读)
埠 bù(统读)

C

残 cán(统读)
惭 cán(统读)
灿 càn(统读)
藏(一)cáng
　矿~
　(二)zàng
　宝~
糙 cāo(统读)
嘈 cáo(统读)
螬 cáo(统读)

厕 cè(统读)
岑 cén(统读)
差(一)chā(文)
　不~累黍　不~
　什么　偏~
　色~　~别
　视~误~
　电势~
　一念之~　~池
　~错　言~语错
　一~二错
　阴错阳~　~等
　~额　~价
　~强人意　~数
　~异
　(二)chà(语)
　~不多　~不离
　~点儿
　(三)cī
　参~
猹 chá(统读)
搽 chá(统读)
阐 chǎn(统读)
羼 chàn(统读)
颤(一)chàn
　~动　发~
　(二)zhàn
　~栗(战栗) 打
　~(打战)
韂 chàn(统读)
伥 chāng(统读)
场(一)chǎng
　~合　~所

冷~
捧~
　(二)cháng
　外~　圩~
　~院　一~雨
　(三)chang
　排~
钞 chāo(统读)
巢 cháo(统读)
嘲 cháo
　~讽　~骂
　~笑
剿 chào(统读)
车(一)chē
　安步当~　杯水
　~薪　闭门造~
　螳臂当~
　(二)jū
　(象棋棋子名称)
晨 chén(统读)
称 chèn
　~心　~意
　~职　对~　相~
撑 chēng(统读)
乘(动作义，念
chéng)
　包~制　~便
　~风破浪　~客
　~势　~兴
橙 chéng(统读)
惩 chéng(统读)
澄(一)chéng(文)
　~清(如"~清混

乱"、"~清问
题")

（二）dèng（语）

单用，如"把水~

清了"。

痴 chī(统读)

吃 chī(统读)

弛 chí(统读)

褫 chí(统读)

尺 chǐ

寸(~头)

豉 chǐ(统读)

侈 chǐ(统读)

炽 chì(统读)

春 chōng(统读)

冲 chòng

~床　~模

臭(一)chòu

遗~万年

（二）xiù

乳~　铜~

储 chǔ(统读)

处 chǔ(动作义)

~罚　~分

~决　~理

~女　~置

畜(一)chù(名物义)

~力　家~　牲

~　幼~

（二）xù(动作义)

~产　~牧

~养

触 chù(统读)

搐 chù(统读)

绌 chù(统读)

黜 chù(统读)

闯 chuǎng(统读)

创(一)chuàng

草~　~举

首~　~造　~作

（二）chuāng

~伤　重~

绰(一)chuò

~~有余

（二）chuo

宽~

疵 cī(统读)

雌 cí(统读)

赐 cì(统读)

伺 cì

~候

枞(一)cōng

~树

（二）zōng

~阳〔地名〕

从 cóng(统读)

丛 cóng(统读)

攒 cuán

万头~动

万箭~心

脆 cuì(统读)

撮(一)cuō

~儿　一~儿盐

一~儿匪帮

（二）zuǒ

一~儿毛

措 cuò(统读)

D

搭 dā(统读)

答(一)dá

报~　~复

（二）dā

~理　~应

打 dá

苏~

一~(十二个)

大(一)dà

~夫(古官名)

~王(如爆破

~王、钢铁~王)

（二）dài

~夫(医生)

~黄　~王(如

山~王）　~城

〔地名〕

呆 dāi(统读)

傣 dǎi(统读)

逮(一)dài(如文)

"~捕"。

（二）dǎi（语）单

用，用"~蚊子"、

"~特务"。

当(一)dāng

~地　~间儿

~年(指过去)

~日(指过去)

~天(指过去)

~时(指过去)

螳臂~车

（二）dàng

一个~俩　安步

~车　适~

~年(同一年)

~日(同一天)

档 dàng(统读)

蹈 dǎo(统读)

导 dǎo(统读)

倒(一)dǎo

颠~　颠~是非

颠~黑白　颠三

~四　倾箱~箧

排山~海　~板

~嚼　~仓

~嗓　~戈　潦~

（二）dào

~粪(把粪弄碎)

悼 dào(统读)

纛 dào(统读)

凳 dèng(统读)

羝 dī(统读)

氐 dī〔古民族名〕

堤 dī(统读)

提 dī

~防

的 dí

~当　~确

抵 dǐ(统读)

蒂 dì(统读)

缔 dì(统读)

谛 dì(统读)

点 diǎn

打~(收拾、贿

略)

跌 diē(统读)

蝶 dié(统读)

订 dìng(统读)

都(一)dōu

~来了

(二)dū

~市 首~ 大

~(大多)

堆 duī(统读)

吨 dūn(统读)

盾 dùn(统读)

多 duō(统读)

咄 duō(统读)

掇(一)duō("拾取、

采取"义)

(二)duo

撺~ 掂~

裰 duō(统读)

踱 duó(统读)

度 duó(统读)

忖~ ~德量力

E

婀 ē(统读)

F

伐 fá(统读)

阀 fá(统读)

砝 fá(统读)

法 fǎ(统读)

发 fà(统读)

理~ 脱~ 结

帆 fān(统读)

藩 fān(统读)

梵 fàn(统读)

坊(一)fāng 牌~

~巷

(二)fáng

粉~ 磨~ 碾

~ 染~ 油~

谷~

妨 fáng(统读)

防 fáng(统读)

肪 fáng(统读)

沸 fèi(统读)

汾 fén(统读)

讽 fěng(统读)

肤 fū(统读)

俘 fú(统读)

敷 fū(统读)

浮 fú(统读)

服 fú(统读)

~毒 ~药

拂 fú(统读)

辐 fú(统读)

幅 fú(统读)

甫 fǔ(统读)

复 fù(统读)

缚 fù(统读)

G

噶 gá(统读)

冈 gāng(统读)

刚 gāng(统读)

岗 gǎng

~楼 ~哨

~子 门~

站~ 山~子

港 gǎng(统读)

葛(一)gé

~藤 ~布

瓜~

(二)gě〔姓〕(包括

单、复姓)

隔 gé(统读)

革 gé

~命 ~新 改~

合 gě(一升的十分之

一)

给(一)gěi(语)单

用。

(二)jǐ(文)

补~ 供~

供~制 ~予

配~ 自~自足

亘 gèn(统读)

更 gēng

五~ ~生

颈 gěng

脖~子

供(一)gōng

~给 提~

~销

(二)gòng

口~ 翻

上~

佝 gōu(统读)

枸 gǒu

~杞

勾 gòu

~当

估(除"~衣"读 gù

外,都读 gū)

骨(除"~碌"、"~朵"

读 gū 外,都读

gǔ)

谷 gǔ

~雨

锢 gù(统读)

冠(一)guān(名

物义)

~心病

(二)guàn(动

作义)

沐猴而~ ~军

犷 guǎng(统读)

诡 guǐ(统读)

桧(一)guì(树名)

(二)huì(人名)

"秦~"

刿 guì(统读)

聒 guō(统读)

蝈 guō(统读)

过(除姓氏读 guō

外,都读 guò)

H

虾 há

~蟆

哈(一)hǎ

~达

(二)hà

~什蚂

汗 hán

可~

附录 　291

巷 hàng

　～道

号 háo

寒～虫

和(一)hè

　唱～　附～

　曲高～寡

　(二)huo

　搀～　搅～

　暖～　热～　软～

貉(一)hé(文)

一丘之～

(二)háo(语)

　～绒　～子

壑 hè(统读)

褐 hè(统读)

喝 hè

　～彩　～道

　～令　～止

　呼幺～六

鹤 hè(统读)

黑 hēi(统读)

亨 hēng(统读)

横(一)héng

　～肉　～行霸道

　(二)hèng

　蛮～　～财

訇 hōng(统读)

虹(一)hóng(文)

　～彩　～吸

　(二)jiàng(语)单说

讧 hòng(统读)

囫 hú(统读)

瑚 hú(统读)

蝴 hú(统读)

桦 huà(统读)

徊 huái(统读)

踝 huái(统读)

浣 huàn(统读)

黄 huáng(统读)

荒 huang

饥～(指经济困难)

诲 huì(统读)

贿 huì(统读)

会 huì

　一～儿　多～儿

　～厌(生理名词)

混 hùn

　～合　～乱

　～凝土　～淆

　～血儿　～杂

蠖 huò(统读)

霍 huò(统读)

豁 huò

　～亮

获 huò(统读)

J

羁 jī(统读)

击 jī(统读)

奇 jī

　～数

芨 jī(统读)

缉(一)jī

通～　侦～

(二)qī

　～鞋口

几 jī

　茶～　条～

圾 jī(统读)

戢 jí(统读)

疾 jí(统读)

汲 jí(统读)

棘 jí(统读)

藉 jí　狼～(籍)

嫉 jí(统读)

脊 jí(统读)

纪(一)jǐ(姓)

　(二)jì

　～念　～律

　纲～　～元

偈 jì

　～语

绩 jì(统读)

迹 jì(统读)

寂 jì(统读)

箕 ji

　簸～

辑 ji

　逻～

茄 jiā

　雪～

夹 jiā

　～带藏掖　～道

　儿　～攻　～棍

　～生　～杂

　～竹桃　～注

浃 jiā(统读)

甲 jiǎ(统读)

歼 jiān(统读)

鞯 jiān(统读)

间(一)jiān

　～不容发　中～

　(二)jiàn

　中～儿　～道

　～谍　～断

　～或　～接　～距

　～隙　～续

　～阻　～作

　挑拨离～

趼 jiǎn(统读)

俭 jiǎn(统读)

缰 jiāng(统读)

膙 jiǎng(统读)

嚼(一)jiáo(语)

　味同～蜡

　咬文～字

　(二)jué(文)

　咀～　过屠门

　而大～

　(三)jiào

　倒～(倒嚼)

侥 jiǎo

　～幸

角(一)jiǎo

　八～(大茴香)

　～落　独～戏

　～膜　～度

　～儿　(犄～)

　～楼　勾心斗～

号~ 口~(嘴
~) 鹿~ 菜~
头~
(二)jué
~斗 ~儿(脚
色) 口~(吵
嘴) 主~儿
配~儿 ~力
捧~儿
脚(一)jiǎo
根~
(二)jué
~儿(也作"角
儿",脚色)
剿(一)jiǎo
围~
(二)chāo
~说 ~袭
校jiào
~勘 ~样
~正
较jiào(统读)
酵jiào(统读)
嗟jiē(统读)
疖jiē(统读)
结(除"~了个果
子"、"开花~
果"、"~巴"、"~
实"念 jiē 之外,
其他都念 jié)
睫jié(统读)
芥(一)jiè
~菜(一般的芥

菜) ~末
(二)gài
~菜(也作"盖
菜") ~蓝菜
矜jīn
~持 自~
~怜
仅jǐn
~~ 绝无~有
谨jǐn(统读)
觐jìn(统读)
浸jìn(统读)
斤jin
千~(起重的工
具)
茎jīng(统读)
粳jīng(统读)
鲸jīng(统读)
境jìng(统读)
痉jìng(统读)
劲jìng
刚~
窘jiǒng(统读)
究jiū(统读)
纠jiū(统读)
鞠jū(统读)
鞫jū(统读)
掬jū(统读)
苴jū(统读)
咀jǔ
~嚼
矩(一)jǔ
~形

(二)ju
规~
俱jù(统读)
龟jūn
~裂(也作"皲
裂")
菌(一)jūn
细~ 病~
杆~ 霉~
(二)jùn
香~ ~子
俊jùn(统读)

K
卡(一)kǎ
~宾枪 ~车
~介苗 ~片
~通
(二)qiǎ
~子 关~
揩kāi(统读)
慨kǎi(统读)
忾kài(统读)
勘kān(统读)
看kān
~管 ~护
~守
慷kāng(统读)
拷kǎo(统读)
坷kē
~拉(垃)
疴kē(统读)
壳(一)ké(语)
~儿 贝~儿

脑~ 驱~枪
(二)qiào(文)
地~ 甲~
躯~
可(一)kě
~~儿的
(二)kè
~汗
恪kè(统读)
刻kè(统读)
克kè
~扣
空(一)kōng
~心砖 ~城计
(二)kòng
~心吃药
眍kōu(统读)
矻kū(统读)
酷kù(统读)
框kuàng(统读)
矿kuàng(统读)
傀kuǐ(统读)
溃(一)kuì
~烂
(二)huì
~脓
篑kuì(统读)
括kuò(统读)

L
垃lā(统读)
邋lā(统读)
蛮lǎn(统读)
缆lǎn(统读)

蓝 lan

　苤 ~

琅 láng(统读)

捞 lāo(统读)

劳 láo(统读)

醪 láo(统读)

烙(一)lào(统读)

　~印　~铁

　~饼

(二)luò

　炮~　(古酷刑)

勒(一)lè(文)

　~逼　~令

　~派　~索

　悬崖~马

(二)lēi(语)多单

用。

擂(除"~台"、

"打～"读 lèi 外,

都读 léi)

礌 léi(统读)

羸 léi(统读)

蕾 léi(统读)

累(一)lèi

(辛劳义,如"受

~"〔受劳~〕)

(二)léi

(如"~赘")

(三)lěi

(牵连义,如"带

~"、"~及"、"连

~"、"赔~"、"牵

~"、"受 ~"〔受

牵 ~〕)

蠡(一)lí

　管窥~测

(二)lǐ

　~县　范~

喱 lí(统读)

连 lián(统读)

敛 liǎn(统读)

恋 liàn(统读)

量(一)liàng

　~入为出　忖~

(二)liang

　打~　掂~

踉 liàng

　~跄

潦 liáo

　~草　~倒

劣 liè(统读)

捩 liè(统读)

趔 liè(统读)

拎 līn(统读)

遴 lín(统读)

淋(一)lín

　~浴　~漓

　~巴

(二)lìn

　~硝　~盐

　~病

蛉 líng(统读)

榴 liú(统读)

馏(一)liú(文)

　如"干~"、

　"蒸~"。

(二)liù(语)

　如"~馒头"。

镏 liú

　~金

碌 liù

　~碡

笼(一)lóng(名物

义)

　~子　牢~

(二)lǒng(动作

义)

　~络　~括

　~统　~罩

偻(一)lóu

　佝~

(二)lǚ

　伛~

瞜 lou

　眍~

房 lǚ(统读)

捋 lǚ(统读)

露(一)lù(文)

　赤身~体　~天

　~骨　~头角

　藏头~尾　抛

头 ~ 面　~ 头

(矿)

(二)lòu(语)

　~富　~苗

　~光　~相

　~马脚　~头

橹 lú(统读)

将(一)lǔ

~胡子

(二)luō

　~袖子

绿(一)lǜ(语)

(二)lù(文)

　~林　鸭~江

李 luán(统读)

挛 luán(统读)

掠 lüè(统读)

囵 lún(统读)

络 luò

　~腮胡子

落(一)luò(文)

　~膘　~花生

　~魄　涨~

　~槽　着~

(二)lào(语)

　~架　~色

　~炕　~枕　~儿

　~ 子　(一种曲

艺)

(三)là(语)遗落

义。

　丢三~四　~在

后面

M

脉(除"~~"念

mòmò 外,一律念

mài)

漫 màn(统读)

蔓(一)màn(文)

　~延　不~不支

(二)wàn(语)

瓜~　压~

牤 māng(统读)

氓 máng

　流~

芒 máng(统读)

铆 mǎo(统读)

瑁 mào(统读)

虻 méng(统读)

盟 méng(统读)

祢 mí(统读)

眯(一)mí

　~了眼　（灰尘

等入目，也作

"迷"）

（二)mī

　~了一会儿（小

睡）　~缝着眼

（微微合目）

靡(一)mí

　~费

（二)mǐ

　风~　委~

　披~　秘(除"~

鲁"读 bì 外,都读

mì)

泌(一)mì(语)

分~

（二)bì(文)

　~阳〔地名〕

娩 miǎn(统读)

缈 miǎo(统读)

皿 mǐn(统读)

闵 mǐn(统读)

茗 míng(统读)

酩 mǐng(统读)

谬 miù(统读)

摸 mō(统读)

模(一)mó

　~范　~式

　~型　~糊

　~特儿　~棱两可

（二)mú

　~子　~具

　~样

膜 mó(统读)

摩 mó

　按~　抚~

嬷 mó(统读)

墨 mò(统读)

糖 mò(统读)

沫 mò(统读)

缪 móu

　绸~

N

难(一)nán

　困~　（或变轻

声）　~兄~弟

（难得的兄弟，

现多用作贬义）

（二)nàn

　排~解纷　发~

　刁~　责~

　~兄~弟(共患

难或同受苦难的

人)

蝻 nǎn(统读)

蛲 náo(统读)

讷 nè(统读)

馁 něi(统读)

嫩 nèn(统读)

恁 nèn(统读)

妮 nī(统读)

拈 niān(统读)

鲇 nián(统读)

酿 niàng(统读)

尿(一)niào

糖~症

（二)suī(只用于

口语名词)

尿(niào)　~~脬

嗫 niè(统读)

宁(一)níng

　安~

（二)nìng

　~可　无~〔姓〕

忸 niǔ(统读)

脓 nóng(统读)

弄(一)nòng

玩~

（二)lòng

　~堂

暖 nuǎn(统读)

衄 nù(统读)

疟(一)nüè(文)

　~疾

（二)yào(语)

发~子

娜(一)nuó

　婀~　袅~

（二)nà

（人名)

O

殴 ōu(统读)

呕 ǒu(统读)

P

杷 pá(统读)

琶 pá(统读)

牌 pái(统读)

排 pǎi

　~子车

迫 pǎi

　~击炮

湃 pài(统读)

爿 pán(统读)

胖 pán　心广体~

　（~为安舒貌)

蹒 pán(统读)

畔 pán(统读)

乓 pāng(统读)

滂 pāng(统读)

脬 pāo(统读)

胚 pēi(统读)

喷(一)pēn

　~嚏

（二)pèn

　~香

（三)pen

　嚏~

澎 péng(统读)

坯 pī(统读)

披 pī(统读)

匹 pǐ(统读)

僻 pì(统读)

譬 pì(统读)

片(一)piàn

　~子　唱~

　画~　相~　影~

　~儿会

（二）piān(口语一部分词)

　~子　~儿唱

　~儿　画~儿

　相~儿　影~儿

剽 piāo(统读)

缥 piāo

　~缈(飘渺)

撇 piē

　~弃

聘 pìn(统读)

乒 pīng(统读)

颇 pō(统读)

剖 pōu(统读)

仆(一)pū

　前~后继

（二）pú

　~从

扑 pū(统读)

朴(一)pǔ

　俭~　~素

　~质

（二）pō

　~刀

（三）pò

　~硝　厚~

蹼 pǔ(统读)

瀑 pù

　~布

曝(一)pù

　一~十寒

（二）bào

　~光（摄影术语）

Q

栖 qī

　两~

戚 qī(统读)

漆 qī(统读)

期 qī(统读)

蹊 qī

　~跷

蛴 qí(统读)

畦 qí(统读)

其 qí(统读)

骑 qí(统读)

企 qǐ(统读)

绮 qǐ(统读)

杞 qǐ(统读)

槭 qì(统读)

洽 qià(统读)

签 qiān(统读)

潜 qián(统读)

荨(一)qián （文）

　~麻

（二）xún （语）

　~麻疹

嵌 qiàn(统读)

欠 qian

　打哈~

戕 qiāng(统读)

锵 qiāng

　~水

强(一)qiáng

　~渡　~取豪夺

　~制　博闻

　~识

（二）qiǎng

　勉~　牵~

　~词夺理　~迫

　~颜为笑

（三）jiàng

　倔~

襁 qiǎng(统读)

跄 qiàng(统读)

悄(一)qiāo

　~　~儿的

（二）qiǎo

　~默声儿的

橇 qiāo(统读)

翘(一)qiào(语)

　~尾巴

（二）qiáo （文）

　~首　~楚

　连~

怯 qiè(统读)

挈 qiè(统读)

趄 qie

　趔~

侵 qīn(统读)

衾 qīn(统读)

噙 qín(统读)

倾 qīng(统读)

亲 qìng

　~家

穹 qióng(统读)

黢 qū(统读)

曲(麯)qū

　大~　红~

　神~

渠 qú(统读)

瞿 qú(统读)

蠼 qú(统读)

苣 qǔ

　~荬菜

龋 qǔ(统读)

趣 qù(统读)

雀 què

　~斑　~盲症

R

髯 rán(统读)

攘 rǎng(统读)

桡 ráo(统读)

绕 rào(统读)

任 rèn〔姓，地名〕

妊 rèn(统读)

扔 rēng(统读)

容 róng(统读)

糅 róu(统读)

茹 rú(统读)

孺 rú(统读)

蠕 rú(统读)

辱 rǔ(统读)

挼 ruó(统读)

S

靸 sǎ(统读)

噻 sāi(统读)

散(一)sǎn

　　懒~　零零~~

　　　~漫

　　(二)san

　　零~

丧 sang

　　哭~着脸

扫(一)sǎo

　　~兴

　　(二)sào

　　~帚

埽 sào(统读)

色(一)sè(文)

　　(二)shǎi(语)

塞(一)sè(文)动作

　　义。

　　(二)sāi(语)名物

　　义,如:"活~"、

　　"瓶~";动作义,

　　如:"把洞~住"。

森 sēn(统读)

煞(一)shā

　　~尾　收~

　　(二)shà

　　~白

啥 shá(统读)

厦(一)shà(语)

　　(二)xià(文)

　　~门　噶~

杉(一)shān(文)

　　紫~　红~　水~

　　(二)shā(语)

~篙　~木

衫 shān(统读)

姍 shān(统读)

苦(一)shàn(动作

　　义,如"~布")

　　(二)shān(名物

　　义,如"草~子")

墒 shāng(统读)

猞 shē(统读)

舍 shè

　　宿~

慑 shè(统读)

摄 shè(统读)

射 shè(统读)

谁 shéi,又音 shuí

娠 shēn(统读)

什(甚)shén

　　~么

蜃 shèn(统读)

甚(一)shèn(文)

　　桑~

　　(二)rèn(语)

　　桑~儿

胜 shèng(统读)

识 shí

　　常~　~货

　　~字

似 shì

　　~的

室 shì(统读)

蜇(一)shì(文)

　　(二)zhē(语)

匙 shi

钥~

殊 shū(统读)

蔬 shū(统读)

疏 shū(统读)

叔 shū(统读)

淑 shū(统读)

菽 shū(统读)

熟(一)shú(文)

　　(二)shóu(语)

署 shǔ(统读)

曙 shǔ(统读)

漱 shù(统读)

戍 shù(统读)

蟀 shuài(统读)

孀 shuāng(统读)

说 shuì

　　游~

数 shuò

　　~见不鲜

硕 shuò(统读)

蒴 shuò(统读)

艘 sōu(统读)

嗾 sǒu(统读)

速 sù(统读)

虽 suī(统读)

绥 suí(统读)

髓 suǐ(统读)

遂(一)suì

　　不~　毛~自荐

　　(二)suí

　　半身不~

隧 suì(统读)

隼 sǔn(统读)

莎 suō

　　~草

缩(一)suō

　　收~

　　(二)sù

　　~砂密(一种植

　　物)

嗍 suō(统读)

索 suǒ(统读)

T

趿 tā(统读)

鳎 tǎ(统读)

獭 tǎ(统读)

沓(一)tà

　　重~

　　(二)ta

　　疲~

　　(三)dá

　　一~纸

苔(一)tái(文)

　　(二)tāi(语)

探 tàn(统读)

涛 tāo(统读)

悌 tì(统读)

佻 tiāo(统读)

调 tiáo

　　~皮

帖(一)tiē

　　妥~　伏伏~~

　　俯首~耳

　　(二)tiě

　　请~　字~儿

　　(三)tiè

字～　碑～

听 tīng(统读)

庭 tíng(统读)

骰 tóu(统读)

凸 tū(统读)

突 tū(统读)

颓 tuí(统读)

蜕 tuì(统读)

臀 tún(统读)

唾 tuò(统读)

W

娲 wā(统读)

挖 wā(统读)

瓦 wà(统读)
　～刀

喎 wāi(统读)

蜿 wān(统读)

玩 wán(统读)

惋 wǎn(统读)

脘 wǎn(统读)

往 wǎng(统读)

忘 wàng(统读)

微 wēi(统读)

巍 wēi(统读)

薇 wēi(统读)

危 wēi(统读)

韦 wéi(统读)

违 wéi(统读)

唯 wéi(统读)

圩(一)wéi
　～子
(二)xū
　～(墟)场

纬 wěi(统读)

委 wěi(统读)
　～靡

伪 wěi(统读)

萎 wěi(统读)

尾(一)wěi
　～巴
(二)yǐ
马～儿

尉 wèi
　～官

文 wén(统读)

闻 wén(统读)

紊 wěn(统读)

喔 wō(统读)

蜗 wō(统读)

硪 wò(统读)

诬 wū(统读)

梧 wú(统读)

牾 wǔ(统读)

乌 wù
　～拉(也作"靰鞡")
　～拉草

杌 wù(统读)

鹜 wù(统读)

X

夕 xī(统读)

汐 xī(统读)

晰 xī(统读)

析 xī(统读)

皙 xī(统读)

昔 xī(统读)

溪 xī(统读)

悉 xī(统读)

螅 xī(统读)

蜥 xī(统读)

螅 xī(统读)

惜 xī(统读)

锡 xī(统读)

樨 xī(统读)

袭 xí(统读)

檄 xí(统读)

峡 xiá(统读)

暇 xiá(统读)

吓 xià
　杀鸡～猴

鲜 xiān
　屡见不～
　数见不～

锨 xiān(统读)

纤 xiān
　～维

涎 xián(统读)

弦 xián(统读)

陷 xiàn(统读)

霰 xiàn(统读)

向 xiàng(统读)

相 xiàng
　～机行事

淆 xiáo(统读)

哮 xiào(统读)

些 xiē(统读)

颉 xié
　～颃

携 xié(统读)

偕 xié(统读)

挟 xié(统读)

械 xiè(统读)

馨 xīn(统读)

囟 xìn(统读)

行 xíng
　操～　德～
　发～　品～

省 xǐng
　内～　反～
　～亲　不～人事

芎 xiōng(统读)

朽 xiǔ(统读)

宿 xiù
　星～　二十八～

煦 xù(统读)

蓿 xu
　苜～

癣 xuǎn(统读)

削(一)xuē(文)
　剥～　～减
　瘦～
(二)xiāo(语)
　切～　～铅笔
　～球

穴 xué(统读)

学 xué(统读)

雪 xuě(统读)

血(一)xuè(文)用于
　复音词及成语,
　如"贫～"、"心
　～"、"呕心沥
　～"、"～泪史"、
　"狗～喷头"等。

(二)xiě(语)口语
多单用,如"流了
点儿~"及几个
口语常用词,如:
"鸡~"、"~晕"、
"~块子"等。

谑 xuè(统读)

寻 xún(统读)

驯 xùn(统读)

逊 xùn(统读)

熏 xùn(统读)
　煤气~着了

徇 xùn(统读)

殉 xùn(统读)

蕈 xùn(统读)

Y

押 yā(统读)

崖 yá(统读)

哑 yǎ
　~然失笑

亚 yà(统读)

殷 yān
　~红

芫 yán
　~荽

筵 yán(统读)

沿 yán(统读)

焰 yàn(统读)

夭 yāo(统读)

肴 yáo(统读)

杳 yǎo(统读)

窅 yǎo(统读)

钥(一)yào(语)

~匙
(二)yuè(文)
　锁~

曜 yào(统读)

耀 yào(统读)

椰 yē(统读)

噎 yē(统读)

叶 yè
　~公好龙

曳 yè
　弃甲~兵　摇~
　~光弹

屹 yì(统读)

轶 yì(统读)

谊 yì(统读)

懿 yì(统读)

诣 yì(统读)

艾 yì
　自怨自~

荫 yìn(统读)
　("树~"、"林~
　道"应作"树阴"、
　"林阴道")

应(一)yīng
　~届　~名儿
　~许　提出的条
　件他都~了　是
　我~下来的任务
(二)yìng
　~承　~付
　~声　~时　~验
　~邀　~用
　~运　~征

里~外合

萦 yíng(统读)

映 yìng(统读)

佣 yōng
　~工

庸 yōng(统读)

臃 yōng(统读)

壅 yōng(统读)

拥 yōng(统读)

踊 yǒng(统读)

咏 yǒng(统读)

泳 yǒng(统读)

莠 yǒu(统读)

愚 yú(统读)

娱 yú(统读)

愉 yú(统读)

伛 yǔ(统读)

屿 yǔ(统读)

吁 yù
　呼~

跃 yuè(统读)

晕(一)yūn
　~倒　头~
(二)yùn
　月~　血~
　~车

酝 yùn(统读)

Y

匝 zā(统读)

杂 zá(统读)

载(一)zǎi
　登~　记~
(二)zài

搭~　怨声~道
重~　装~
　~歌~舞

簪 zān(统读)

咱 zán(统读)

暂 zàn(统读)

凿 záo(统读)

择(一)zé
　选~
(二)zhái
　~不开　~菜
　~席

贼 zéi(统读)

憎 zēng(统读)

甑 zèng(统读)

喳 zhā
　唧唧~~

轧(除"~钢"、
　"~辊"念 zhá 外,
　其他都念 yà)
　(gá 为方言,
　不审)

摘 zhāi(统读)

粘 zhān
　~贴

涨 zhǎng
　~落　高~

着(一)zháo
　~慌　~急
　~家　~凉　~忙
　~迷　~水　~雨
(二)zhuó
　~落　~手

附录　299

~眼　~意　~重	~民	压~子	卓 zhuó(统读)
不~边际	(二)shi	碡 zhou	综 zōng
(三)zhāo	骨~	碌~	~合
失~	指 zhǐ(统读)	烛 zhú(统读)	纵 zòng(统读)
沼 zhǎo(统读)	掷 zhì(统读)	逐 zhú(统读)	粽 zòng(统读)
召 zhào(统读)	质 zhì(统读)	属 zhǔ	镞 zú(统读)
遮 zhē(统读)	蛭 zhì(统读)	~望	组 zǔ(统读)
蛰 zhé(统读)	秩 zhì(统读)	筑 zhù(统读)	钻(一)zuān
辙 zhé(统读)	栉 zhì(统读)	著 zhù	~探　~孔
贞 zhēn(统读)	炙 zhì(统读)	土~	(二)zuàn
侦 zhēn(统读)	中 zhōng	转 zhuǎn	~床　~杆
帧 zhēn(统读)	人~(人口	运~	~具
胗 zhēn(统读)	上唇当中处)	撞 zhuàng(统读)	佐 zuǒ(统读)
枕 zhěn(统读)	种 zhòng	幢(一)zhuàng	唑 zuò(统读)
诊 zhěn(统读)	点~(义同"点	一~楼房	柞(一)zuò
振 zhèn(统读)	播"。动宾结构	(二)chuáng	~蚕　~绸
知 zhī(统读)	念 diǎnzhǒng,义为	经~(佛教所设	(二)zhà
织 zhī(统读)	点播种子)	刻有经咒的石	~水(在陕西)
脂 zhī(统读)	诌 zhōu(统读)	柱)	做 zuò(统读)
植 zhí(统读)	骤 zhòu(统读)	拙 zhuō(统读)	作(除"~坊"读 zuō
殖(一)zhí	轴 zhòu	茁 zhuó(统读)	外,其余都读 zuò)
繁~　生~	大~子戏	灼 zhuó(统读)	

二、汉语拼音正词法基本规则

1 主题内容与适用范围

本标准规定了用《汉语拼音方案》拼写现代汉语的规划。内容包括分词连写法、成语拼写法、外来词拼写法、人名地名拼写法、标调法、移行规则等。为了适应特殊的需要,同时提出一些可供技术处理的变通方式。

本标准适用于文教、出版、信息处理及其他部门,作为用《汉语拼音方案》拼写现代汉语的统一规范。

2 术语

汉语拼音正词法

汉语拼音的拼写规范及其书写格式的准则。《汉语拼音方案》确定了音节的拼写规则。《汉语拼音正词法基本规则》是在《汉语拼音方案》的基础上进一步规定词的拼写规范的基本要点。

3 制定原则

3.1 以词为拼写单位,并适当考虑语音、语义等因素,同时考虑词形长短适度。

3.2 基本采取按语法词类分节叙述。

3.3 规则条目尽可能详简适中,便于掌握应用。

4 汉语拼音正词法基本规则

4.1 总原则

4.1.1 拼写普通话基本上以词为书写单位。

rén(人)	pǎo(跑)	hǎo(好)	hé(和)	hěn(很)
fúróng(芙蓉)		qiǎokèlì(巧克力)		
péngyou(朋友)		yuèdú(阅读)		
dìzhèn(地震)		niánqīng(年轻)		
zhòngshì(重视)		wǎnhuì(晚会)		
qiānmíng(签名)		shìwēi(示威)		
niǔzhuǎn(扭转)		chuánzhī(船只)		
dànshì(但是)		fēicháng(非常)		
diànshìjī(电视机)		túshūguǎn(图书馆)		

4.1.2 表示一个整体概念的双音节和三音节结构,连写。

gāngtiě(钢铁)	wèndá(问答)
hǎifēng(海风)	hóngqí(红旗)
dàhuì(大会)	quánguó(全国)
zhòngtián(种田)	kāihuì(开会)

dǎpò(打破)   zǒulái(走来)

húshuō(胡说)   dǎnxiǎo(胆小)

qiūhǎitáng(秋海棠)   àiniǎozhōu(爱鸟周)

duìbuqǐ(对不起)   chīdexiāo(吃得消)

4.1.3 四音节以上表示一个整体概念的名称,按词(或语节)分开写,不能按词(或语节)划分的,全部连写。

wúfèng gāngguǎn(无缝钢管)

huánjìng bǎohù guīhuà(环境保护规划)

jīngtǐguǎn gōnglǜ fàngdàqì(晶体管功率放大器)

Zhōnghuá Rénmín Gònghéguó(中华人民共和国)

Zhōngguó Shèhuì Kēxuéyuàn(中国社会科学院)

yánjiūshēngyuàn(研究生院)

hóngshízìhuì(红十字会)

yúxīngcǎosù(鱼腥草素)

gǔshēngwùxuéjiā(古生物学家)

4.1.4 单音节词重叠,连写;双音节词重叠,分写。

rénrén(人人)   niánnián(年年)

kànkan(看看)   shuōshuo(说说)

dàdà(大大)   hónghóng de(红红的)

gègè(个个)   tiáotiáo(条条)

yánjiū yánjiū(研究研究)   chángshì chángshì(尝试尝试)

xuěbái xuěbái(雪白雪白)   tōnghóng tōnghóng(通红通红)

重叠并列即 AABB 式结构,当中加短横。

láilai-wǎngwǎng(来来往往)   shuōshuo-xiàoxiào(说说笑笑)

qīngqīng-chǔchǔ(清清楚楚)   wānwān-qūqū(弯弯曲曲)

jiājiā-hùhù(家家户户)   qiānqiān-wànwàn(千千万万)

4.1.5 为了便于阅读和理解,在某些场合可以用短横。

huán-bǎo(环保——环境保护)   gōng-guān(公关——公共关系)

bā-jiǔ tiān(八九天)　　　　　　shíqī-bā suì(十七八岁)

rén-jī duìhuà(人机对话)　　　　zhōng-xiǎoxué(中小学)

lù-hǎi-kōngjūn(陆海空军)　　　biànzhèng-wéiwùzhǔyì(辩证唯物
　　　　　　　　　　　　　　　　　　主义)

4.2 名词

4.2.1 名词与单音节前加成分(副、总、非、反、超、老、阿、可、无等)和单
音节后加成分(子、儿、头、性、者、员、家、手、化、们等)连写。

fùbùzhǎng(副部长)　　　　　　zǒnggōngchéngshī(总工程师)

fēijīnshǔ(非金属)　　　　　　　fǎndàndào dǎodàn(反弹道导弹)

chāoshēngbō(超声波)　　　　　fēiyèwù rényuán(非业务人员)

zhuōzi(桌子)　　　　　　　　　mùtou(木头)

chéngwùyuán(乘务员)　　　　　yìshùjiā(艺术家)

kēxuéxìng(科学性)　　　　　　xiàndàihuà(现代化)

háizimen(孩子们)　　　　　　　tuōlājīshǒu(拖拉机手)

4.2.2 名词和后面的方位词,分写。

shān shàng(山上)　　　　　　　shù xià(树下)

mén wài(门外)　　　　　　　　mén wàimian(门外面)

hé li(河里)　　　　　　　　　　hé lǐmian(河里面)

huǒchē shàngmian(火车上面)　　xuéxiào pángbiān(学校旁边)

Yǒngdìng Hé shàng(永定河上)　Huáng Hé yǐnán(黄河以南)

但是,已经成词的,连写。例如:"海外"不等于"海的外面"。

tiānshang(天上)　　　　　　　dìxia(地下)

kōngzhōng(空中)　　　　　　　hǎiwài(海外)

4.2.3 汉语人名按姓和名分写,姓和名的开头字母大写。笔名、别名
等,按姓名写法处理。

Lǐ Huá(李华)　　　　　　　　　Wáng Jiànguó(王建国)

Dōngfāng Shuò(东方朔)　　　　Zhūgě Kǒngmíng(诸葛孔明)

Lǔ Xùn(鲁迅)　　　　　　　　　Méi Lánfāng(梅兰芳)

Zhāng Sān(张三)　　　　　　　　Wáng Mázi(王麻子)

姓名和职务、称呼等分开写;职务、称呼等开头小写。

Wáng bùzhǎng(王部长)　　　　　Tián zhǔrèn(田主任)

Lǐ xiānsheng(李先生)　　　　　　Zhào tóngzhì(赵同志)

"老"、"小"、"大"、"阿"等称呼开头大写。

Xiǎo Liú(小刘)　　　　　　　　　Lǎo Qián(老钱)

Dà Lǐ(大李)　　　　　　　　　　A Sān(阿三)

Wú Lǎo(吴老)

已经专名化的称呼,连写,开头大写。

Kǒngzǐ(孔子)　　　　　　　　　　Bāogōng(包公)

Xīshī(西施)　　　　　　　　　　　Mèngchángjūn(孟尝君)

4.2.4 汉语地名按照中国地名委员会文件(84)中地字第 17 号《中国地名汉语拼音字母拼写规则(汉语地名部分)》的规定拼写。

汉语地名中的专名和通名分写,每一分写部分的第一个字母大写。

Běijīng Shì(北京市)　　　　　　Héběi Shěng(河北省)

Yālù Jiāng(鸭绿江)　　　　　　　Tài Shān(泰山)

Dòngtíng Hú(洞庭湖)　　　　　　Táiwān Hǎixiá(台湾海峡)

专名和通名的附加成分,单音节的与其相关部分连写。

Xīliáo Hé(西辽河)　　　　　　　Jǐngshān Hòujiē(景山后街)

Cháoyángménnèi Nánxiǎojiē(朝阳门内南小街)

自然村镇名称和其他不需区分专名和通名的地名,各音节连写。

Wángcūn(王村)　　　　　　　　　Jiǔxiānqiáo(酒仙桥)

Zhōukǒudiàn(周口店)　　　　　　Sāntányìnyuè(三潭印月)

4.2.5 非汉语人名、地名本着"名从主人"的原则,按照罗马字母(拉丁字母)原文书写;非罗马字母文字的人名、地名,按照该文字的罗马字母转写法拼写。为了便于阅读,可以在原文后面注上汉字或汉字的拼音,在一定的场合也可以先用或仅用汉字的拼音。

Akutagawa Ryunosuke(芥川龙之介)

Ulanhu(乌兰夫)　　　　　　　　　Seypidin(赛福鼎)

Ngapoi Ngawang Jigme(阿沛·阿旺晋美)

Marx(马克思)   Darwin(达尔文)

Newton(牛顿)   Einstein(爱因斯坦)

Ürümqi(乌鲁木齐)   Hohhot(呼和浩特)

Lhasa(拉萨)   London(伦敦)

Paris(巴黎)   Washington(华盛顿)

Tokyo(东京)

汉语化的音译名词,按汉字译音拼写。

Fēizhōu(非洲)   Nánměi(南美)

Déguó(德国)   Dōngnányà(东南亚)

4.3 动词

4.3.1 动词和"着"、"了""过"连写。

　　　　kànzhe(看着)   jìnxíngzhe(进行着)

　　　　kànle(看了)   jìnxíngle(进行了)

　　　　kànguo(看过)   jìnxíngguo(进行过)

句末的"了",分写。

　　　　Huǒchē dào le.(火车到了。)

4.3.2 动词和宾语,分写。

　　　　kàn xìn(看信)   chī yú(吃鱼)

　　　　kāi wánxiào(开玩笑)   jiāoliú jīngyàn(交流经验)

动宾式合成词中间插入其他成分的,分写。

　　　　jūle yī gè gōng(鞠了一个躬)   lǐguo sān cì fà(理过三次发)

4.3.3 动词(或形容词)和补语,两者都是单音节的,连写;其余的情况,
　　　分写。

　　　　gǎohuài(搞坏)   dǎsǐ(打死)

　　　　shútòu(熟透)   jiànchéng(建成[楼房])

　　　　huàwéi(化为[蒸气])   dàngzuò(当作[笑话])

　　　　zǒu jinlai(走进来)   zhěnglǐ hǎo(整理好)

　　　　jiànshè chéng(建设成[公园])   gǎixiě wéi(改写为[剧本])

4.4 形容词

4.4.1 单音节形容词和重叠的前加成分或后加成分,连写。

　　mēngmēngliàng(蒙蒙亮)　　　　liàngtāngtāng(亮堂堂)

4.4.2 形容词和后面的"些"、"一些"、"点儿"、"一点儿",分写。

　　dà xiē(大些)　　　　　　　　dà yīxiē(大一些)

　　kuài diǎnr(快点儿)　　　　　kuài yīdiǎnr(快一点儿)

4.5 代词

4.5.1 表示复数的"们"和前面的代词,连写。

　　wǒmen(我们)　　　　　　　　tāmen(他们)

4.5.2 指示代词"这"、"那",疑问代词"哪"和名词或量词,分写。

　　zhè rén(这人)　　　　　　　nà cì huìyì(那次会议)

　　zhè zhī chuán(这只船)　　　nǎ zhāng bàozhǐ(哪张报纸)

"这"、"那"、"哪"和"些"、"么"、"样"、"般"、"里"、"边"、"会儿"、"个",连写。

　　zhèxiē(这些)　　　　　　　　zhème(这么)

　　nàyàng(那样)　　　　　　　　zhèbān(这般)

　　nà·lǐ(那里)　　　　　　　　　nǎ·lǐ(哪里)

　　zhèbiān(这边)　　　　　　　　zhèhuìr(这会儿)

　　zhège(这个)　　　　　　　　　zhèmeyàng(这么样)

4.5.3 "各"、"每"、"某"、"本"、"该"、"我"、"你"等和后面的名词或量词,分写。

　　gè guó(各国)　　　　　　　　gè gè(各个)

　　gè rén(各人)　　　　　　　　gè xuékē(各学科)

　　měi nián(每年)　　　　　　　měi cì(每次)

　　mǒu rén(某人)　　　　　　　mǒu gōngchǎng(某工厂)

　　běn shì(本市)　　　　　　　　běn bùmén(本部门)

　　gāi kān(该刊)　　　　　　　　gāi gōngsī(该公司)

　　wǒ xiào(我校)　　　　　　　　nǐ dānwèi(你单位)

4.6 数词和量词

4.6.1 十一到九十九之间的整数,连写。

shíyī(十一) shíwǔ(十五)

sānshísān(三十三) jiǔshíjiǔ(九十九)

4.6.2 "百"、"千"、"万"、"亿"与前面的个位数,连写;"万"、"亿"与前面的十位以上的数,分写。

jiǔyì líng qīwàn èrqiān sānbǎi wǔshíliù

(九亿零七万二千三百五十六)

liùshísān yì qīqiān èrbǎi liùshíbā wàn sìqiān líng jiǔshíwǔ

(六十三亿七千二百六十八万四千零九十五)

4.6.3 表示序数的"第"与后面的数词中间,加短横。

dì-yī(第一) dì-shísān(第十三)

dì-èrshíbā(第二十八) dì-sānbǎi wǔshíliù(第三百五十六)

4.6.4 数词和量词,分写。

liǎng gè rén(两个人) yī dà wǎn fàn(一大碗饭)

liǎng jiān bàn wūzi(两间半屋子) wǔshísān réncì(五十三人次)

表示约数的"多"、"来"、"几"和数词、量词分写。

yībǎi duō gè(一百多个) shí lái wàn rén(十来万人)

jǐ jiā rén(几家人) jǐ tiān gōngfu(几天工夫)

"十几"、"几十"连写。

shíjǐ gè rén(十几个人)

jǐshí gēn gāngguǎn(几十根钢管)

4.7 虚词

虚词与其他语词分写。

4.7.1 副词

hěn hǎo(很好) dōu lái(都来)

gèng měi(更美) zuì dà(最大)

bù lái(不来) gānggāng zǒu(刚刚走)

yīng bù yīnggāi(应不应该)　　　shífēn gǎndòng(十分感动)

fēicháng kuài(非常快)

4.7.2 介词

zài qiánmiàn(在前面)　　　　　xiàng dōngbiān qù(向东边去)

wèi rénmín fúwù(为人民服务)　　cóng zuótiān qǐ(从昨天起)

shēng yú 1940 nián(生于1940年)　guānyú zhège wèntí(关于这个问题)

4.7.3 连词

gōngrén hé nóngmín(工人和农民)

bùdàn kuài érqiě hǎo(不但快而且好)

guāngróng ér jiānjù(光荣而艰巨)

Nǐ lái háishi bù lái?（你来还是不来?）

4.7.4 结构助词"的"、"地"、"得"、"之"

dàdì de nǚ'ér(大地的女儿)

Zhè shì wǒ de shū.(这是我的书。)

Wǒmen guòzhe xìngfú de shēnghuó.(我们过着幸福的生活。)

Shāngdiàn li bǎimǎnle chī de、chuān de、yòng de.(商店里摆满了吃的、穿的、用的。)

mài qīngcài luóbo de(卖青菜萝卜的)

Tā zài dàjiē shàng mànman de zǒu.(他在大街上慢慢地走。)

Tǎnbái de gàosu nǐba.(坦白地告诉你吧。)

Tā yī bù yī gè jiǎoyìnr de gōngzuòzhe.(他一步一个脚印儿地工作着。)

dǎsǎo de gānjìng(打扫得干净)　　xiě de bù hǎo(写得不好)

hóng de hěn(红得很)　　　　　　lěng de fādǒu(冷得发抖)

shàonián zhī jiā(少年之家)

zuì fādá de guójiā zhī yī(最发达的国家之一)

注:"的"、"地"、"得"在技术处理上,根据需要可分别写做"d"、"di"、"de"。

4.7.5 语气助词

Nǐ zhīdao ma?（你知道吗?）

Zěnme hái bù lái a?（怎么还不来啊？）

Kuài qù ba!（快去吧！）

Tā shì bù huì lái de.（他是不会来的。）

4.7.6 叹词

A！Zhēn měi!（啊！真美！）

Ng, nǐshuō shēnme?（嗯，你说什么？）

Hm, zǒuzhe qiáoba!（哼，走着瞧吧！）

4.7.7 拟声词

pa!（啪！）　　　　huāhuā（哗哗）　　　　jiji-zhazha（叽叽喳喳）

"honglong"yī shēng（"轰隆"一声）

Dà gōngjī wo—wo—tí.（大公鸡喔喔啼。）

Dū—, qìdí xiǎng le.（嘟——汽笛响了。）

4.8 成语

4.8.1 四言成语可以分为两个双音节来念的,中间加短横。

céngchū-bùqióng（层出不穷）　　　　fēngpíng-làngjìng（风平浪静）

àizèng-fēnmíng（爱憎分明）　　　　shuǐdào-qúchéng（水到渠成）

yángyáng-dàguān（洋洋大观）　　　　píngfēn-qiūsè（平分秋色）

guāngmíng-lěiluò（光明磊落）　　　　diānsān-dǎosì（颠三倒四）

4.8.2 不能按两段来念的四言成语、熟语等,全部连写。

bùyìlèhū（不亦乐乎）　　　　zǒng'éryánzhī（总而言之）

àimònéngzhù（爱莫能助）　　　　yīyīdàishuǐ（一衣带水）

húlihútu（糊里糊涂）　　　　hēibuliūqiū（黑不溜秋）

diào'erlángdāng（吊儿郎当）

4.9 大写

4.9.1 句子开头的字母和诗歌每行开头的字母大写。（举例略）

4.9.2 专有名词的第一个字母大写。

Běijīng（北京）　　　Chángchéng（长城）　　　Qīngmíng（清明）

由几个词组成的专有名词,每个词的第一个字母大写。

Guójì Shūdiàn(国际书店)   Hépíng Bīngguǎn(和平宾馆)

Guāngmíng Rìbào(光明日报)

4.9.3 专有名词和普通名词连写在一起的,第一个字母要大写。

Zhōngguórén(中国人)   Míngshǐ(明史)

Guǎngdōnghuà(广东话)

已经转化为普通名词的,第一个字母小写。

guǎnggān(广柑)   zhōngshānfú(中山服)

chuānxiōng(川芎)   zàngqīngguǒ(藏青果)

4.10 移行

4.10.1 移行要按音节分开,在没有写完的地方加上短横。

············guāng-

　　míng(光明)不能移作"gu-āngmíng"。

4.11 标调

4.11.1 声调一律标原调,不标变调。

yī jià(一架)   yī tiān(一天)   yī tóu(一头)

yī wǎn(一碗)   qī wàn(七万)   qī běn(七本)

bā gè(八个)   qīshàng-bāxià(七上八下)

bù qù(不去)   bù duì(不对)   bùzhìyú(不至于)

但是在语音教学时可以根据需要按变调标写。

注:除了《汉语拼音方案》规定的符号标调法以外,在技术处理上,也可根据需要采用数字或字
　　母作为临时变通标调法。

附加说明:
本标准由国家教育委员会、国家语言文字工作委员会提出。
本标准由汉语拼音正词法委员会负责起草。
本标准主要起草人尹斌庸、李乐毅、金惠淑。

三、常用轻声词

这里收录的主要是习惯轻声词,所录轻声词按音序排列,其中读轻声的字,都不加符号。

A	爱人				
B	八哥(鸟名)巴结	巴掌	把式	把手	爸爸
	霸道	白净	摆布	摆设	帮手	棒槌
	包袱	包涵	报酬	辈分	背静	被卧
	本事	奔头	比方	比划	比量	比试
	避讳	扁担	便当	憋闷	别人	别扭
	拨弄	不在乎	薄荷	簸箕	补丁	部分
C	裁缝	苍蝇	差事	柴火	掺和	称呼
	尺寸	抽屉	出息	锄头	畜生	窗户
	伺候	刺猬	聪明	凑合	撮合	
D	搭理	奓拉	答应	打扮	打发	打量
	打手	打算	打听	大方	大人	大爷
	大意(疏忽)	大夫(医生)	耽搁	耽误	叨叨	叨唠
	叨咕	道理	道士	灯笼	提防	嘀咕
	底下	弟兄	地道	地方	地下	点拨
	点心	东家	东西	动静	动弹	豆腐
	嘟哝	对付	对头(仇敌)	队伍	多么	
E	恶心	耳朵				
F	肥实	废物	费用	分寸	风头	风筝
	奉承	扶手	福分	福气	服侍	富余
G	甘蔗	干事	高粱	膏药	告示	告诉
	哥儿们	胳臂	胳膊	疙瘩	格式	跟头
	公道	工夫	功夫	公家	工钱	恭维

	勾搭	咕嘟	姑夫	姑父	姑娘	咕哝
	骨碌	骨头	姑爷	故事	寡妇	怪物
	官司	棺材	罐头	规矩	闺女	
H	哈欠	蛤蟆	害处	含糊	行当	行家
	行市	好处	合计	和气	和尚	核桃
	合同	厚道	厚实	后头	呼噜	狐狸
	胡琴	胡同	葫芦	糊弄	糊涂	护士
	花费	花哨	滑溜	坏处	黄瓜	皇上
	晃荡	晃悠	活计	活路	活泼	火候
	伙计	祸害				
J	机灵	脊梁	记号	记性	忌妒	家伙
	嫁妆	架势	煎饼(食物)	奸细	见识	将就
	讲究	糨糊	交情	搅和	叫唤	结巴
	街坊	结实	节气	姐夫	戒指	芥末
	近便	近乎	精神(形容词)			
K	考究	咳嗽	客气	客人	口袋	窟窿
	快当	快活	困难	阔气		
L	喇叭	喇嘛	来头	浪头	老婆	老实
	老爷	烙铁	累赘	篱笆	里头	厉害
	利落	利钱	利索	痢疾	力量	力气
	莲蓬	凉快	粮食	亮堂	了得	铃铛
	溜达	笼头	萝卜	骆驼		
M	麻烦	麻利	马虎	码头	蚂蚱	买卖
	馒头	毛躁	冒失	玫瑰	眉毛	媒人
	妹夫	门路	门面	迷糊	棉花	苗条
	苗头	明白	名气	名堂	名字	蘑菇
	模糊	牡丹	木匠	木头	苜蓿	
N	哪个	哪里	那个	那里	那么	男人
	脑袋	闹腾	能耐	你们	年成	黏糊
	念叨	奴才	女人	女婿	暖和	

P	盘缠	盘算	盼头	朋友	脾气	皮匠
	便宜	漂亮	苤蓝	娉头	婆家	泼辣
	扑腾	铺盖				
Q	欺负	气数	前头	亲戚	勤快	清楚
	情形	亲家(亲qìng)				
R	热乎	热火	热闹	人家	人们	认识
	任务	软和				
S	洒脱	扫帚	商量	晌午	烧饼	烧卖
	芍药	少爷	舌头	舍得	身份	什么
	生日	生意	牲口	师傅	时辰	时候
	石榴	石头	使唤	世故	事情	势力
	势利	收成	收拾	首饰	疏忽	舒服
	书记	熟识	数落	属相	水灵	斯文
	思量	俗气	素净	算计	岁数	
T	他们	它们	踏实	态度	特务	甜头
	铁匠	头发	唾沫			
W	外甥	外头	晚上	王八	王爷	尾巴
	委屈	味道	位置	稳当	窝囊	我们
X	稀罕	喜欢	虾米	下巴	吓唬	先生
	响动	想头	相公	相声	消息	小气
	笑话	歇息	心思	寻思	行李	行头
	兄弟(弟弟)	休息	秀才	秀气	玄乎	学生
	学问					
Y	丫头	衙门	哑巴	烟筒	胭脂	
	阎王	严实	眼睛	砚台	秧歌	养活
	吆喝	妖精	钥匙	衣服	衣裳	姨夫
	已经	益处	意思	应酬	硬朗	芋头
	冤家	冤枉	月亮	运气		
Z	杂碎	在乎	咱们	早晨	造化	
	怎么	扎实	栅栏	张罗	丈夫	丈母

丈人	帐篷	招呼	招牌	兆头	照应
折腾	这个	这么	枕头	知识	指甲
指头	芝麻	主意	转悠	赚头	庄稼
壮实	状元	自在	祖宗	嘴巴	作坊
作料	琢磨(思索)(琢 zuó)				

四、普通话水平测试用朗读作品及朗读提示

白杨礼赞(节选) 茅 盾

那是力争上游的一种树,笔直的干①,笔直的枝。它的干呢,通常是丈把高,像是加以人工似的②,一丈以内,绝无旁枝;它所有的桠枝③呢,一律向上,而且紧紧靠拢,也像是加以人工似的,成为一束④,绝无横斜逸出;它的宽大的叶子也是片⑤片向上,几乎⑥没有斜生的,更不用说倒垂了;它的皮,光滑而有银色的晕圈⑦,微微泛出淡青色。这是虽在北方的风雪的压迫下却保持着倔强⑧挺立的一种树!哪怕只有碗来粗细罢,它却努力向上发展,高到丈许,两丈,参天耸立,不折不挠⑨,对抗着西北风。

这就是白杨树,西北极普通的一种树,然而决不是平凡的树!

它没有婆娑⑩的姿态,没有屈曲盘旋的虬⑪枝,也许你要说它不美丽,——如果美是专指"婆娑"或"横斜逸出"之类而言,那么,白杨树算不得树中的好女子;但是它却是伟岸,正直,朴质,严肃,也不缺乏温和,更不用提它的坚强不屈与挺拔,它是树中的伟丈夫!当你在积雪初融的高原上走过,看见平坦的大地上傲然挺立这么一株或一排白杨,难道你就只觉得树只是树,难道你就不想到它的朴质,严肃,坚强不屈,至少也象征了北方的农民;难道你竟一点儿也不联想到,在敌后的广大//土地上,到处有坚强不屈,就像这白杨树一样傲然挺立的守卫他们家乡的哨兵!难道你又不更远一点想到这样枝枝叶叶靠紧团结,力求上进的白杨树,宛然象征了今天在华北平原纵横决荡用血⑫写出新中国历史的那种精神和意志。

【朗读提示】 朗读基调应是昂扬有力,避免过分抒情。第一自然段用平直叙述的语气;第二自然段"然而"处要用坚定、果断的语气,并读出转折的意味;第三自然段中"好女子"和"伟丈夫"两词要力求读出对比感,体现出先抑后扬的朗读技巧,三个"难道"排比句要读出渐强的语势。

①干 gàn ②似的 shìde ③桠枝 yāzhī ④束 shù ⑤片 piàn
⑥几乎 jīhū ⑦晕圈 yùnquān ⑧倔强 juéjiàng ⑨挠 náo ⑩婆娑 pósuō

⑪虬 qiú   ⑫血 xuè

差　别 (节选)

　　两个同龄的年轻人同时受雇于一家店铺①,并且拿同样的薪水。

　　可是一段时间后,叫阿诺德的那个小伙子青云直上,而那个叫布鲁诺的小伙子却仍在原地踏步。布鲁诺很不满意老板的不公正待遇。终于有一天他到老板那儿②发牢骚③了。老板一边耐心地听着他的抱怨,一边在心里盘算④着怎样⑤向他解释清楚⑥他和阿诺德之间的差别⑦。

　　"布鲁诺先生,"老板开口说话了,"您现在到集市上去一下,看看今天早上有什么⑧卖的。"

　　布鲁诺从集市上回来向老板汇报说,今早集市上只有一个农民拉了一车土豆在卖。

　　"有多少?"老板问。

　　布鲁诺赶快戴上帽子又跑到集市上,然后回来告诉老板一共四十袋土豆。

　　"价格是多少?"

　　布鲁诺又第三次跑到集上问来了价格。

　　"好吧,"老板对他说,"现在请您坐到这把椅子上一句话也不要说,看看阿诺德怎么说。"

　　阿诺德很快就从集市上回来了。向老板汇报说到现在为止只有一个农民在卖土豆,一共四十口袋,价格是多少多少;土豆质量⑨很不错,他带回来一个让老板看看。这个农民一个钟头以后还会弄⑩来几箱西红柿,据他看价格非常公道⑪。昨天他们铺子的西红柿卖得很快,库存已经不//多了。他想这么便宜⑫的西红柿,老板肯定会要进一些的,所以他不仅带回了一个西红柿做样品,而且把那⑬个农民也带来了,他现在正在外面等回话⑭呢。

　　此时老板转⑮向了布鲁诺,说:"现在您肯定知道为什么阿诺德的薪水比您高了吧!"

(选自张健鹏、胡足青主编《故事时代》)

　　【朗读提示】　朗读基调是真诚劝慰,避免说教色彩。要把握人物身份的语言特征,对布鲁诺的叙述语言应略带幽默调侃,而对阿诺德的表述则应沉稳大气,老板的语气又应有真诚劝慰的真切情感。

①店铺 diànpù　　②那儿 nàr　　③牢骚 láosao　　④盘算 pánsuan　　⑤怎样 zěnyàng
⑥清楚 qīngchu　　⑦差别 chābié　　⑧什么 shénme　　⑨质量 zhìliàng　　⑩弄 nòng
⑪公道 gōngdao　　⑫便宜 piányi　　⑬那 nà　　⑭回话 huíhuàr　　⑮转 zhuǎn

丑　石 (节选)　　贾平凹

　　我常常遗憾我家门前那块丑石:它黑黝黝①地卧在那里,牛似的模样②;谁也不知道是什么时候留在这里的,谁也不去理会它。只是麦收时节,门前摊了麦子,奶奶总是说:这块③丑石,多占地面呀,抽空④把它搬走吧。

它不像汉白玉那样的细腻⑤,可以刻字雕花,也不像大青石那样的光滑,可以供来浣纱⑥捶布。它静静地卧在那里,院边的槐荫没有庇覆⑦它,花儿⑧也不再在它身边生长。荒草便繁衍⑨出来,枝蔓⑩上下,慢慢地,它竟锈上了绿苔、黑斑。我们这些做孩子的,也讨厌起它来,曾合伙要搬走它,但力气又不足;虽时时咒骂它,嫌弃它,也无可奈何,只好任它留在那里了。

终有一日,村子里来了一天文学家。他在我家门前路过,突然发现了这块石头,眼光立即⑪就拉直了。他再没有离开,就住了下来;以后又来了好些人,都说这是一块陨石⑫,从天上落下来已经有二三百年了,是一件了不起的东西。不久便来了车,小心翼翼地将它运走了。

这使我们都很惊奇,这又怪又丑的石头,原来是天上的啊⑬!它补过天,在天上发过热、闪过光,我们的先祖或许仰望过它,它给了他们光明、向往、憧憬;而它落下来了,在污土里,荒草里,一躺就//是几百年了!

我感到自己的无知,也感到了丑石的伟大,我甚至怨恨它这么多年竟会默默地忍受着这一切!而我又立即深深地感到它那种不屈于误解、寂寞的生存的伟大。

【朗读提示】 朗读基调是沉郁平缓,透出选美敬佩。文章第一、二自然段可用自然叙述的语气,略带沉郁;第三自然段起,语气中要带有"惊喜"之情;结尾段落抒情时要有感而发。

①黑黝黝 hēiyōuyōu　②模样 múyàng　③块儿 kuàir　④抽空 chōukòngr　⑤细腻 xìnì
⑥浣沙 huànshā　⑦庇覆 bìfù　⑧花儿 huār　⑨繁衍 fányǎn　⑩枝蔓 zhīwàn
⑪立即 lìjí　⑫陨石 yǔnshí　⑬啊 ya

达瑞的故事(节选)　[德]博多·舍费尔 刘志朋译

在达瑞八岁的时候①,有一天他想去看电影。因为②没有钱,他想是向爸妈要钱,还是自己挣钱。最后他选择了后者。他自己调制了一种汽水,向过路的行人出售。可那时正是寒冷的冬天,没有人买,只有两个人例外——他的爸爸和妈妈。

他偶然有一个和非常成功的商人谈话的机会。当他对商人讲述了自己的"破产史"后,商人给了他两个重要的建议:一是尝试为别人解决一个难题;二是把精力集中在你知道的、你会的和你拥有的东西③上。

这两个建议很关键。因为对于一个八岁的孩子而言,他不会做的事情④很多。于是他穿过大街小巷,不停地思考:人们会有什么难题,他又如何利用这个机会?

一天,吃早饭时父亲让达瑞去取报纸。美国的送报员总是把报纸从花园篱笆⑤的一个特制的管子里塞⑥进来。假如你想穿着睡衣舒舒服服地吃早饭和看报纸,就必须离开温暖的房间,冒着寒风,到花园去取。虽然路短,但十分麻烦⑦。当达瑞为父亲取报纸的时候,一个主意⑧诞生了。当天他就按响邻居的门铃,对他们说,每个月只需付给他一美元,他就每天早上把报纸塞到他们的房门底下。大多数人都同意了,很快他有了//七十多个顾客。一个月后,当他拿到自己赚的钱时,觉得自己简直是飞上了天。

很快他又有了新的机会,他让他的顾客每天把垃圾袋放在门前,然后由他早上运到垃圾桶里,每个月加一美元。之后他还想出了许多孩子赚钱的办法,并把它集结成书,书名为《儿童挣钱的二百五十个主意》。为此,达瑞十二岁时就成了畅销书作家,十五岁有了自己的谈话节目,十七岁就拥有了几百万美元。

【**朗读提示**】 朗读基调是细腻清新,又热情赞扬。全篇语气应比较丰富,第三自然段一定要读出"没想到"时的疑问,"有想法"后的惊喜,最后一段要读出对达瑞充满赞扬的语气。

①时候 shíhou　　②因为 yīnwèi　　③东西 dōngxi　　④事情 shìqing　　⑤篱笆 líba

⑥塞 sāi　　　⑦麻烦 máifan　　⑧主意 zhǔyi

第一场雪(节选)　　　峻　青

这是入冬以来,胶东半岛上第一场雪。

雪纷纷扬扬,下得很大。开始还伴着一阵儿①小雨,不久就只见大片大片的雪花,从彤云②密布的天空中飘落下来。地面上一会儿③就白了。冬天的山村,到了夜里就万籁俱寂④,只听得雪花簌簌⑤地不断往下落,树木的枯枝被雪压断了,偶尔咯吱一声响。

大雪整整下了一夜。今天早晨,天放晴了,太阳出来了。推开门一看,嗬!好大的雪啊⑥!山川、河流、树木、房屋,全都罩上了一层厚厚的雪,万里江山,变成了粉妆玉砌⑦的世界。落光了叶子的柳树上挂满了毛茸茸亮晶晶的银条儿⑧;而那些冬夏常青的松树和柏树⑨上,则挂满了蓬松松沉甸甸的雪球儿⑩。一阵风吹来,树枝轻轻地摇晃,美丽的银条儿和雪球儿簌簌地落下来,玉屑⑪似的雪末儿⑫随风飘扬,映着清晨的阳光,显出一道道五光十色的彩虹。

大街上的积雪足有一尺多深,人踩上去,脚底下发出咯吱咯吱的响声。一群群孩子在雪地里堆雪人,掷雪球儿。那欢乐的叫喊声,把树枝上的雪都震落下来了。

俗话说,"瑞雪兆丰年"。这个话是有充分的科学根据,并不是一句迷信的成语。寒冬大雪,可以冻死一部分越冬的害虫;融化了的水渗进土层深处,又能供应⑬//庄稼生长的需要。我相信这一场十分及时的大雪,一定会促进明年春季作物,尤其是小麦的丰收。有经验的老农把雪比做是"麦子的棉被"。冬天"棉被"盖得越厚,明春麦子就长得越好,所以又有这样一句谚语:"冬天麦盖三层被,来年枕着馒头睡。"

我想,这就是人们为什么把及时的大雪称为"瑞雪"的道理吧。

【**朗读提示**】 朗读基调应该是十分喜悦。通篇的语气和感情色彩都应是热切、乐观、坚定。朗读语气上一定要有所变化,跳跃推进,让听者能体会到文章的节奏感。

①一阵儿 yízhènr　②彤云 tóngyún　③一会儿 yíhuìr　④万籁俱寂 wànlài-jùjì　⑤簌簌 sùsù

⑥啊 ya　　　⑦砌 qì　　　⑧银条儿 yíntiáor⑨柏树 bǎishù　　　⑩雪球儿 xuěqiúr

⑪玉屑 yùxiè　　⑫雪末儿 xuěmòr　⑬供应 gōngyìng

读书人是幸福人(节选)　　　谢　冕

我常想读书人是世间幸福人,因为①他除了拥有现实的世界之外,还拥有另一个更为②浩瀚也更为丰富的世界。现实的世界是人人都有的，而后一个世界却为读书人所独有。由此我想，那些失去或不能阅读的人是多么的不幸，他们的丧失③是不可补偿的。世间有诸多的不平等，财富的不平等，权力的不平等，而阅读能力的拥有或丧失却体现为精神的不平等。

一个人的一生，只能经历自己拥有的那一份欣悦，那一份苦难，也许再加上他亲自闻知的那一些关于自身以外的经历和经验。然而，人们通过阅读，却能进入不同时空的诸多他人的世界。这样，具有阅读能力的人，无形间获得④了超越有限生命的无限可能性。阅读不仅使他多识了草木虫鱼之名，而且可以上溯⑤远古下及未来，饱览存在的与非存在的奇风异俗。

更为重要的是，读书加惠于人们的不仅是知识的增广，而且还在于精神的感化与陶冶。人们从读书学做人，从那些往哲先贤以及当代才俊的著述中学得他们的人格。人们从《论语⑥》中学得智慧的思考，从《史记》中学得严肃的历史精神，从《正气歌》中学得人格的刚烈，从马克思学得人世//的激情，从鲁迅学得批判精神，从托尔斯泰学得道德的执著⑦。歌德的诗句刻写着睿智⑧的人生，拜伦的诗句呼唤着奋斗的热情。一个读书人，一个有机会拥有超乎个人生命体验的幸运人。

【朗读提示】朗读基调应是热情明快，语气中充满幸福之感，却又不事夸张。第一自然段语气应坚实肯定；第二自然段多用句首高起，句尾下行而收束干净的语势；第三自然段可用加重并延长音节的方法，在稳健的语流中读出气势，但重音的使用不宜多，不宜杂。

①因为 yīnwèi　　②为 wéi　　③丧失 sàngshī　　④获得 huòdé　　⑤溯 sù
⑥论语 lúnyǔ　　⑦执著 zhízhuó　　⑧睿智 ruìzhì

二十美金的价值(节选)　　唐继柳

一天，爸爸下班回到家已经很晚了，他很累也有点儿①烦，他发现五岁的儿子②靠在门旁正等着他。

"爸，我可以问您一个问题吗？"

"什么问题？""爸，您一小时可以赚多少钱？""这与③你无关，你为什么问这个问题？"父亲生气地说。

"我只是想知道，请告诉我，您一小时赚多少钱？"小孩儿④哀求道。"假如你一定要知道的话，我一小时赚二十美金。"

"哦，"小孩儿低下了头，接着又说，"爸，可以借我十美金吗？"父亲发怒了：如果你只是要借钱去买毫无意义的玩具的话，给我回到你的房间睡觉去。好好想想⑤为什么你会那么自私。我每天辛苦工作，没时间和你玩儿小孩子⑥的游戏。"

小孩儿默默地回到自己的房间关上门。

父亲坐下来还在生气。后来，他平静下来了。心想他可能对孩子太凶了——或许孩子真的很想买什么东西，再说他平时很少要过钱。

父亲走进孩子的房间："你睡了吗？""爸，还没有，我还醒着。"孩子回答。

"我刚才可能对你太凶了，"父亲说，"我不应该发那么大的火儿⑦——这是你要的十美金。"

"爸，谢谢您。"孩子高兴地从枕头⑧下拿出一些被弄⑨皱的钞票，慢慢地数着。

"为什么你已经有钱了还要？"父亲不解地问。

"因为⑩原来不够，但现在凑够了。"孩子回答："爸，我现在有//二十美金了，我可以向您买一个小时的时间吗？明天请早一点儿回家——我想和您一起吃晚餐。"

【朗读提示】 朗读基调应是真挚动情，对话语言的处理要求体现人物的心理特征，意味深长。结尾悬念揭示处，语气的转折要贴切自然，尺度要把握得当，避免过于夸张。

①有点儿 yǒudiǎnr　②儿子 érzi　③与 yǔ　④小孩儿 xiǎoháir　⑤好好想想 hǎohǎoxiǎngxiang
⑥孩子 háizi　　　⑦火儿 huǒr　⑧枕头 zhěntou　　　⑨弄 nòng　⑩因为 yīnwèi

繁　星(节选)　　巴　金

我爱月夜，但我也爱星天。从前在家乡七八月的夜晚在庭院里纳凉的时候，我最爱看天上密密麻麻的繁星。望着星天，我就会忘记一切，仿佛①回到了母亲的怀里似的。

三年前在南京我住的地方②有一道后门，每晚我打开后门，便看见一个静寂的夜。下面是一片菜园，上面是星群密布的蓝天。星光在我们的肉眼里虽然微小，然而它使我们觉得光明无处不在。那时候我正在读一些天文学的书，也认得③一些星星，好像它们就是我的朋友④，它们常常在和我谈话一样。

如今在海上，每晚和繁星相对，我把它们认得很熟⑤了。我躺在舱面上，仰望天空。深蓝色的天空里悬着无数半明半昧⑥的星。船在动，星也在动，它们是这样低，真是摇摇欲坠呢！渐渐地我的眼睛模糊⑦了，我好像看见无数萤火虫在我的周围飞舞。海上的夜是柔和的，是静寂的，是梦幻的。我望着许多认识⑧的星，我仿佛看见它们在对我眨眼⑨，我仿佛听见它们在小声说话。这时我忘记了一切。在星的怀抱中我微笑着，我沉睡着。我觉得自己是一个小孩子，现在睡在母亲的怀里了。

有一夜，那个在哥伦波上船的英国人指给我看天上的巨人。他用手指着://那四颗明亮的星是头，下面的几颗是身子，这几颗是手，那几颗是腿和脚，还有三颗星算是腰带。经他这一番指点，我果然看清楚⑩了那个天上的巨人。看，那个巨人还在跑呢！

【朗读提示】 朗读基调应是沉郁平缓的，表现出作者的孤独之感。朗读时要用深沉的语气把它表达出来。

①仿佛 fǎngfú　　②地方 dìfang　　③认得 rènde　　④朋友 péngyou　　⑤熟 shú
⑥昧 mèi　　　　⑦模糊 móhu　　　⑧认识 rènshi　　⑨眨眼 zhǎyǎn　　⑩清楚 qīngchu

风筝畅想曲(节选)　　李恒瑞

假日到河滩上转转，看见许多孩子在放风筝①。一根根长长的引线，一头系②在天上，一头系在地上,孩子同风筝都在天与地之间悠荡,连心也被悠荡得恍恍惚惚了,好像又回到了童年。

儿时的放风筝,大多是自己的长辈或家人编扎③的,几根削④得很薄⑤的篾,用细纱线扎成各种鸟兽的造型,糊上雪白的纸片,再用彩笔勾勒出面孔与翅膀的图案。通常扎得最多的是"老雕""美人儿⑥""花蝴蝶"等。

我们家前院就有位叔叔,擅扎风筝,远近闻名。他扎得风筝不只体型好看,色彩艳丽,放飞得高远,还在风筝上绷一叶用蒲苇削成的膜片,经风一吹,发出"嗡嗡"的声响。向,仿佛是风筝的歌唱,在蓝天下播扬,给开阔的天地增添了无尽的韵味,给驰荡的童心带来几分疯狂。

我们那条胡同⑦的左邻右舍的孩子们放的风筝几乎都是叔叔编扎的。他的风筝不卖钱,谁上门去要,就给谁,他乐意自己贴钱买材料。

后来,这位叔叔去了海外,放风筝也渐渐与孩子们远离了。不过年年叔叔给家乡写信,总不忘提起儿时的放风筝。香港回归之后,他在家信中说到,他这只被故乡放飞到海外的风筝,尽管飘荡游弋⑧,经沐风雨,可那线头儿⑨一直在故乡和//亲人手中牵着,如今飘得太累了,也该要回归到家乡和亲人身边来了。

是的。我想,不光是叔叔,我们每个人都是风筝,在妈妈手中牵着,从小放到大,再从家乡放到祖国最需要的地方去啊!

【朗读提示】 朗读基调应是满怀深情。前面要读得条理清晰,中间要读出敬意,结尾一段是文眼,可比前面抒情重些。怀着一颗童心去朗读,不过绝不可模仿童声。

①风筝 fēngzheng ②系 jì ③编扎 biānzā ④削 xiāo ⑤薄 báo
⑥人儿 rénr ⑦胡同 hútòngr ⑧游弋 yóuyì ⑨线头儿 xiàntóur

父亲的爱(节选) 〔美〕艾尔玛·邦贝克

爸不懂得怎样表达爱,使我们一家人融洽相处①的是我妈。他只是每天上 班下班,而妈则把我们做过的错事开列清单,然后由他来责骂我们。

有一次我偷了一块糖果,他要我把它送回去,告诉②卖糖的说是我偷来的,说我愿意替他拆箱卸货作为赔偿。但妈妈却明白③我只是个孩子。

我在运动场打秋千跌断了腿,在前往医院途中一直抱着我的,是我妈。爸把汽车停在急诊室④门口,他们叫他驶开,说那空位⑤是留给紧急车辆停放的。爸听了便叫嚷道:"你以为这是什么车?旅游车?"

在我生日会上,爸总是显得有些不大相称⑥。他只是忙于吹气球,布置餐桌,做杂务。把插着蜡烛的蛋糕推过来让我吹的,是我妈。

我翻阅照相册时,人们总是问:"你爸爸是什么样子的?"天晓得!他老是忙着替别人拍照。妈和我笑容可掬地一起拍的照片⑦,多得不可胜数。

我记得妈有一次叫他教⑧我骑自行车。我叫他别放手,但他却说是应该放手的时候了。我摔倒之后,妈跑过来扶我,爸却挥手要她走开。我当时生气极了,决心要给他点儿⑨颜色看。于是我马上爬上自行车,而且自己骑给他看。他只是微笑。

我念大学时,所有的家信都是妈写的。他//除了寄支票外,还寄过一封短柬给我,说因为我不在草坪上踢足球了,所以他的草坪长得很美。

每次我打电话回家,他似乎⑩都想跟我说话,但结果总是说:"我叫你妈来接。"

我结婚时,掉眼泪的是我妈。他只是大声擤了一下鼻子,便走出房间。

我从小到大都听他说:"你到哪里去? 什么时候回家? 汽车有没有汽油? 不,不准去。"爸完全不知道怎样表达爱。除非……

会不会是他已经表达了,而我却未能察觉?

【朗读提示】 朗读基调应是细腻,有真情实感。全篇关于爸的叙述和语言,不要从声音上去着意强调,不必一味模拟人物的音容笑貌和方言土语。最后一句是全篇的"文眼",应读出文中"我"暗含温暖感受的自责之情,应比"爸"的声音稍高,语气稍慢,显示出与前面不同的语气色彩。

①相处 xiāngchǔ　②告诉 gàosu　③明白 míngbai　④室 shì　⑤空位 kòngwèi
⑥相称 xiāngchèn　⑦照片 zhàopiàn　⑧教 jiāo　⑨点儿 diǎnr　⑩似乎 sìhū

国家荣誉感(节选)　　冯骥才

一个大问题一直盘踞在我脑袋①里:

世界杯怎么②会有如此巨大的吸引力? 除去足球本身的魅力之外,还有什么超乎其上而更伟大的东西③?

近来观看世界杯,忽然从中得到了答案:是由一种无上崇高的精神情感——国家荣誉感!

地球上的人都会有国家的概念,但未必时时都有国家的感情。往往人到异国,思念家乡,心怀故国,这国家概念就变得有血④有肉,爱国之情来得非常具体。而现代社会,科技昌达,信息快捷,事事上网,世界真是太小太小,国家的界限似乎⑤也不那么清晰了。再说足球正在快速世界化,平日里各国球员频繁转会⑥,往来随意,致使越来越多的国家联赛都具有国际的因素。球员们不论国籍,只效力于自己的俱乐部,他们比赛时的激情中完全没有爱国主义的因子。

然而,到了世界杯大赛,天下大变。各国球员都回国效力,穿上与光荣的国旗同样色彩的服装。在每一场比赛前,还高唱国歌以宣誓对自己祖国的挚爱与忠诚。一种血缘⑦情感开始在全身的血管⑧里燃烧起来,而且立刻热血⑨沸腾。

在历史时代,国家间经常发生对抗,好男儿⑩戎装卫国。国家的荣誉往往需要以自己的生命去换//取。但在和平时代,唯有这种国家之间大规模对抗性的大赛,才可以唤起那种遥远而神圣的情感,那就是:为祖国而战!

【朗读提示】 朗读基调应是昂扬有力,最好是昂扬中带一点舒缓,语势要带有动作感,语气要逐渐推进直至最后"为祖国而战"干净而坚定地收尾。使气融于心并化之于声,气势自出,文眼自明。

①脑袋 nǎodai　　②怎么 zěnme　　③东西 dōngxi　　④血 xiě　　⑤似乎 sìhū

⑥转会 zhuǎnhuì　⑦血缘 xuèyuán　⑧血管 xuèguǎn　⑨热血 rèxuè　⑩男儿 nán'ér

海滨仲夏夜(节选)　　峻　青

　　夕阳落山不久,西方的天空,还燃烧着一片橘红色的晚霞。大海,也被这霞光染成了红色,而且比天空的景色更要壮观。因为它是活动的,每当一排排波浪涌起的时候,那映照在浪峰上的霞光,又红又亮,简直就像一片片霍霍燃烧着的火焰,闪烁着,消失了。而后面的一排,又闪烁着,滚动着,涌了过来。

　　天空的霞光渐渐地淡下去了,深红的颜色变成了绯红①,绯红又变为②浅红。最后,当这一切红光都消失了的时候,那突然显得高而远了的天空,则呈现出一片肃穆的神色。最早出现的启明星,在这蓝色的天幕上闪烁起来了。它是那么大,那么亮,整个广漠的天幕上只有它在那里放射着令人注目的光辉,活像一盏悬挂在高空的明灯。

　　夜色加浓,苍空中的"明灯"越来越多了。而城市各处的真的灯火也次第亮了起来,尤其是围绕③在海港周围山坡上的那一片灯光,从半空中映在乌蓝的海面上,随着波浪,晃动着,闪烁着,像一串流动着的珍珠,和那一片片密布在苍穹④里的星斗互相辉映,煞⑤是好看。

　　在这幽美的夜色中,我踏着软绵绵的沙滩,沿着海边,慢慢地向前走去。海水,轻轻地抚摸着细软的沙滩,发出温柔的//刷刷声。晚来的海风,清新而又凉爽。在我的心里,有着说不出的兴奋⑥和愉快。

　　夜风轻飘飘地吹拂⑦着,空气中飘荡着一种大海和田禾相混合⑧的香味儿,柔软的沙滩上还残留着白天太阳炙晒的余温。那些在各个工作岗位上劳动了一天的人们,三三两两地来到这软绵绵的沙滩上,他们浴着凉爽的海风,望着那缀满了星星的夜空,尽情地说笑,尽情地休憩。

　　【朗读提示】 朗读基调是喜悦明快。应语调清新,语气俏皮而富有动感。充分运用感官感受,要"身处其中",兴奋、陶醉,让听者有身临其境的感觉。

①绯红 fēihóng　　②为 wéi　　③围绕 wéirào　　④苍穹 cāngqióng　　⑤煞 shà

⑥兴奋 xīngfèn　　⑦吹拂 chuīfú　　⑧混合 hùnhé

海洋与生命(节选)　　童裳亮

　　生命在海洋里诞生绝不是偶然的,海洋的物理和化学性质,使它成为孕育原始生命的摇篮。

　　我们知道,水是生物的重要组成部分,许多动物组织的含水量在百分之八十以上,而一些海洋生物的含水量高达百分之九十五。水是新陈代谢的重要媒介,没有它,体内的一系列生理和生物化学反应就无法进行,生命也就停止。因此,在短时期内动物缺水要比缺少食物更加危险。水对今天的生命是如此重要,它对脆弱的原始生命,更是举足轻重了。生命在海洋里诞生,就不会有缺水之忧。

水是一种良好的溶剂。海洋中含有许多生命所必需的无机盐,如氯化钠、氯化钾、碳酸盐、磷酸盐,还有溶解氧,原始生命可以毫不费力地从中吸取它所需要的元素。

水具有很高的热容量,加之海洋浩大,任凭夏季烈日曝晒①,冬季寒风扫荡,它的温度变化却比较②小。因此,巨大的海洋就像是天然的"温箱",是孕育原始生命的温床。

阳光虽然为③生命所必需,但是阳光中的紫外线却有扼杀原始生命的危险。水能有效地吸收紫外线,因而又为原始生命提供了天然的"屏障"④。

这一切都是原始生命得以产生和发展的必要条件。

【朗读提示】 朗读基调应是亲切、柔和,但不同的段落要读出感情变化。首段要读出肯定和赞扬,结尾段要读出赞叹之情。本文是说明性的文章,朗读时要注意行文的严谨,表达出逻辑的力量。

①曝晒 pùshài　　②比较 bǐjiào　　③为 wéi　　④屏障 píngzhàng

和时间赛跑(节选)　　林清玄

读小学的时候,我的外祖母去世了。外祖母生前最疼爱我,我无法排除自己的忧伤,每天在学校的操场上一圈儿①又一圈儿地跑着,跑得累倒在地上,扑在草坪上痛哭。

那哀痛的日子,断断续续地持续了很久,爸爸妈妈也不知道如何安慰我。他们知道与其②骗我说外祖母睡着③了,还不如对我说实话,外祖母永远不会回来了。

"什么是永远不会回来呢?"我问着。

"所有时间里的事物,都永远不会回来。你的昨天过去,它就永远变成昨天,你不能再回到昨天。爸爸以前也和你一样小,现在也不能回到你这么小的童年了;有一天你会长大,你会像外祖母一样老;有一天你度过了你的时间,就永远不会回来了。"爸爸说。

爸爸等于给我一个谜语,这谜语比课本上的"日历挂在墙壁,一天撕去一页,使我心里着急④"和"一寸光阴一寸金,寸金难买寸光阴"还让我感到可怕;也比作文本上的"光阴似⑤箭,日月如梭"更让我觉得有一种说不出来的滋味。

时间过得那么飞快,使我的小心眼儿⑥里不只是着急,还有悲伤。有一天我放学回家,看到太阳快落山了,就下决心说:"我要比太阳更快地回家。"我狂奔回去,站在庭院前喘气的时候,看到太阳//还露⑦着半边脸,我高兴地跳跃起来,那一天我跑赢了太阳。以后我就时常做那样的游戏,有时和太阳赛跑,有时和西北风比快,有时一个暑假才能做完的作业,我十天就做完了;那时我三年级,常常把哥哥五年级的作业拿来做。每一次比赛胜过时间,我就快乐⑧得不知道怎么⑨形容。

如果将来我有什么要教⑩给我的孩子,我会告诉他:假若你一直和时间比赛,你就可以成功!

【朗读提示】 朗读基调应真诚劝慰,但不能过于说教。文章前半部分写作者体验到了时间的流逝,朗读声调应缓慢些,低沉些,略带一点点哀愁;后半部分体会到了与时间赛跑取得成功的快乐,声调可高些,速度略快,朗读中要有一种跑在时间前面的喜悦;最后两个自然段,朗读时抒情色彩应浓一些。

①一圈儿 yìquānr   ②与其 yǔqí   ③睡着 shuìzháo   ④着急 zháojí   ⑤似 sì
⑥小心眼儿 xiǎoxīnyǎnr   ⑦露 lòu   ⑧快乐 kuàilè   ⑨怎么 zěnme   ⑩教 jiāo

胡适的白话电报(节选)

三十年代初,胡适在北京大学任教授。讲课时他常常对白话文大加称赞①,引起一些只喜欢文言文而不喜欢白话文的学生②的不满。

一次,胡适正讲得得意的时候,一位姓魏的学生突然站了起来,生气地问:"胡先生,难道说白话文就毫无缺点吗?"胡适微笑着回答说:"没有。"那位学生更加激动了:"肯定有! 白话文废话太多,打电报用字多,花钱多。"胡适的目光顿时变亮了。轻声地解释说:"不一定吧! 前几天有位朋友③给我打来电报,请我去政府部门工作,我决定不去,就回电拒绝了。复电是用白话写的,看来也很省字。请同学们根据我这个意思④,用文言文写一个回电,看看究竟是白话文省字,还是文言文省字?"胡教授刚说完,同学们立刻认真地写了起来。

十五分钟过去,胡适让同学举手,报告用字的数目,然后挑了一份用字最少的文言电报稿,电文是这样写的:

"才疏学浅,恐难胜任,不堪从命。"白话文的意思是:学问不深,恐怕很难担任这个工作,不能服从安排。

胡适说,这份写得确实不错,仅用了十二个字。但我的白话电报却只用了五个字:

"干不了,谢谢!⑤"

胡适又解释说:"干不了"就有才疏学浅、恐难胜任的意思;"谢谢"既//对朋友的介绍表示感谢,又有拒绝的意思。所以,废话多不多,并不看它是文言文还是白话文,只要注意选用字词,白话文是可以比文言文更省字的。

(选自陈灼主编《实用汉语中级教程》)

【朗读提示】 朗读时要在平和朴实的基调中,加强语言表现力,人物"得意",则语言"得意",人物"生气",则语言"生气",人物"目光顿时变亮",则语气都带着发现机会的惊喜。总之,"得生动处且生动",但不可表演痕迹过重。

①称赞 chēngzàn   ②学生 xuésheng   ②朋友 péngyou   ④意思 yìsi   ⑤谢谢 xièxie

火　光(节选)　　〔俄〕柯罗连科 张铁夫译

很久以前,在一个漆黑的秋天的夜晚,我泛舟在西伯利亚一条阴森森的河上。船到一个转弯①处,只见前面黑魆魆②的山峰下面一星火光蓦地③一闪。

火光又明又亮,好像就在眼前……

"好啦，谢天谢地!"我高兴地说,"马上④就到过夜的地方⑤啦!"

船夫扭头朝身后的火光望了一眼,又不以为然地划起桨来。

"远着呢!"

我不相信他的话,因为火光冲破朦胧的夜色,明明在那儿闪烁⑥。不过船夫是对的,事实上,火光的确⑦还远着呢。

这些黑夜的火光的特点是:驱散黑暗,闪闪发亮,近在眼前,令人神往。乍一看,再划几下就到了……其实却还远着呢!……

我们在漆黑如墨的河上又划了很久。一个个峡谷和悬崖,迎面驶来,又向后移去,仿佛⑧消失在茫茫的远方,而火光却依然停在前头,闪闪发亮,令人神往——依然是这么近,又依然是那么远……

现在,无论是这条被悬崖峭壁的阴影笼罩的漆黑的河流,还是那一星明亮的火光,都经常浮现在我的脑际,在这以前和这以后,曾有许多火光,似乎近在咫尺,不止使我一人心驰神往。可是生活之河却仍然在那阴森森的两岸之间流着,而火光也依旧非常遥远。因此,必须加劲划桨……

然而,火光啊⑨……毕竟……毕竟就//在前头⑩!……

【朗读提示】 朗读基调应是沉郁平缓又意味深长。

①转弯 zhuǎnwān　　②黑黢黢 hēiqūqū　　③蓦地 mòde　　④马上 mǎshàng　　⑤地方 dìfang
⑥闪烁 shǎnshuò　　⑦的确 díquè　　⑧仿佛 fǎngfú　　⑨啊 nga　　⑩前头 qiántou

济南的冬天(节选)　　　　老舍

对于一个在北平住惯的人,像我,冬天要是不刮风,便觉得是奇迹;济南①的冬天是没有风声的。对于一个刚由伦敦回来的人,像我,冬天要能看得见日光,便觉得是怪事;济南的冬天是响晴的。自然,在热带的地方,日光永远是那么毒,响亮的天气,反有点儿叫人害怕。可是,在北方的冬天,而能有温晴的天气,济南真得②算个宝地。

设若单单是有阳光,那也算不了出奇。请闭上眼睛想:一个老城,有山有水,全在天底下晒着阳光,暖和③安适地睡着,只等春风来把它们唤醒,这是不是理想的境界? 小山把济南围了个圈儿,只有北边缺着点口儿。这一圈小山在冬天特别可爱,好像是把济南放在一个小摇篮里,它们安静不动地低声地说:"你们放心吧,这儿准保暖和。"真的,济南的人们在冬天是面上含笑的。他们一看那些小山,心中便觉得有了着落④,有了依靠。他们由天上看到山上,便不知不觉地想起:明天也许就是春天了吧? 这样的温暖,今天夜里山草也许绿起来了吧? 就是这点儿幻想不能一时实现,他们也并不着急,因为这样慈善的冬天,干什么还希望别的呢!

最妙的是下点儿小雪呀。看吧,山上的矮松越发的青黑,树尖儿上顶//着一髻儿⑤白花,好像日本看护妇⑥。山尖儿全白了,给蓝天镶上一道银边。山坡上,有的地方雪厚点儿,有的地方草色还露⑦着;这样,一道儿白,一道儿暗黄,给山们穿上一件带水纹儿的花衣;看着看着,这件花衣好像

附录　　325

被风儿⑧吹动,叫你希望看见一点儿更美的山的肌肤。等到快日落的时候,微黄的阳光斜射在山腰上,那点儿薄⑨雪好像忽然害羞,微微露⑩出点儿粉色。就是下小雪吧,济南是受不住大雪的,那些小山太秀气。

【朗读提示】 朗读基调应是喜悦明快,充满真情。读出"画面感"是本篇朗读的关键。通篇朗读语气应是娓娓道来,情恳辞切。第一段对比朗读,"可是"处读出喜悦和爱;第二段"请闭上眼睛想"要循循善诱,不要用强加于人的语气;最后一段"最妙的……"应该像读"画",用拟人化爱怜的语气读出感人的脉脉温情。结尾句要读得"意犹未尽,话犹未了"。

①济南 jǐnán　　②得 děi　　③暖和 nuǎnhuo　　④着落 zhuóluò　　⑤髻儿 jìr
⑥看护妇 kānhùfù　⑦露 lòu　　⑧风儿 fēng'·ér　　⑨薄 báo　　⑩露 lòu

家乡的桥(节选)　　郑　莹

淳朴的家乡村边有一条河,曲①曲弯弯,河中架一弯石桥,弓样的小桥横跨两岸。

每天,不管是鸡鸣晓月,日丽中天,还是月华泻地,小桥都印下串串足迹②,洒落串串汗珠。那是乡亲为了追求多棱的希望,兑现美好的遐想。弯弯小桥,不时荡过轻吟低唱,不时露③出舒心的笑容。

因而,我稚小的心灵,曾将心声献给小桥:你是一弯银色的新月,给人间普照光辉;你是一把闪亮的镰刀,割刈④着欢笑的花果;你是一根晃悠悠的扁担,挑起了彩色的明天! 哦,小桥走进我的梦中。

我在漂泊⑤他乡的岁月,心中总涌动着故乡的河水,梦中总看到弓样的小桥。当我访南疆探北国,眼帘闯进座座雄伟的长桥时,我的梦变得丰满了,增添了赤橙黄绿青蓝紫。

三十多年过去,我带着满头霜花回到故乡,第一紧要的便是去看望小桥。

啊! 小桥呢? 它躲起来了? 河中一道长虹,浴着朝霞熠熠⑥闪光。哦,雄浑的大桥敞开胸怀,汽车的呼啸、摩托的笛音、自行车的叮铃,合奏着进行交响乐;南来的钢筋、花布,北往的柑橙、家禽,绘出交流欢悦图……

啊! 蜕变⑦的桥,传递了家乡进步的消息,透露⑧了家乡富裕的声音。时代的春风,美好的追求,我蓦地⑨记起儿时唱//给小桥的歌,哦,明艳艳的太阳照耀了,芳香甜蜜的花果捧来了,五彩斑斓的岁月拉开了!

我心中涌动的河水,激荡起甜美的浪花。我仰望一碧蓝天,心底轻声呼喊:家乡的桥啊⑩,我梦中的桥!

(选自小学《语文》第六册)

【朗读提示】 朗读基调应是喜悦明快。朗读中要把握节奏感,把握语言的生动性。最后一段抒情处,要豪放舒展,不必提高声音音量,只需略拖长句尾即可。

①曲 qū　　②足迹 zújì　　③露 lù/lòu　　④割刈 gēyì　　⑤漂泊 piāobó

⑥熠熠 yìyì　⑦蜕变 tuìbiàn　⑧透露 tòulù　⑨蓦地 mòde　⑩啊 wa

坚守你的高贵(节选)　　　游宇明

　　三百多年前,建筑设计师莱伊恩受命设计了英国温泽市政府大厅。他运用工程力学的知识①,依据自己多年的实践,巧妙地设计了只用一根柱子支撑②的大厅天花板。一年以后,市政府权威人士进行工程验收时,却说只用一根柱子支撑天花板太危险,要求莱伊恩再多加几根柱子。

　　莱伊恩自信只要一根坚固的柱子足以保证大厅安全,他的"固执"惹恼了市政官员,险些被送上法庭。他非常苦恼,坚持自己原先的主张③吧,市政官员肯定会另找人修改设计;不坚持吧,又有悖④自己为人⑤的准则。矛盾了很长一段时间,莱伊恩终于想出了一条妙计,他在大厅里增加了四根柱子,不过这些柱子并未与天花板接触,只不过是装装样子。

　　三百多年过去了,这个秘密⑥始终没有被人发现。直到前两年,市政府准备修缮大厅的天花板,才发现莱伊恩当年的"弄虚作假"。消息传出后,世界各国的建筑专家和游客云集,当地政府对此也不加掩饰⑦,在新世纪到来之际,特意将大厅作为一个旅游景点对外开放,旨⑧在引导人们崇尚和相信科学。

　　作为一名建筑师,莱伊恩并不是最出色的。但作为一个人,他无疑非常伟大,这种//伟大表现在他始终恪守⑨着自己的原则,给高贵的心灵一个美丽的住所,哪怕是遭遇到最大的阻力,也要想办法⑩抵达胜利。

　　【朗读提示】 文章的朗读基调应是热情赞扬。

①知识 zhīshi　②支撑 zhīchēng　③主张 zhǔzhāng　④悖 bèi　⑤为人 wéirén
⑥秘密 mìmì　⑦掩饰 yǎnshì　⑧旨 zhǐ　⑨恪守 kèshǒu　⑩办法 bànfǎ

金 子(节选)　　　陶 猛译

　　自从传言有人在萨文河畔①散步时无意发现了金子后,这里便常有来自四面八方的淘金者。他们都想成为富翁,于是寻遍了整个河床,还在河床上挖出很多大坑,希望借助它们找到更多的金子。的确②,有一些人找到了,但另外一些人因为一无所得而只好扫兴归去。

　　也有不甘心落空的,便驻扎③在这里,继续寻找。彼得·弗雷特就是其中一员。他在河床附近买了一块没人要的土地,一个人默默④地工作。他为了找金子,已把所有的钱都押在这块土地上。他埋头苦干了几个月,直到土地全变成了坑坑洼洼,他失望了——他翻遍了整块土地,但连一丁点儿⑤金子都没看见。

　　六个月后,他连买面包的钱都没有了。于是他准备离开这儿⑥到别处去谋生。

　　就在他即将⑦离去的前一个晚上⑧,天下起了倾盆⑨大雨,并且一下就是三天三夜。雨终于停了,彼得走出小木屋,发现眼前的土地看上去好像和以前不一样:坑坑洼洼已被大水冲刷平整,松软的土地上长出一层绿茸茸的小草。

"这里没找到金子,"彼得忽有所悟地说,"但这土地很肥沃,我可以用来种花,并且拿到镇上去卖给那些富人⑩,他们一定会买些花装扮他们华丽的客厅。//如果真是这样的话,那么我一定会赚许多钱,有朝一日我也会成为富人……"

于是他留了下来。彼得花了不少精力培育花苗,不久田地里长满了美丽娇艳的各色鲜花!

五年以后,彼得终于实现了他的梦想——成了一个富翁。"我是唯一的一个找到真金的人!"他时常不无骄傲地告诉别人,"别人在这儿找不到金子后便远远地离开,而我的'金子'是在这块土地里,只有诚实的人用勤劳才能采集到。"

【朗读提示】 应通过真诚劝慰的基调将作品朗读给听者。应该注意的是,弗雷德虽是文章记叙的主体,却并不是文章的线索,因而朗读时不要刻意突出人物,而应句句扣题:勤劳才是金子。

①河畔 hépàn　②的确 díquè　③驻扎 zhùzhā　④默默 mòmò　⑤一丁点儿 yìdīngdiǎnr
⑥这儿 zhèr　⑦即将 jíjiāng　⑧晚上 wǎnshang　⑨倾盆 qīngpén　⑩富人 fùrén

捐　诚(节选)　　青　白

我在加拿大学习期间遇到过两次募捐,那情景至今使我难以忘怀。

一天,我在渥太华的街上被两个男孩子拦住去路。他们十来岁,穿得整整齐齐,每人头上戴着个做工精巧、色彩鲜艳的纸帽,上面写着:"为帮助患小儿麻痹①的伙伴募捐。"其中的一个,不由分说②就坐在小凳上给我擦起皮鞋来,另一个则彬彬有礼地发问:"小姐,您是哪国人? 喜欢渥太华吗?""小姐,在你们国家有没有小孩儿患小儿麻痹? 谁给他们医疗费?"一连串的问题,使我这个有生以来头一次在众目睽睽之下让别人擦鞋的异乡人,从近乎狼狈的窘态③中解脱出来。我们像朋友一样聊起天儿④来……

几个月之后,也是在街上。一些十字路口处或车站坐着几位老人。他们满头银发⑤,身穿各种老式军装,上面布满了大大小小形形色色的徽章、奖章,每人手捧一大束鲜花,有水仙、石竹、玫瑰及叫不出名字⑥的,一色⑦雪白。匆匆过往的行人纷纷止步,把钱投进这些老人身旁的白色木箱内,然后向他们微微鞠躬,从他们手中接过一朵花。我看了一会儿,有人投一两元,有人投几百元,还有人掏出支票填好后投进木箱。那些老军人毫不注意人们捐多少钱,一直不//停地向人们低声道谢。同行⑧的朋友告诉我,这是为纪念二次大战中参战的勇士,募捐救济残废军人和烈士遗孀,每年一次;认捐的人可谓踊跃,而且秩序井然,气氛⑨庄严。有些地方,人们还耐心地排着队。我想,这是因为他们都知道:正是这些老人们的流血⑩牺牲换来了包括他们信仰自由在内的许许多多。

我两次把那微不足道的一点儿钱捧给他们,只想对他们说声"谢谢"。

【朗读提示】 这篇作品的朗读基调应满怀深情。少年的语言用真诚而天真的语气,细腻的描写用赞赏欣慰的语调,抒情色彩的议论要尽量贴近作品中"我"一个外国留学生的身份。

①麻痹 mábì　②不由分说 bùyóu-fēnshuō　③窘态 jiǒngtài　④天儿 tiānr　⑤银发 yínfà

⑥名字 míngzi   ⑦一色 yísè   ⑧同行 tóngxíng   ⑨气氛 qì·fēn   ⑩流血 liúxuè

可爱的小鸟(节选)　　　王文杰

　　没有一片绿叶,没有一缕炊烟,没有一粒泥土,没有一丝花香,只有水的世界,云的海洋。

　　一阵台风袭过,一只孤单的小鸟无家可归,落在被卷到洋里的木板上,乘①流而下,姗姗而来,近了,近了!……

　　忽然,小鸟张开翅膀②,在人们头顶盘旋了几圈儿,"噗啦③"一声落到了船上。许是累了?还是发现了"新大陆"?水手撵它不走,抓它,它乖乖地落在掌心。可爱的小鸟和善良的水手结成了朋友。

　　瞧,它多美丽,娇巧的小嘴,啄④理着绿色的羽毛,鸭子样的扁脚,呈现出春草的鹅黄。水手们把它带到舱里,给它"搭铺",让它在船上安家落户,每天,把分到的一塑料筒淡水匀给它喝,把从祖国带来的鲜美的鱼肉分给它吃,天长日久,小鸟和水手的感情日趋笃厚⑤。清晨,当第一束阳光射进舷窗时,它便敞开美丽的歌喉,唱⑥啊唱,嘤嘤有韵,宛如春水淙淙。人类给它以生命,它毫不悭吝⑦地把自己的艺术青春奉献给了哺育它的人。可能都是这样?艺术家们的青春只会献给尊敬他们的人。

　　小鸟给远航生活蒙上了一层浪漫色调。返航时,人们爱不释手,恋恋不舍地想把它带到异乡。可小鸟憔悴了,给水,不喝!喂肉,不吃!油亮的羽毛失去了光泽。是啊⑧,我//们有自己的祖国,小鸟也有它的归宿,人和动物都是一样啊⑨,哪儿也不如故乡好!

　　慈爱的水手们决定放开它,让它回到大海的摇篮去,回到蓝色的故乡去。离别前,这个大自然的朋友与水手们留影纪念。它站在许多人的头上,肩上,掌上,胳膊⑩上,与喂养过它的人们,一起融进那蓝色的画面……

　　【朗读提示】 这篇文章朗读基调应是亲切、爱怜。

①乘 chéng   ②翅膀 chìbǎng   ③噗啦 pūlā   ④啄 zhuó   ⑤笃厚 dǔhòu
⑥啊 nga   ⑦悭吝 qiānlìn   ⑧啊 ra   ⑨啊 nga   ⑩胳膊 gēbo

课不能停(节选)　　　刘　墉

　　纽约的冬天常有大风雪,扑面的雪花不但令人难以睁开眼睛①,甚至呼吸都会吸入冰冷的雪花。有时前一天晚上还是一片晴朗,第二天拉开窗帘,却已经积雪盈尺,连门都推不开了。

　　遇到这样的情况,公司、商店常会停止上班,学校也通过广播,宣布停课。但令人不解的是,唯有公立小学,仍然开放。只见黄色的校车,艰难地在路边接孩子,老师则一大早就口中喷着热气,铲去车子前后的积雪,小心翼翼地开车去学校。

　　据统计,十年来纽约的公立小学只因为超级暴风雪停过七次课。这是多么令人惊讶的事。犯得着②在大人都无须上班的时候让孩子去学校吗？小学的老师也太倒霉了吧？

于是，每逢大雪而小学不停课时，都有家长打电话去骂。妙的是，每个打电话的人，反应全一样——先是怒气冲冲地责问，然后满口道歉，最后笑容满面地挂上电话。原因是，学校告诉家长：

在纽约有许多百万富翁，但也有不少贫困的家庭。后者白天开不起暖气，供③不起午餐，孩子的营养全靠学校里免费的中饭，甚至可以多拿些回家当晚餐。学校停课一天，穷孩子就受一天冻，挨④一天饿，所以老师们宁愿⑤自己苦一点儿，也不能停//课。

或许有家长会说：何不让富裕的孩子在家里，让贫穷的孩子去学校享受暖气和营养午餐呢？

学校的答复是：我们不愿让那些穷苦的孩子感到他们是在接受救济，因为施舍的最高原则是保持受施者的尊严。

【朗读提示】　本文的朗读基调应是清新舒展，温暖关切，充满真情，充满幸福。前半部分重于叙述，语速稍快。重音放在"呼吸""门""仍然""艰难""十年""七次""多么""太"等词语上；后半部分重于抒情，语气柔缓，娓娓道来，强调"开不起""供不起""免费""冻""饿""宁愿"等。最后一句可再做缓慢处理，但切记不可强调"施舍"一词，而应是"尊严"。

①眼睛 yǎnjing　②犯得着 fàndezháo　③供 gōng　④挨 ái　⑤宁愿 nìngyuàn

莲花和樱花(节选)　　　严文井

十年，在历史上不过是一瞬间①。只要稍加注意，人们就会发现：在这一瞬间里，各种事物都悄悄经历了自己的千变万化。

这次重新访日，我处处感到亲切和熟悉，也在许多方面发觉了日本的变化。就拿奈良②的一个角落来说吧，我重游了为之③感受很深的唐招提寺，在寺内各处匆匆走了一遍，庭院依旧，但意想不到还看到了一些新的东西。其中之一，就是近几年从中国移植来的"友谊④之莲"。

在存放鉴真遗像的那个院子里，几株中国莲昂然挺立，翠绿的宽大荷叶正迎风而舞，显得十分愉快。开花的季节已过，荷花朵朵已变为莲蓬⑤累累⑥。莲子的颜色正在由青转紫，看来已经成熟⑦了。

我禁不住⑧想："因"已转化为"果"。

中国的莲花开在日本，日本的樱花开在中国，这不是偶然。我希望这样一种盛况延续不衰。可能有人不欣赏花，但决不会有人欣赏落在自己面前的炮弹。

在这些日子里，我看到了不少多年不见的老朋友，又结识了一些新朋友。大家喜欢涉及的话题之一，就是古长安和古奈良。那用得着⑨问吗，朋友们缅怀过去，正是瞩望未来。瞩目于未来的人们必将获得⑩未来。

我不例外，也希望一个美好的未来。

为//了中日人民之间的友谊，我将不浪费今后生命的每一瞬间。

【朗读提示】　朗读基调应是意味深长，议论的语气多为感慨与希冀。要清晰地读出重音，节奏上把握一个"稳"字，感情的表露要朴实自然，不宜过于激昂。

①一瞬间 yíshùnjiān ②奈良 Nàiliáng ③为之 wèizhī ④友谊 yǒuyì ⑤莲蓬 lián·péng
⑥累累 léiléi ⑦成熟 chéngshú ⑧禁不住 jīnbúzhù ⑨用得着 yòngdezháo ⑩获得 huòdé

绿(节选)　　　朱自清

梅雨潭闪闪的绿色招引着我们,我们开始追捉她那离合的神光了。揪着草,攀着乱石,小心探身下去,又鞠躬过了一个石穹门,便到了汪汪一碧的潭边了。

瀑布在襟袖之间,但是我的心中已没有瀑布了。我的心随潭水的绿而摇荡。那醉人的绿呀!仿佛①一张极大极大的荷叶铺着,满是奇异的绿呀!我想张开两臂抱住她,但这是怎样一个妄想啊②。

站在水边,望到那面,居然觉着有些远呢!这平铺着、厚积着的绿,着实③可爱。她松松地皱缬④着,像少妇拖着的裙幅;她滑滑的明亮着,像涂了"明油"一般,有鸡蛋清那样软,那样嫩;她又不杂些尘渣,宛然一块温润的碧玉,只清清的一色——但你却看不透她!

我曾见过北京什刹海⑤拂地⑥的绿杨,脱不了鹅黄的底子,似乎太淡了。我又曾见过杭州虎跑寺近旁高峻而深密的"绿壁",丛叠着无穷的碧草与绿叶的,那又似乎太浓了。其余呢,西湖的波太明了,秦淮河的也太暗了。可爱的,我将什么来比拟你呢?我怎么比拟得出呢?大约潭是很深的,故能蕴蓄着这样奇异的绿;仿佛蔚蓝的天融了一块在里面似的,这才这般的鲜润啊⑦。

那醉人的绿呀!我若能裁你以为带,我将赠给那轻盈的//舞女,她必能临风飘举了。我若能挹⑧你以为眼,我将赠给那善歌的盲妹,她必明眸善睐⑨了。我舍不得你,我怎舍得你呢?我用手拍着你,抚摩着你,如同一个十二三岁的小姑娘。我又掬你入口,便是吻着她了。我送你一个名字,我从此叫你"女儿绿",好吗?

第二次到仙岩的时候,我不禁⑩惊诧于梅雨潭的绿了。

【朗读提示】　朗读基调应该是细腻清新,节奏应舒缓从容,语速应平稳,朗读语气上着重突出不同的"绿"字。

①仿佛 fǎngfú ②啊 nga ③着实 zhuóshí ④皱缬 zhòuxié ⑤什刹海 Shíchà Hǎi
⑥拂地 fúdì ⑦啊 na ⑧挹 yì ⑨明眸善睐 míngmóu-shànlài ⑩不禁 bùjīn

落花生(节选)　　　许地山

我们家的后园有半亩空地①,母亲说:"让它荒着怪可惜的,你们那么爱吃花生,就开辟出来种花生吧。"我们姐弟几个都很高兴,买种②、翻地、播种③、浇水,没过几个月,居然收获了。

母亲说:"今晚我们过一个收获节,请你们父亲也来尝尝我们的新花生,好不好?"我们都说好。母亲把花生做成了好几样食品,还吩咐就在后园的茅亭里过这个节。

晚上④天色不太好,可是父亲也来了,实在很难得。

父亲说:"你们爱吃花生吗?"

我们争着答应:"爱!"

"谁能把花生的好处说出来?"

姐姐说:"花生的味美。"

哥哥说:"花生可以榨油。"

我说:"花生的价钱便宜,谁都可以买来吃,都喜欢吃。这就是它的好处。"

父亲说:"花生的好处很多,有一样最可贵:它的果实埋在地里,不像桃子、石榴、苹果那样,把鲜红嫩绿的果实高高地挂在枝头上,使人一见就生爱慕之心。你们看它矮矮地长在地上,等到成熟⑤了,也不能立刻分辨出来它有没有果实,必须挖出来才知道。"

我们都说是,母亲也点点头。

父亲接下去说:"所以你们要像花生,它虽然不好看,可是很有用,不是外表好看而没有实用的东西。"

我说:"那么,人要做有用的人,不要做只讲体面而对别人没有好处的人了。"//

父亲说:"对。这是我对你们的希望。"

我们谈到夜深才散。花生做的食品都吃完了,父亲的话却深深地印在我的心上。

【朗读提示】 本文语气应是平淡中蕴含赞誉之情。切忌分角色,表演化的朗读会破坏文章朴实的基调。最后一句"深深印在我的心上"要语调平缓,意味深长。

①空地 kòngdì　②买种 mǎizhǒng　③播种 bōzhòng　④晚上 wǎnshang　⑤成熟 chéngshú

麻　雀 (节选)　　　[俄]屠格涅夫 巴金译

我打猎归来,沿着花园的林阴路走着。狗跑在我前边。

突然,狗放慢脚步,蹑足潜行,好像嗅到了前边有什么野物。

我顺着林阴路望去,看见了一只嘴边还带黄色、头上生着柔毛的小麻雀。风猛烈地吹打着林阴路上的白桦①树,麻雀从巢里跌落下来,呆呆地伏在地上,孤立无援地张开两只羽毛还未丰满的小翅膀。

我的狗慢慢向它靠近。忽然,从附近一棵树上飞下一只黑胸脯②的老麻雀,像一颗石子③似的落到狗的跟前。老麻雀全身倒竖着羽毛,惊恐万状,发出绝望、凄惨的叫声,接着向露出牙齿、大张着的狗嘴扑去。

老麻雀是猛扑下来救护幼雀的。它用身体掩护着自己的幼儿……但它整个小小的身体因恐怖而战栗着,它小小的声音也变得粗暴嘶哑,它在牺牲自己!

在它看来,狗该是多么庞大的怪物啊!然而,它还是不能站在自己高高的、安全的树枝上……一种比它的理智更强烈的力量,使它从那儿扑下身来。

我的狗站住了,向后退了退……看来,它也感到了这种力量。

我赶紧唤住惊慌失措的狗,然后我怀着崇敬的心情,走开了。

是啊④,请不要见笑。我崇敬那只小小的、英勇的鸟儿,我崇敬它那种爱的冲动和力量。

爱,我//想,比死和死的恐惧更强大。只有依靠它,依靠这种爱,生命才能维持下去,发展下去。

【朗读提示】 朗读基调应是深沉坚定。写老麻雀的动作神态的语句,语速可急迫一些,语音应强而有力。注意把握文中第一人称心情的转换和节奏变化,开始是对猎狗的赞赏和对获得猎物的兴奋,但看到老麻雀的种种拼命举动之处是"震惊",最后,是"崇敬"。这些重点词汇的朗读,一定要转换细微。

①桦 huà   ②胸脯 xiōngpú   ③石子 shízǐr   ④啊 ra

迷途笛音(节选)   唐若水译

那年我六岁。离我家仅一箭之遥的小山坡旁,有一个早已被废弃的采石场,双亲从来不准我去那儿①,其实那儿风景十分迷人。

一个夏季的下午,我随着一群小伙伴偷偷上那儿去了。就在我们穿越了一条孤寂的小路后,他们却把我一个人留在原地,然后奔②向"更危险的地带"了。

等他们走后,我惊慌失措③地发现,再也找不到要回家的那条孤寂的小道了。像只无头的苍蝇④,我到处乱钻,衣裤上挂满了芒刺。太阳已经落山,而此时此刻,家里一定开始吃晚餐了,双亲正盼着我回家……想着想着,我不由得背靠着一棵树,伤心地呜呜大哭起来……

突然,不远处传来了声声清笛。我像找到了救星,急忙循声走去。一条小道边的树桩上坐着一位吹笛人,手里还正削⑤着什么。走近细看,他就不是被大家称为"乡巴佬儿"的卡廷吗?

"你好,小家伙儿⑥,"卡廷说,"看天气多美,你是出来散步的吧?"

我怯生生⑦地点点头,答道:"我要回家了。"

"请耐心等上几分钟,"卡廷说,"瞧,我正在削一支柳笛,差不多就要做好了,完工后就送给你吧!"

卡廷边削边不时把尚未成形的柳笛放在嘴里试吹一下。没过多久,一支柳笛便递到我手中。我俩在一阵阵清脆悦耳的笛音//中,踏上了归途……

当时,我心中只充满感激,而今天,当我自己也成了祖父时,却突然领悟到他用心之良苦!那天当他听到我的哭声时,便判定我一定迷了路,但他并不想在孩子面前扮演"救星"的角色⑧,于是吹响柳笛以便让我能发现他,并跟着他走出困境!就这样,卡廷先生⑨以乡下⑩人的淳朴,保护了一个小男孩儿强烈的自尊。

【朗读提示】 朗读基调是深情缅怀。但应读出作者对卡廷先生的真诚敬意。在内在语的挖掘上,卡廷先生的语言不必非处理成热情洋溢,可带有些许冷冷的语气。

①那儿 nàr   ②奔 bēn   ③惊慌失措 jīnghuāng-shīcuò   ④苍蝇 cāngying   ⑤削 xiāo
⑥小家伙儿 xiǎojiāhuor ⑦怯生生 qièshēngshēng ⑧角色 juésè ⑨先生 xiānsheng ⑩乡下 xiāngxia

莫高窟(节选)

在浩瀚无垠的沙漠里,有一片美丽的绿洲,绿洲里藏着一颗闪光的珍珠。这颗珍珠就是敦煌莫高窟。它坐落在我国甘肃省敦煌市三危山和鸣沙山的怀抱中。

鸣沙山东麓是平均高度为十七米的崖壁。在一千六百多米长的崖壁上,凿①有大小洞窟七百余个,形成了规模宏伟的石窟群。其中四百九十二个洞窟中,共有彩色塑像两千一百余尊,各种壁画共四万五千多平方米。莫高窟是我国古代无数艺术匠师留给人类的珍贵文化遗产。

莫高窟的彩塑②,每一尊都是一件精美的艺术品。最大的有九层楼那么高,最小的还不如一个手掌大。这些彩塑个性鲜明,神态各异。有慈眉善目的菩萨,有威风凛凛③的天王,还有强壮勇猛的力士……

莫高窟壁画的内容丰富多彩,有的是描绘古代劳动人民打猎、捕鱼、耕田、收割的情景,有的是描绘人们奏乐、舞蹈、演杂技的场面,还有的是描绘大自然的美丽风光。其中最引人注目的是飞天。壁画上的飞天,有的臂挎④花篮,采摘鲜花;有的反弹琵琶,轻拨银弦⑤;有的倒悬⑥身子,自天而降;有的彩带飘拂⑦,漫天遨游;有的舒展着双臂,翩翩起舞。看着这些精美动人的壁画,就像走进了//灿烂辉煌的艺术殿堂。

莫高窟里还有一个面积不大的洞窟——藏经洞。洞里曾藏有我国古代的各种经卷⑧、文书、帛画⑨、刺绣、铜像等共六万多件。由于清朝政府腐败无能,大量珍贵的文物被外国强盗掠⑩走。仅存的部分经卷,现在陈列于北京故宫等处。

莫高窟是举世闻名的艺术宝库。这里的每一尊彩塑、每一幅壁画、每一件文物,都是中国古代人民智慧的结晶。

(选自小学《语文》第六册)

【朗读提示】 全篇的朗读语气应热情明快,满含骄傲和自豪,语速应适中,语气处理要格外清晰、自然。

①凿 záo　②彩塑 cǎisù　③威风凛凛 wēifēng-lǐnlǐn　④挎 kuà　⑤弦 xián
⑥悬 xuán　⑦飘拂 piāofú　⑧经卷 jīngjuàn　⑨帛画 bóhuà　⑩掠 lüè

牡丹的拒绝(节选)　　张抗抗

其实你在很久以前并不喜欢牡丹,因为它总被人作为富贵膜拜①。后来你目睹了一次牡丹的落花,你相信所有的人都会为②之感动:一阵清风徐来,娇艳鲜嫩的盛期牡丹忽然整朵整朵地坠落,铺撒③一地绚丽的花瓣。那花瓣落地时依然鲜艳夺目,如同一只奉上祭坛的大鸟脱落的羽毛,低吟④着壮烈的悲歌离去。

牡丹没有花谢花败之时,要么烁于枝头,要么归于泥土,它跨越委顿⑤和衰老,由青春而死亡,由美丽而消遁⑥。它虽美却不吝惜生命,即使告别也要展示给人最后一次的惊心动魄。

所以在这阴冷的四月里,奇迹不会发生。任凭游人扫兴和诅咒,牡丹依然安之若素。它不苟且、不俯就⑦、不妥协、不媚俗,甘愿自己冷落自己。它遵循自己的花期自己的规律,它有权利为自己选择每年一度的盛大节日。它为什么不拒绝寒冷?

天南海北的看花人,依然络绎不绝地涌入洛阳城。人们不会因牡丹的拒绝而拒绝它的美。如果它再被贬谪⑧十次,也许它就会繁衍出十个洛阳牡丹城。

于是你在无言的遗憾中感悟到,富贵与高贵只是一字之差⑨。同人一样,花儿也是有灵性的,更有品位之高低。品位这东西为气为魂为//筋骨为神韵,只可意会。你叹服牡丹卓尔不群⑩之姿,方知品位是多么容易被世人忽略或是漠视的美。

【朗读提示】 朗读基调应是热情赞扬,但朗读语气的处理上不应过于高亢,应自然平缓,最后一句"你叹服牡丹……的美"要舒展、舒缓,断句得当,重起轻收,读得意味深长。感情的处理上要字字赞、句句扬。

①膜拜 móbài　②为 wèi　③铺撒 pūsǎ　④低吟 dīyín　⑤委顿 wěidùn

⑥消遁 xiāodùn　⑦俯就 fǔjiù　⑧贬谪 biǎnzhé　⑨差 chā　⑩不群 bùqún

"能吞能吐"的森林(节选)

森林涵养①水源,保持水土,防止水旱灾害的作用非常大。据专家测算,一片十万亩面积的森林,相当于一个两百万立方米的水库,这正如农谚②所说的:"山上多栽树,等于修水库。雨多它能吞,雨少它能吐。"

说起森林的功劳,那还多得很。它除了为人类提供木材及许多种生产、生活的原料之外,在维护生态环境方面也是功劳卓著③,它用另一种"能吞能吐"的特殊功能孕育了人类。因为地球在形成之初,大气中的二氧化碳含量很高,氧气很少,气温也高,生物是难以生存的。大约在四亿年之前,陆地才产生了森林。森林慢慢将大气中的二氧化碳吸收,同时吐出新鲜氧气,调节气温:这才具备了人类生存的条件,地球上才最终有了人类。

森林,是地球生态系统的主体,是大自然的总调度室,是地球的绿色之肺。森林维护地球生态环境的这种"能吞能吐"的特殊功能是其他任何物体都不能取代的。然而,由于地球上的燃烧物增多,二氧化碳的排放量急剧增加,使得地球生态环境急剧恶化,主要表现为全球气候变暖,水分蒸发加快,改变了气流的循环④,使气候变化加剧,从而引发热浪、飓风、暴雨、洪涝及干旱。

为了//使地球的这个"能吞能吐"的绿色之肺恢复健壮,以改善生态环境,抑制⑤全球变暖,减少水旱等自然灾害,我们应该大力造林、护林,使每一座荒山都绿起来。

(节选自《中考语文课外阅读试题精选》)

【朗读提示】 朗读基调应热情、赞扬,语气力求亲切平稳,忌拟人化表演。

①涵养 hányǎng　②农谚 nóngyàn　③卓著 zhuózhù　④循环 xúnhuán　⑤抑制 yìzhì

朋友和其他（节选）　　杏林子

朋友即将远行。

暮春时节，又邀了几位朋友在家小聚。虽然都是极熟①的朋友，却是终年难得②一见，偶尔③电话里相遇，也无非是几句寻常话。一锅小米稀饭，一碟大头菜，一盘自家酿制④的泡菜，一只巷口买回的烤鸭，简简单单，不像请客，倒像家人团聚。

其实，友情也好，爱情也好，久而久之都会转化为亲情。

说也奇怪，和新朋友会谈文学、谈哲学、谈人生道理等等，和老朋友却只话家常，柴米油盐，细细碎碎，种种琐事。很多时候，心灵的契合⑤已经不需要太多的言语来表达。

朋友新烫了个头，不敢回家见母亲，恐怕惊骇⑥了老人家，却欢天喜地地来见我们，老朋友颇能以一种趣味性的眼光欣赏这个改变。

年少的时候，我们差不多都在为别人而活，为苦口婆心的父母活，为循循善诱的师长活，为许多观念、许多传统的约束力而活。年岁逐增，渐渐挣脱⑦外在的限制与束缚⑧，开始懂得为自己活，照自己的方式做一些自己喜欢的事，不在乎别人的批评意见，不在乎别人的诋毁流言，只在乎那一份随心所欲的舒坦自然。偶尔，也能够纵容自己放浪一下，并且有一种恶作剧的窃喜。

就让生命顺其自然，水到渠成吧，犹如窗前的//乌桕⑨，自生自落之间，自有一份圆融丰满的喜悦。春雨轻轻落着，没有诗，没有酒，有的只是一份相知相属⑩的自在自得。

夜色在笑语中渐渐沉落，朋友起身告辞，没有挽留，没有送别，甚至也没有问归期。

已经过了大喜大悲的岁月，已经过了伤感流泪的年华，知道了聚散原来是这样的自然和顺理成章，懂得这点，便懂得珍惜每一次相聚的温馨，离别便也欢喜。

【朗读提示】　朗读基调应是明快清新的，充满了对生活的热爱。最后一个自然段的两个"已经过了"，要处理成"已——经过了"而不要读成"已经——过了"。

①熟 shú　　②难得 nándé　　③偶尔 ǒr'ěr　　④酿制 niàngzhì　　⑤契合 qìhé
⑥惊骇 jīnghài　⑦挣脱 zhèngtuō　⑧束缚 shùfù　⑨乌桕 wūjiù　⑩相属 xiāngzhǔ

散　步（节选）　　莫怀戚

我们在田野散步：我，我的母亲，我的妻子①和儿子。

母亲本不愿出来的。她老了，身体不好，走远一点儿就觉得很累。我说，正因为如此，才应该多走走。母亲信服地点点头，便去拿外套。她现在很听我的话，就像我小时候很听她的话一样。

这南方初春的田野，大块小块的新绿随意地铺②着，有的浓，有的淡，树上的嫩芽也密了，田里的冬水也咕咕地起着水泡。这一切都使人想着一样东西——生命。

我和母亲走在前面，我的妻子和儿子走在后面。小家伙突然叫起来："前面是妈妈和儿子，后面也是妈妈和儿子。"我们都笑了。

后来发生了分歧③:母亲要走大路,大路平顺;我的儿子要走小路,小路有意思。不过,一切都取决于我。我的母亲老了,她早已习惯听从她强壮的儿子;我的儿子还小,他还习惯听从他高大的父亲;妻子呢,在外面,她总是听我的。一霎时④我感到了责任的重大。我想找一个两全的办法,找不出;我想拆散⑤一家人,分成两路,各得其所,终不愿意。我决定委屈⑥儿子,因为我伴同他的时日还长。我说:"走大路。"

但是母亲摸摸孙儿的小脑瓜,变了主意⑦:"还是走小路吧。"她的眼随小路望去:那里有金色的菜花,两行整齐的桑树,//尽头⑧一口水波粼粼的鱼塘。"我走不过去的地方,你就背⑨着我。"母亲对我说。

这样,我们在阳光下,向着那菜花、桑树和鱼塘走去。到了一处,我蹲下来,背起了母亲;妻子也蹲下来,背起了儿子。我和妻子都是慢慢地,稳稳地,走得很仔细,好像我背上的同她背⑩上的加起来,就是整个世界。

【朗读提示】 朗读基调应是欢愉、温存。朗读时要体会作者的心情,对母亲和儿子的"情"要读出区别。文章最后一句是"点题"句,富有哲理,可用慢速增加语言清晰度。

①妻子 qīzi ②铺 pū ③分歧 fēnqí ④霎时 shàshí ⑤拆散 chāisàn
⑥委屈 wěiqu ⑦主意 zhǔyi ⑧尽头 jìntóu ⑨背 bēi ⑩背 bèi

神秘的"无底洞"(节选) 罗伯特·罗威尔

地球上是否真的存在"无底洞"? 按说地球是圆的,由地壳①、地幔和地核三层组成,真正的"无底洞"是不应存在的,我们所看到的各种山洞、裂口、裂缝,甚至火山口也都只是地壳浅部的一种现象。然而中国一些古籍②却多次提到海外有个深奥莫测的无底洞。事实上地球上确实有这样一个"无底洞"。

它位于希腊亚各斯古城的海滨。由于濒临③大海,大涨潮时,汹涌的海水便会排山倒海般地涌入洞中,形成一股湍④湍的急流。据测,每天流入洞内的海水量达三万多吨。奇怪的是,如此大量的海水灌入洞中,却从来没有把洞灌满。曾有人怀疑,这个"无底洞",会不会就像石灰岩地区的漏斗、竖井、落水洞一类的地形。然而从 20 世纪 30 年代以来,人们就做了多种努力企图寻找它的出口,却都是枉费心机。

为了揭开这个秘密,1958 年美国地理学会派出一支考察队,他们把一种经久不变的带色染料溶解在海水中,观察染料是如何随着海水一起沉下去。接着又察看了附近海面以及岛上的各条河、湖,满怀希望地寻找这种带颜色的水,结果令人失望。难道是海水量太大把有色水稀释⑤得太淡,以致无法发现? //

至今谁也不知道为什么这里的海水会没完没了地"漏"下去,这个"无底洞"的出口又在哪里,每天大量的海水究竟都流到哪里去了?

①地壳 dìqiào　　②古籍 gǔjí　　③濒临 bīnlín　　④湍 tuān　　⑤稀释 xīshì

世间最美的坟墓(节选)　　〔奥〕茨威格 张厚仁译

我在俄国见到的景物再没有比托尔斯泰墓更宏伟、更感人的。

完全按照托尔斯泰的愿望,他的坟墓成了世间最美的、给人印象最深刻的坟墓。它只是树林中的一个小小的长方形土丘,上面开满鲜花——没有十字架,没有墓碑,没有墓志铭,连托尔斯泰这个名字也没有。

这位比谁都感到受自己的声名所累①的伟人,却像偶尔②被发现的流浪汉,不为③人知的士兵,不留名姓地被人埋葬了。谁都可以踏进他最后的安息地,围在四周稀疏的木栅栏④是不关闭的——保护列夫·托尔斯泰得以安息的没有任何别的东西,惟有人们的敬意;而通常,人们却总是怀着好奇,去破坏伟人墓地的宁静。

这里,逼人的朴素禁锢⑤住任何一种观赏的闲情,并且不容许你大声说话。风儿俯临,在这座无名者之墓的树木之间飒飒响着,和暖⑥的阳光在坟头嬉戏⑦;冬天,白雪温柔地覆盖这片幽暗的圭⑧土地。无论你在夏天或冬天经过这儿,你都想像不到,这个小小的、隆起的长方体里安放着一位当代最伟大的人物。

然而,恰恰是这座不留姓名的坟墓,比所有挖空心思用大理石和奢华⑨装饰建造的坟墓更扣人心弦⑩。在今天这个特殊的日子//里,到他的安息地来的成百上千人中间,没有一个有勇气,哪怕仅仅从这幽暗的土丘上摘下一朵花留作纪念。人们重新感到,世界上再没有比托尔斯泰最后留下的、这座纪念碑式的朴素坟墓,更打动人心的了。

①累 lěi　　②偶尔 ǒr'ěr　　③为 wéi　　④栅栏 zhàlan　　⑤禁锢 jìngù
⑥和暖 hénuǎn　　⑦嬉戏 xīxì　　⑧圭 guī　　⑨奢华 shēhuá　　⑩心弦 xīnxián

苏州园林(节选)　　叶圣陶

我国的建筑,从古代的宫殿到近代的一般住房,绝大部分是对称①的,左边怎么样,右边怎么样。苏州园林可绝不讲究对称,好像故意避免似的②。东边有了一个亭子③或者一道回廊,西边决不会来一个同样的亭子或者一道同样的回廊。这是为什么? 我想,用图画来比方④,对称的建筑是图案画,不是美术画,而园林是美术画,美术画要求自然之趣,是不讲究对称的。

苏州园林里都有假山和池沼⑤。

假山的堆叠,可以说是一项艺术而不仅是技术。或者是重峦叠嶂⑥,或者是几座小山配合着竹子花木,全在乎设计者和匠师们生平多阅历,胸中有丘壑⑦,才能使游览者攀登的时候忘却苏州城市,只觉得身在山间。

至于池沼,大多引用活水。有些园林池沼宽敞,就把池沼作为全园的中心,其他景物配合着布置。水面假如成河道模样,往往安排桥梁。假如安排两座以上的桥梁,那就一座一个样,决不雷同。

池沼或河道的边沿很少砌⑧齐整的石岸,总是高低屈曲⑨任其自然。还在那儿布置几块玲珑的石头,或者种些花草。这也是为了取得⑩从各个角度看都成一幅画的效果。池沼里养着金鱼或各色鲤鱼,夏秋季节荷花或睡莲开//放,游览者看"鱼戏莲叶间",又是入画的一景。

【朗读提示】 朗读基调应是喜悦明快。正如叶老先生自己所说:"说明文不一定就是板起面孔来说话,说明文未尝不可带一点风趣。"读出此点,足矣。

①对称 duìchèn　　　②似的 shìde　　③亭子 tíngzi　④比方 bǐfang　⑤池沼 chízhǎo
⑥重峦叠嶂 chóngluán-diézhàng ⑦丘壑 qiūhè　⑧砌 qì　　　⑨屈曲 qūqū　⑩取得 qǔdé

态度创造快乐(节选)

一位访美中国女作家,在纽约遇到一位卖花的老太太。老太太穿着①破旧,身体虚弱,但脸上的神情却是那样祥和兴奋②。女作家挑了一朵花说:"看起来,你很高兴。"老太太面带微笑地说:"是的,一切都这么美好,我为什么不高兴呢?""对烦恼,你倒真能看得开。"女作家又说了一句。没料到,老太太的回答更令女作家大吃一惊:"耶稣在星期五被钉③上十字架时,是全世界最糟糕的一天,可三天后就是复活节。所以,当我遇到不幸时,就会等待三天,这样一切就恢复正常了。"

"等待三天",多么富于哲理的话语,多么乐观的生活方式。它把烦恼和痛苦抛下,全力去收获快乐。

沈从文在"文革"期间,陷入了非人的境地。可他毫不在意,他在咸宁时给他的表侄、画家黄永玉写信说:"这里的荷花真好,你若来……"身陷苦难却仍为荷花的盛开欣喜赞叹不已,这是一种趋于澄明④的境界,一种旷达洒脱的胸襟,一种面临磨难坦荡从容的气度,一种对生活童子般的热爱和对美好事物无限向往的生命情感。

由此可见,影响一个人快乐的,有时并不是困境及磨难,而是一个人的心态。如果把自己浸泡⑤在积极、乐观、向上的心态中,快乐必然会//占据你的每一天。

【朗读提示】 朗读基调是洒脱从容。语气不必过于昂扬有力,应用真诚劝慰的轻柔语气将文章立意自然显露。朗读重点在于节奏的把握。第一段,节奏可稍快,如促膝谈心。第二段为点题段,要读出强烈交流感。第三段,语调可稍沉。结尾段落语调要恢复自然,略微上扬亦可。

①穿着 chuānzhuó　②兴奋 xīngfèn　③钉 dìng　　④澄明 chéngmíng　⑤浸泡 jìnpào

泰山极顶(节选)　　　杨　朔

泰山极顶看日出,历来被描绘成十分壮观的奇景。有人说:登泰山而看不到日出,就像一出大戏没有戏眼,味儿①终究有点寡淡。

我去爬山那天,正赶上个难得②的好天,万里长空,云彩丝儿都不见。素常,烟雾腾腾的山头,显得眉目分明。同伴们都欣喜地说:"明天早晨准可以看见日出了。"我也是抱着这种想头,爬上山去。

一路从山脚往上爬,细看山景,我觉得挂在眼前的不是五岳独尊的泰山,却像一幅规模惊人的青绿山水画,从下面倒展开来。在画卷中最先露③出的是山根④底那座明朝建筑岱宗坊⑤,慢慢地便现出王母池、斗⑥母宫、经石峪。山是一层比一层深,一叠比一叠奇,层层叠叠,不知还会有多深多奇。万山丛中,时而点染着极其工细的人物。王母池旁的吕祖殿里有不少尊明塑,塑着吕洞宾等一些人,姿态神情是那样有生气,你看了,不禁⑦会脱口赞叹说:"活啦。"

画卷继续展开,绿阴森森的柏洞⑧露面不太久,便来到对松山。两面奇峰对峙⑨着,满山峰都是奇形怪状的老松,年纪怕都有上千岁了,颜色竟那么浓,浓得好像要流下来似的。来到这儿,你不妨权当一次画里的写意人物,坐在路旁的对松亭里,看看山色,听听流//水和松涛。

一时间,我又觉得自己不仅是在看画卷,却又像是在零零乱乱翻着一卷历史稿本。

【朗读提示】 朗读基调应是喜悦明快。文章很多口语化的语言,朗读时要处理得轻巧自然,第三、第四段语气要力求舒展从容,充分展示心灵与自然的和谐。

①味儿 wèir　②难得 nándé　③露 lòu　④山根 shangēnr　⑤岱宗坊 Dàizōngfāng
⑥斗 dǒu　⑦不禁 bùjīn　⑧柏洞 bǎidòng　⑨对峙 duìzhì

陶行知的"四块糖果"(节选)

育才小学校长陶行知①在校园看到学生王友用泥块砸②自己班上的同学,陶行知当即③喝止了他,并令他放学后到校长室去。无疑,陶行知是要好好④教育这个"顽皮"的学生⑤。那么他是如何教育的呢?

放学后,陶行知来到校长室,王友已经等在门口准备挨⑥训了。可一见面,陶行知却掏出一块糖果送给王友,并说:"这是奖给你的,因为你按时来到这里,而我却迟到了。"王友惊疑地接过糖果。

随后,陶行知又掏出一块糖果放到他手里,说:"这第二块糖果也是奖给你的,因为当我不让你再打人时,你立即就住手了,这说明你很尊重我,我应该奖你。"王友更惊疑了,他眼睛睁得大大的。

陶行知又掏出第三块糖果塞⑦到王友手里,说,"我调查过了,你用泥块砸那些男生,是因为他们不守游戏规则,欺负女生;你砸他们,说明你很正直善良,且有批评不良行为的勇气,应该奖励你啊!"王友感动极了,他流着眼泪后悔地喊道:"陶……陶校长你打我两下吧!我砸的不是坏人,而是自己的同学啊⑧……"

陶行知满意地笑了,他随即掏出第四块糖果递给王友,说:"为⑨你正确地认识错误,我再奖给你一块糖果,只可惜我只有这一块糖果了。我的糖果//没有了,我看我们的谈话也该结束了吧!"说完,就走出了校长室。

（节选自《教师博览·百期精华》）

【朗读提示】 朗读基调应是意味深长。朗读重点在节奏和重音上。文中四块糖果层层递进，朗读时语气也要递进，重音的处理上要格外严谨，第二段第二行"糖果"、第三段第一行"又""第二块"、第四段第一行"又""第三块"、第五段第一行"第四块"均应作特殊重音处理。

①陶行知 Táo Xíngzhī ②砸 zá ③当即 dāngjí ④好好 hǎohǎo ⑤学生 xuésheng
⑥挨 ái ⑦塞 sāi ⑧啊 ya ⑨为 wèi

提醒幸福（节选）　　　　毕淑敏

　　享受幸福是需要学习的，当它即将①来临的时刻需要提醒。人可以自然而然地学会感官的享乐，却无法天生地掌握幸福的韵律。灵魂的快意同器官的舒适像一对孪生兄弟，时而相傍相依。时而南辕北辙。

　　幸福是一种心灵的震颤。它像会倾听音乐的耳朵一样，需要不断地训练。

　　简而言之，幸福就是没有痛苦的时刻。它出现的频率并不像我们想像的那样少。人们常常只是在幸福的金马车已经驶过去很远时，才拣起地上的金鬃毛说，原来我见过它。

　　人们喜爱回味幸福的标本，却忽略它披着露水散发清香的时刻。那时候我们往往步履匆匆②，瞻前顾后③不知在忙着什么。

　　世上有预报台风的，有预报蝗灾的，有预报瘟疫的，有预报地震的。没有人预报幸福。

　　其实幸福和世界万物一样，有它的征兆。

　　幸福常常是朦胧的，很有节制地向我们喷洒甘霖。你不要总希望轰轰烈烈的幸福，它多半只是悄悄地扑面而来。你也不要企图把水龙头拧④得更大，那样它会很快地流失。你需要静静地以平和之心，体验它的真谛。

　　幸福绝大多数是朴素的。它不会像信号弹似的，在很高的天际闪烁红色的光芒。它披着本色的外//衣，亲切温暖地包裹起我们。

　　幸福不喜欢喧嚣浮华，它常常在暗淡中降临。贫困中相濡以沫的一块糕饼，患难中心心相印的一个眼神，父亲一次粗糙的抚摸，女友一张温馨的字条……这都是千金难买的幸福啊。像一粒粒缀在旧绸子上的红宝石，在凄凉中愈发熠熠夺目。

【朗读提示】 朗读基调应是细腻清新。要用自然平和的语言来表述，语速平缓，抒情细腻。

①即将 jíjiāng ②匆匆 cōngcōng ③瞻前顾后 zhānqián-gùhòu ④拧 nǐng

天才的造就（节选）　　　　刘燕敏

　　在里约热内卢的一个贫民窟①里，有一个男孩子，他非常喜欢足球，可是又买不起，于是就踢塑料盒，踢汽水瓶，踢从垃圾箱里拣来的椰子壳②。他在胡同③里踢，在能找到的任何一片空地④上踢。

有一天,当他在一处干涸⑤的水塘里猛踢一个猪膀胱⑥时,被一位足球教练看见了。他发现这个男孩儿踢得很像是那么回事,就主动提出要送给他一个足球。小男孩儿得到足球后踢得更卖劲⑦了。不久,他就能准确地把球踢进远处随意摆放的一个水桶里。

圣诞节到了,孩子的妈妈说:"我们没有钱买圣诞礼物送给我们的恩人,就让我们为他祈祷⑧吧。"

小男孩儿跟随妈妈祈祷完毕,向妈妈要了一把铲子便跑了出去。他来到一座别墅⑨前的花园里,开始挖坑。

就在他快要挖好坑的时候,从别墅里走出一个人来,问小孩儿在干什么,孩子抬起满是汗珠的脸蛋儿,说:"教练,圣诞节到了,我没有礼物送给您,我愿给您的圣诞树挖一个树坑。"

教练把小男孩儿从树坑里拉上来,说:"我今天得到了世界上最好的礼物。明天你就到我的训练场去吧。"

三年后,这位 17 岁的男孩儿在第六届足球锦标赛上独进 21 球,为巴西第一次捧回了金杯。一个原//来不为⑩世人所知的名字——贝利,随之传遍世界。

【朗读提示】 朗读基调应是亲切爱怜。朗读时人物语言的处理上不必过于角色化和表演化,以免游离于作品的整体感受之外。

① 窟 kū   ② 椰子壳 yēziké   ③ 胡同 hútòngr   ④ 空地 kòngdì   ⑤ 干涸 gānhé
⑥ 膀胱 pángguāng   ⑦ 卖劲 màijìnr   ⑧ 祈祷 qídǎo   ⑨ 别墅 biéshù   ⑩ 为 wéi

我的母亲独一无二(节选)   〔法〕罗曼·加里

记得我 13 岁时,和母亲住在法国东南部的耐斯城。母亲没有丈夫,也没有亲戚①,够清苦的,但她经常能拿出令人吃惊的东西,摆在我面前。她从来不吃肉,一再说自己是素食者。然而有一天,我发现母亲正仔细地用一小块碎面包擦那给我煎牛排用的油锅。我明白了她称②自己为③素食者的真正原因。

我 16 岁时,母亲成了耐斯市美蒙旅馆的女经理。这时,她更忙碌了。一天,她瘫在椅子上,脸色苍白,嘴唇发灰。马上找来医生,做出诊断:她摄取了过多的胰岛素④。直到这时我才知道母亲多年一直对我隐瞒的疾痛——糖尿病。

她的头歪向枕头一边,痛苦地用手抓挠胸口。床架上方,则挂着一枚我 1932 年赢得耐斯市少年乒乓球冠军的银质奖章。

啊,是对我的美好前途的憧憬支撑着她活下去,为了给她那荒唐的梦至少加一点真实的色彩,我只能继续努力,与时间竞争,直至 1938 年我被征入空军。巴黎很快失陷,我辗转⑤调到英国皇家空军。刚到英国就接到了母亲的来信。这些信是由在瑞士的一个朋友秘密地转到伦敦,送到我手中的。

现在我要回家了,胸前佩带着醒目的绿黑两色的解放十字绶//带,上面挂着五六枚我终身难忘的勋章,肩上还佩带着军官肩章。到达旅馆时,没有一个人跟我打招呼。原来,我母亲在三年半以前就已经离开人间了。

在她死前的几天中,她写了近250封信,把这些信交给她在瑞士的朋友,请这个朋友定时寄给我。就这样,在母亲死后的三年半时间里,我一直从她身上吸取着力量和勇气——这使我能够继续战斗到胜利那一天。

【朗读提示】 朗读基调应是深情怀念,语气可以沉郁平缓。对母亲的种种回忆可以缓缓道来。

①亲戚 qīnqi ②称 chēng ③为 wéi ④胰岛素 yídǎosù ⑤辗转 zhǎn zhuǎn

我的信念(节选) 〔波兰〕玛丽·居里

生活对于任何人都非易事,我们必须有坚忍①不拔的精神。最要紧②的,还是我们自己要有信心。我们必须相信,我们对每一件事情都具有天赋的才能,并且,无论付出任何代价,都要把这件事完成。当事情结束的时候,你要能问心无愧地说:"我已经尽我所能了。"

有一年的春天,我因病被迫在家里休息数③周。我注视着我的女儿们所养的蚕正在结④茧,这使我很感兴趣。望着这些蚕执著⑤地、勤奋地工作,我感到我和它们非常相似⑥。像它们一样,我总是耐心地把自己的努力集中在一个目标上。我之所以如此,或许是因为有某种力量在鞭策着我——正如蚕被鞭策着去结茧一般。

近五十年来,我致力于科学研究,而研究,就是对真理的探讨。我有许多美好快乐的记忆。少女时期我在巴黎大学,孤独地过着求学的岁月。在后来献身科学的整个时期,我丈夫和我专心致志,像在梦幻中一般,坐在简陋⑦的书房里艰辛地研究,后来我们就在那里发现了镭⑧。

我永远追求安静的工作和简单的家庭生活。为了实现这个理想,我竭力⑨保持宁静的环境,以免受人事的干扰和盛名的拖累。

我深信,在科学方面我们有对事业而不//是对财富的兴趣。我的惟一奢望是在一个自由国家中,以一个自由学者的身份从事研究工作。

我一直沉醉于世界的优美之中,我所热爱的科学也不断增加它崭新⑩的远景。我认定科学本身就具有伟大的美。

【朗读提示】 朗读时把握真诚劝慰的基调,如主人公一般将诸般感受一一道来,语气要舒缓平和,忌说教色彩。

①韧 rèn ②要紧 yàojǐn ③数 shù ④结 jié ⑤执著 zhízhuó
⑥相似 xiāngsì ⑦简陋 jiǎnlòu ⑧镭 léi ⑨竭力 jiélì ⑩崭新 zhǎnxīn

我为什么当教师(节选) 〔美〕彼得·基·贝得勒

我为什么非要教书①不可?是因为我喜欢当教师的时间安排表和生活节奏。七、八、九三个月给我提供了进行回顾、研究、写作的良机,并将三者有机融合,而善于回顾、研究和总结正是优秀教师素质中不可缺少的成分。

干这一行给了我多种多样的"甘泉"去品尝,找优秀的书籍去研读,到"象牙塔"和实际世界里去发现。教学工作给我提供②了继续学习的时间保证,以及多种途径、机遇和挑战。

然而,我爱这一行的真正原因,是爱我的学生。学生们在我的眼前成长、变化。当教师意味着亲历"创造"过程的发生——恰似③亲手赋予一团泥土以生命,没有什么比目睹它开始呼吸更激动人心的了。

权利我也有了:我有权利去启发诱导,去激发智慧的火花,去问费心思考的问题,去赞扬回答的尝试,去推荐书籍,去指点迷津。还有什么别的权利能与之相比呢?

而且,教书还给我金钱和权利之外的东西,那就是爱心。不仅有对学生的爱,对书籍的爱,对知识的爱,还有教师才能感受到的对"特别"学生的爱。这些学生,有如冥顽不灵④的泥块,由于接受了老师的炽爱⑤才勃发了生机。

所以,我爱教书,还因为,在那些勃发生机的"特别"学//生身上,我有时发现自己和他们呼吸相通,忧乐与共。

【朗读提示】 朗读基调应是喜悦明快。语调切忌过于变化,要力求平稳,虽喜悦而不轻佻,虽热爱而不张扬。

①教书 jiāoshū ②提供 tígōng ③恰似 qiàsì ④冥顽不灵 míngwán-bùlíng ⑤炽爱 chì'ài

西部文化和西部开发(节选)

中国西部我们通常是指黄河与秦岭相连一线以西,包括西北和西南的十二个省、市、自治区。这块广袤①的土地面积为五百四十六万平方公里,占国土总面积的百分之五十七;人口二点八亿,占全国总人口的百分之二十三。

西部是华夏文明的源头②。华夏祖先的脚步是顺着水边走的:长江上游出土过元谋人牙齿化石,距今约一百七十万年;黄河中游出土过蓝田人头盖骨,距今约七十万年。这两处古人类都比距今约五十万年的北京猿人资格更老。

西部地区是华夏文明的重要发源地。秦皇汉武以后,东西方文化在这里交汇融合,从而有了丝绸之路的驼铃声声,佛院深寺的暮鼓晨钟。敦煌莫高窟是世界文化史上的一个奇迹,它在继承汉晋艺术传统的基础上,形成了自己兼收并蓄的恢弘气度,展现出精美绝伦的艺术形式和博大精深的文化内涵。秦始皇兵马俑③、西夏王陵、楼兰古国、布达拉宫、三星堆、大足石刻等历史文化遗产,同样为④世界所瞩目,成为中华文化重要的象征。

西部地区又是少数民族及其文化的集萃地,几乎⑤包括了我国所有的少数民族。在一些偏远的少数民族地区,仍保留//了一些久远时代的艺术品种,成为珍贵的"活化石",如纳西古乐、戏曲、剪纸、刺绣、岩画等民间艺术和宗教艺术。特色鲜明、丰富多彩,犹如一个巨大的民族民间文化艺术宝库。

我们要充分重视和利用这些得天独厚的资源优势,建立良好的民族民间文化生态环境,为西部大开发做出贡献。

(节选自《中考语文课外阅读试题精选》)

【朗读提示】 朗读基调应是豪放舒展,语气要自然畅达,只要发音实在,真实再现文章中图景即可。全文的总体感情色彩要带有自豪感。

①广袤 guǎngmào　②源头 yuántóu　③俑 yǒng　④为 wéi　⑤几乎 jīhū

喜　悦(节选)　　王　蒙

高兴,这是一种具体的被看到摸得着的事物所唤起的情绪。它是心理的,更是生理的。它容易来也容易去、,谁也不应该对它视而不见失之交臂,谁也不应该总是做那些使自己不高兴也使旁人不高兴的事。让我们说一件最容易做也最令人高兴的事吧,尊重你自己,也尊重别人,这是每一个人的权利,我还要说这是每一个人的义务。

快乐,它是一种富有概括性的生存状态、工作状态。它几乎是先验的,它来自生命本身的活力,来自宇宙、地球和人间的吸引,它是世界的丰富、绚丽、阔大、悠久的体现。快乐还是一种力量,是埋在地下的根脉。消灭一个人的快乐比挖掘掉一棵大树的根要难得多。

欢欣,这是一种青春的、诗意的情感。它来自面向着未来伸开双臂①奔跑的冲力,它来自一种轻松而又神秘、朦胧而又隐秘的激动,它是激情即将到来的预兆②,它又是大雨过后的比下雨还要美妙得多也久远得多的回味……

喜悦,它是一种带有形而上色彩的修养和境界。与其③说它是一种情绪,不如说它是一种智慧、一种超拔、一种悲天悯人的宽容和理解,一种饱经沧桑的充实和自信,一种光明的理性,一种坚定//的成熟,一种战胜了烦恼和庸俗的清明澄澈④。它是一潭清水,它是一抹⑤朝霞,它是无边的平原,它是沉默的地平线。多一点儿、再多一点儿喜悦吧,它是翅膀,也是归巢。它是一杯美酒,也是一朵永远开不败的莲花。

【朗读提示】 朗读基调应是明快细腻。但由于是论说文,重点是在谈作者对四种感情状态的亲身感受,所以应采用平实的语言,肯定地表明作者的观点,并达到真诚劝慰的目的。

①臂 bì　②预兆 yùzhào　③与其 yǔqí　④澄澈 chéngchè　⑤一抹 yìmǒ

香港:最贵的一棵树(节选)　　舒　乙

在湾仔①,香港最热闹的地方,有一棵榕树,它是最贵的一棵树,不光在香港,在全世界,都是最贵的。

树,活的树,又不卖何言其贵?只因它老,它粗,是香港百年沧桑的活见证,香港人不忍看着它被砍伐,或者被移走,便跟要占用这片山坡的建筑者谈条件:可以在这儿建大楼盖商厦,但一不准砍树,二不准挪树,必须把它原地精心养起来,成为香港闹市中的一景。太古大厦的建设者最后签了合同②,占用这个大山坡建豪华商厦的先决条件是同意保护这棵老树。

树长在半山坡上,计划将树下面的成千上万吨山石全部掏空③取走,腾出地方来盖楼,把树架在大楼上面,仿佛它原本是长在楼顶上似的。建设者就地造了一个直径十八米、深十米的大花盆,先固定好这棵老树,再在大花盆底下盖楼。光这一项就花了两千三百八十九万港币,堪称是最昂贵的保护措施了。

太古大厦落成之后,人们可以乘滚动扶梯一次到位,来到太古大厦的顶层,出后门,那儿是一片自然景色。一棵大树出现在人们面前,树干④有一米半粗,树冠直径足有二十多米,独木成林,非常壮观,形成一座以它为中心的小公园,取名叫"榕圃"⑤。树前面//插着铜牌,说明缘由。此情此景,如不看铜牌的说明,绝对想不到巨树根底下还有一座宏伟的现代大楼。

【朗读提示】 朗读基调应是活泼不失从容的,自然朴实。注意把握节奏。叙事处应节奏明快,语言从容,抒情要有感而发,用朴实的语言表达真情实感。

①湾仔 Wānzǎi　　②合同 hétong　　③掏空 tāokōng　　④树干 shùgàn　　⑤榕圃 róngpǔ

小鸟的天堂(节选)　　　　巴　金

我们的船渐渐地逼近榕树了。我有机会看清它的真面目:是一棵大树,有数不清的丫枝,枝上又生根,有许多根一直垂到地上,伸进泥土里。一部分①树枝垂到水面,从远处看,就像一棵大树斜躺在水面上一样。

现在正是枝繁叶茂的时节。这棵榕树好像在把它的全部生命力展示给我们看。那么多的绿叶,一簇②堆在另一簇的上面,不留一点儿缝隙③。翠绿的颜色明亮地在我们的眼前闪耀,似乎每一片树叶上都有一个新的生命在颤动,这美丽的南国的树!

船在树下泊④了片刻,岸上很湿,我们没有上去。朋友说这里是"鸟的天堂",有许多鸟在这棵树上做窝,农民不许人去捉它们。我仿佛听见几只鸟扑翅的声音,但是等到我的眼睛⑤注意地看那里时,我却看不见一只鸟的影子。只有无数的树根立在地上,像许多根木桩。地是湿的,大概涨潮时河水常常冲上岸去。"鸟的天堂"里没有一只鸟,我这样想到。船开了,一个朋友拨着船,缓缓地流到河中间去。

第二天,我们划着船到一个朋友的家乡去,就是那个有山有塔的地方。从学校出发,我们又经过那"鸟的天堂"。

这一次是在早晨,阳光照在水面上,也照在树梢上。一切都//显得非常光明。我们的船也在树下泊了片刻。

起初四周围非常清静。后来忽然起了一声鸟叫。我们把手一拍,便看见一只大鸟飞了起来,接着又看见第二只、第三只。我们继续拍掌,很快地这个树林就变得很热闹了。到处都是鸟声,到处都是鸟影。大的,小的,花的,黑的,有的站在枝上叫,有的飞起来,在扑翅膀。

【朗读提示】 朗读基调应是细腻清新。注意文章的动感,语调应清澈明快。文章第三段的两处"一只鸟",应重点强调"一只"二字,而不是"鸟"。

①部分 bùfen　　②一簇 yícù　　③缝隙 fèngxì　　④泊 bó　　⑤眼睛 yǎnjing

野　草(节选)　　夏　衍

有这样一个故事。

有人问:世界上什么东西的气力最大? 回答纷纭得很,有的说"象",有的说"狮",有人开玩笑似的说:是"金刚",金刚有多少气力,当然大家全不知道。

结果,这一切答案完全不对,世界上气力最大的,是植物的种子。一粒种子所以显现出来的力,简直是超越一切。

人的头盖骨,结合得非常致密与坚固,生理学家和解剖学者用尽了一切的方法,要把它完整地分出来,都没有这种力气。后来忽然有人发明了一个方法,就是把一些植物的种子放在要剖析①的头盖骨里,给它以温度与湿度,使它发芽。一发芽,这些种子便以可怕的力量,将一切机械力所不能分开的骨骼②,完整地分开了。植物种子的力量之大,如此如此。

这,也许特殊了一点儿,常人不容易理解。那么,你看见过笋的成长吗? 你看见过被压在瓦砾③和石块下面的一棵小草的生长吗? 它为着向往④阳光,为着达成它的生之意志,不管上面的石块如何重,石与石之间如何狭,它必定要曲曲折折地,但是顽强不屈地透到地面上来。它的根往土壤钻,它的芽往地面挺,这是一种不可抗拒的力,阻止它的石块,结果也被它掀翻,一粒种子的力量之大,如//此如此。

没有一个人将小草叫做"大力士",但是它的力量之大,的确⑤是世界无比。这种力是一般人看不见的生命力。只要生命存在,这种力就要显现。上面的石块,丝毫不足以阻挡。因为它是一种"长期抗战"的力;有弹性,能屈能伸的力;有韧性,不达目的不止的力。

【朗读提示】 朗读基调应热情赞扬。朗读时一定要语气坚定,态度明朗,咬字清晰,鲜明地表达作者的态度。

①剖析 pōuxī　　②骨骼 gǔgé　　③瓦砾 wǎlì　　④向往 xiàngwǎng　　⑤的确 díquè

一分钟(节选)　　纪广洋

著名教育家班杰明曾经接到一个青年人的求救电话,并与①那个向往成功、渴望指点的青年人约好了见面的时间和地点。

待那个青年如约而至时,班杰明的房门敞开着,眼前的景象却令青年人颇感意外——班杰明的房间里乱七八糟、狼藉②一片。

没等青年人开口,班杰明就招呼③道:"你看我这间,太不整洁了,请你在门外等候一分钟,我收拾④一下,你再进来吧。"一边说着,班杰明就轻轻地关上了房门。

不到一分钟的时间,班杰明就又打开了房门并热情地把青年人让进客厅。这时,青年人的眼前展现出另一番景象——房间内的一切已变得井然有序,而且有两杯刚刚倒好的红酒,在淡淡的香水气息里还漾着微波。

可是,没等青年人把满腹的有关人生和事业的疑难问题向班杰明讲出来,班杰明就非常客气地说道:"干杯。你可以走了。"

青年人手持酒杯一下子愣住了,既尴尬⑤又非常遗憾地说:"可是,我……我还没向您请教呢……"

"这些……难道还不够吗?"班杰明一边微笑着,一边扫视着自己的房间,轻言细语地说,"你进来又有一分钟了。"

"一分钟……一分钟……"青年人若有所思地说,"我懂了,您让我明白了一分钟的时间可以做许//多事情,可以改变许多事情的深刻道理。"

班杰明舒心地笑了。青年人把杯里的红酒一饮而尽,向班杰明连连道谢后,开心地走了。

其实,只要把握好生命的每一分钟,也就把握了理想的人生。

【朗读提示】 朗读基调应是幽默风趣。朗读描写到班杰明的语言时要格外自然亲切,也要幽默风趣,尤其第三段、第六段一定要读出悬念感,而第八段则要有"恍然大悟"的舒畅感。最后一段,应略降语调、拖长语音,读得意味深长。

①与 yǔ   ②狼藉 lángjí   ③招呼 zhāohu   ④收拾 shōushi   ⑤尴尬 gāngà

一个美丽的故事(节选)　　　　张玉庭

有个塌鼻子的小男孩儿①,因为②两岁时得过脑炎,智力受损,学习起来很吃力。打个比方③,别人写作文能写二三百字,他却只能写三五行。但即便这样的作文,他同样能写得很动人。

那是一次作文课,题目是《愿望》。他极其认真地想了半天,然后极认真地写,那作文极短。只有三句话:我有两个愿望,第一个是,妈妈天天笑眯眯地看着我说:"你真聪明④,"第二个是,老师天天笑眯眯地看着我说:"你一点儿⑤也不笨。"

于是,就是这篇作文,深深地打动了他的老师,那位妈妈式的老师不仅给了他最高分,在班上带感情地朗读了这篇作文,还一笔一画地批道:你很聪明,你的作文写得非常感人,请放心,妈妈肯定会格外喜欢你的,老师肯定会格外喜欢你的,大家肯定会格外喜欢你的。

捧着作文本,他笑了,蹦蹦跳跳地回家了,像只喜鹊。但他并没有把作文本拿给妈妈看,他是在等待,等待着一个美好的时刻。

那个时刻终于到了,是妈妈的生日——一个阳光灿烂的星期天:那天,他起得特别早,把作文本装在一个亲手做的美丽的大信封里,等着妈妈醒来。妈妈刚刚睁眼醒来,他就笑眯眯地走到妈妈跟前说:"妈妈,今天是您的生日,我要//送给您一件礼物。"

果然,看着这篇作文,妈妈甜甜地涌出了两行热泪,一把搂住小男孩儿,搂得很紧很紧。

是的,智力可以受损,但爱永远不会。

【朗读提示】 朗读基调应该是亲切爱怜。朗读时描写老师的语言要读得格外耐心,描写妈妈的语言要格外温馨,而描写小主人公的语言则要力求声音轻柔,慢声细语而且感情细腻。
①男孩儿 nánháir ②因为 yīnwèi ③比方 bǐfang ④聪明 cōng·míng ⑤一点儿 yìdiǎnr

永远的记忆(节选)　　　　苦　伶

　　小学的时候,有一次我们去海边远足,妈妈没有做便饭,给了我十块钱买午餐。好像走了很久,很久,终于到海边了,大家坐下来便吃饭,荒凉的海边没有商店,我一个人跑到防风林外面去,级任老师要大家把吃剩的饭菜分给我一点儿。有两三个男生留下一点儿给我,还有一个女生,她的米饭拌了酱油,很香。我吃完的时候,她笑眯眯①地看着我,短头发②,脸圆圆的。

　　她的名字叫翁香玉。

　　每天放学的时候,她走的是经过我们家的一条小路,带着一位比她小的男孩儿,可能是弟弟。小路边是一条清澈③见底的小溪,两旁竹阴覆盖.,我总是远远地跟在她后面,夏日的午后特别炎热,走到半路她会停下来,拿手帕④在溪水里浸湿⑤,为小男孩儿擦脸。我也在后面停下来,把肮脏⑥的手帕弄⑦湿了擦脸,再一路远远跟着她回家。

　　后来我们家搬到镇上去了,过几年我也上了中学。有一天放学回家,在火车上,看见斜对面一位短头发、圆圆脸的女孩儿,一身素净的白衣黑裙。我想她一定不认识我了。火车很快到站了,我随着人群挤向门口,她也走近了,叫我的名字。这是她第一次和我说话。

　　她笑眯眯的,和我一起走过月台。以后就没有再见过//她了。

　　这篇文章收在我出版的《少年心事》这本书里。

　　书出版后半年,有一天我忽然收到出版社转来的一封信,信封上是陌生的字迹⑧,但清楚地写着我的本名。

　　信里面说她看到了这篇文章,心里非常激动,没想到在离开家乡,漂泊⑨异地这么久之后,会看见自己仍然⑩在一个人的记忆里,她自己也深深记得这其中的每一幕,只是没想到越过遥远的时空,竟然另一个人也深深记得。

　　【朗读提示】 朗读基调应是细腻清新,充满温情。朗读时语气要真切、舒缓,不必用张扬的语气感动人,而应用细腻的真情打动人。
①笑眯眯 xiàomīmī ②头发 tóufa ③清澈 qīngchè ④手帕 shǒupà ⑤浸湿 jìnshī
⑥肮脏 āngzāng ⑦弄 nòng ⑧字迹 zìjì ⑨漂泊 piāobó ⑩仍然 réngrán

语言的魅力(节选)

　　在繁华的巴黎大街的路旁,站着一个衣衫褴褛①、头发斑白、双目失明的老人。他不像其他乞丐②那样伸手向过路行人乞讨,而是在身旁立一块木牌,上面写着:"我什么也看不见!"街上过往的行人很多,看了木牌上的字都无动于衷,有的还淡淡一笑,便姗姗而去了。

这天中午,法国著名诗人让·彼浩勒也经过这里。他看看木牌上的字,问盲老人:"老人家,今天上午有人给你钱吗?"

盲老人叹息着回答:"我,我什么也没有得到。"说着,脸上的神情非常悲伤。

让·彼浩勒听了,拿起笔悄悄地在那行字的前面添上了"春天到了,可是"几个字,就匆匆地离开了。

晚上,让·彼浩勒又经过这里,问那个盲老人下午的情况。盲老人笑着回答说:"先生,不知为什么,下午给我钱的人多极了!"让·彼浩勒听了,摸着胡子③满意地笑了。

"春天到了,可是我什么也看不见!"这富有诗意的语言,产生这么大的作用,就在于它有非常浓厚的感情色彩。是的,春天是美好的,那蓝天白云,那绿树红花,那莺歌燕舞,那流水人家④,怎么不叫人陶醉呢?但这良辰美景,对于一个双目失明的人来说,只是一片漆黑。当人们⑤想到这个盲老人,一生中竟连万紫千红的春天//都不曾看到,怎能不对他产生同情之心呢?

(选自小学《语文》第六册)

【朗读提示】 朗读基调应该是意味深长,要读出强烈反差感。前三段应平缓低沉,第六段应用抒情的语调,中间表示转折的、递进的词,如"竟"要读出重音,最后一句话要让人感觉到话语中的无限感慨。

①褴褛 lánlǚ　　②乞丐 qǐgài　　③胡子 húzi　　④人家 rénjiā　　⑤人们 rénmen

赠你四味长寿药(节选)　　蒲昭和

有一次,苏东坡的朋友张鹗①拿着一张宣纸来求他写一幅字,而且希望他写一点儿关于养生方面的内容。苏东坡思索了一会儿,点点头说:"我得到了一个养生长寿古方,药只有四味,今天就赠给你吧。"于是,东坡的狼毫在纸上挥洒起来,上面写着:"一曰②无事以当③贵,二曰早寝④以当富,三曰安步以当车,四曰晚食以当肉。"

这哪里有药?张鹗一脸茫然地问。苏东坡笑着解释说,养生长寿的要诀,全在这四句里面。

所谓"无事以当贵",是指人不要把功名利禄、荣辱过失考虑得太多,如能在情志上潇洒大度,随遇而安,无事以求,这比富贵更能使人终其天年。

"早寝以当富",指吃好穿好、财货充足,并非就能使你长寿,对老年人来说,养成良好的起居习惯,尤其是早睡早起,比获得任何财富更加宝贵。

"安步以当车",指人不要过于讲求安逸、肢体不劳,而应多以步行来替代骑马乘车,多运动才可以强健体魄,通畅气血⑤。

"晚食以当肉",意思是人应该用已饥方食、未饱先止代替对美味佳肴⑥的贪吃无厌。他进一步解释,饿了以后才进食,虽然是粗茶淡饭,但其香甜可口会胜过山珍;如果饱了还要勉强⑦吃,即使美味佳肴摆在眼前也难以//下咽⑧。

苏东坡的四味"长寿药",实际上是强调了情志、睡眠、运动、饮食四个方面对养生长寿的重要性,这种养生观点即使在今天仍然值得借鉴。

【朗读提示】 朗读基调应是豪放舒展。文章中有一些文言成分,朗读时要注意。

①鹗 è　　②曰 yuē　　③当 dàng　　④寝 qǐn　　⑤气血 qìxuè

⑥肴 yáo　　⑦勉强 miǎnqiǎng　　⑧下咽 xiàyàn

站在历史的枝头微笑(节选)　　　　[美]本杰明·拉什

　　人活着,最要紧的是寻觅①到那片代表着生命绿色和人类希望的丛林,然后选一高高的枝头②站在那里观览人生,消化痛苦,孕育歌声,愉悦世界!

　　这可真是一种潇洒的人生态度,这可真是一种心境爽朗的情感风貌。

　　站在历史的枝头微笑,可以减免许多烦恼。在那里,你可以从众生相③所包含的甜酸苦辣、百味人生中寻找你自己;你境遇中的那点儿苦痛,也许相比之下,再也难以占据一席之地;你会较容易地获得从不悦中脱灵魂的力量,使之不致变得灰色。

　　人站得高些,不但能有幸早些领略到希望的曙光,还能有幸发现生命的立体的诗篇。每一个人的人生,都是这诗篇中的一个词、一个句子或者一个标点。你可能没有成为一个美丽的词,一个引人注目的句子,一个惊叹号,但你依然是这生命的立体诗篇中的一个音节、一个停顿、一个必不可少的组成部分。这足以使你放弃前嫌,萌生为人类孕育新的歌声的兴致,为世界带来更多的诗意。

　　最可怕的人生见解,是把多维的生存图景看成平面。因为那平面上刻下的大多是凝固了的历史——过去的遗迹④;但活着的人们,活得却是充满着新生智慧的,由//不断逝去⑤的“现在”组成的未来。人生不能像某些鱼类躺着游,人生也不能像某些兽类爬着走,而应该站着向前行,这才是人类应有的生存姿态。

【朗读提示】 朗读基调应是昂扬有力。语气要坚定果断,因而语气上要体现出作者从说理到号召的转换。

①寻觅 xúnmì　　②枝头 zhītóu　　③众生相 zhòngshēngxiàng　　④遗迹 yíjì　　⑤逝去 shìqù

中国的宝岛——台湾(节选)

　　中国的第一大岛、台湾省的主岛台湾,位于中国大陆架的东南方,地处东海和南海之间,隔①着台湾海峡和大陆相望。天气晴朗的时候,站在福建沿海较②高的地方,就可以隐隐约约地望见岛上的高山和云朵。

　　台湾岛形状狭长③,从东到西,最宽处只有一百四十多公里;由南至北,最长的地方约有三百九十多公里。地形像一个纺织用的梭子④。

　　台湾岛上的山脉纵贯南北,中间的中央山脉犹如⑤全岛的脊梁⑥。西部为海拔近四千米的玉山山脉,是中国东部的最高峰。全岛约有三分之一的地方是平地,其余为山地。岛内有缎带般的瀑布,蓝宝石似的湖泊⑦,四季常青的森林和果园,自然景色十分优美。西南部的阿里山和日月潭,台北市郊的大屯⑧山风景区,都是闻名世界的游览胜地。

台湾岛地处⑨热带和温带之间,四面环海,雨水充足,气温受到海洋的调剂,冬暖夏凉,四季如春,这给水稻和果木生长提供了优越的条件。水稻、甘蔗⑩、樟脑是台湾的"三宝"。岛上还盛产鲜果和鱼虾。

台湾岛还是一个闻名世界的"蝴蝶王国"。岛上的蝴蝶共有四百多个品种,其中有不少是世界稀有的珍贵品种。岛上还有不少鸟语花香的蝴//蝶谷,岛上居民利用蝴蝶制作的标本和艺术品,远销许多国家。

【朗读提示】 本文的朗读基调应表达出对说明主体——台湾岛的喜爱之情和自豪之感。

①隔 gé　　②较 jiào　　③狭长 xiácháng　　④梭子 suōzi　　⑤犹如 yóurú
⑥脊梁 jǐliang　　⑦湖泊 húpō　　⑧屯 tún　　⑨地处 dìchù　　⑩甘蔗 gānzhe

中国的牛(节选)　　小　思

对于中国的牛,我有着一种特别尊敬的感情。

留给我印象最深的,要算在田垄上的一次"相遇"。

一群朋友郊游,我领头在狭窄①的阡陌②上走,怎料迎面来了几头耕牛,狭道容不下人和牛,终有一方要让路。它们还没有走近,我们已经预计斗不过畜牲③,恐怕难免踩到田地泥水里,弄④得鞋袜又泥又湿了。正踟蹰⑤的时候,带头的一头牛,在离我们不远的地方停下来,抬起头看看,稍迟疑一下,就自动走下田去。一队耕牛,全跟着它离开阡陌,从我们身边经过。

我们都呆了,回过头来,看着深褐色⑥的牛队,在路的尽头消失,忽然觉得自己受了很大的恩惠。

中国的牛,永远沉默地为人做着沉重的工作。在大地上,在晨光或烈日下,它拖着沉重的犁,低头一步又一步,拖出了身后一列又一列松土,好让人们下种。等到满地金黄或农闲时候,它可能还得担当搬运负重的工作;或终日绕着石磨,朝同一方向,走不计程的路。

在它沉默的劳动中,人便得到应得的收成。

那时候,也许,它可以松一肩重担,站在树下,吃几口嫩⑦草。偶尔摇摇尾巴⑧,摆摆耳朵⑨,赶走飞附身上的苍蝇⑩,已经算是它最闲适的生活了。

中国的牛,没有成群奔跑的习//惯,永远沉沉实实的,默默地工作,平心静气。这就是中国的牛!

【朗读提示】 朗读基调应为热情赞扬。

①狭窄 xiázhǎi　　②阡陌 qiānmò　　③畜牲 chùsheng　　④弄 nòng　　⑤踟蹰 chíchú
⑥深褐色 shēnhèsè　⑦嫩 nèn　　⑧尾巴 wěiba　　⑨耳朵 ěrduo　　⑩苍蝇 cāngying

住的梦(节选)　　　　老　舍

不管①我的梦想能否成为事实,说出来总是好玩儿的:

春天,我将要住在杭州。二十年前,旧历的二月初,在西湖我看见了嫩柳与菜花,碧浪与翠竹。由我看到的那点儿春光,已经可以断定,杭州的春天必定会教②人整天生活在诗与图画之中。所以,春天我的家应当③是在杭州。

夏天,我想青城山应当算作最理想的地方。在那里,我虽然只住过十天,可是它的幽静已拴住了我的心灵。在我所看见过的山水中,只有这里没有使我失望。到处都是绿,目之所及,那片淡而光润的绿色都在轻轻地颤动,仿佛要流入空中与心中似的。这个绿色会像音乐,涤④清了心中的万虑。

秋天一定要住北平。天堂是什么样子,我不知道,但是从我的生活经验去判断,北平之秋便是天堂。论天气,不冷不热。论吃的,苹果、梨、柿子、枣儿、葡萄,每样都有若干种。论花草,菊花种类之多,花式之奇,可以甲天下。西山有红叶可见,北海可以划船——虽然荷花已残,荷叶可还有一片清香。衣食住行,在北平的秋天,是没有一项不使人满意的。

冬天,我还没有打好主意,成都或者相当得合适,虽然并不怎样⑤和暖,可是为了水仙,素心腊梅,各色的茶花,仿佛就受一点儿寒//冷,也颇值得去了。昆明的花也多,而且天气比成都好,可是旧书铺与精美而便宜的小吃远不及成都那么多。好吧,就暂这么规定:冬天不住成都便住昆明吧。

在抗战中,我没能发国难财。我想,抗战胜利以后,我必能阔起来。那时候,假若飞机减价,一二百元就能买一架的话,我就自备一架,择黄道吉日慢慢地飞行。

【朗读提示】　朗读基调应是喜悦满足。

①不管 bùguǎn　　②教 jiào　　③应当 yīngdāng　　④涤 dí　　⑤怎样 zěnyàng

紫藤萝瀑布(节选)　　　　宗　璞

我不由得①停住了脚步。

从未见过开得这样盛的藤萝,只见一片辉煌的淡紫色,像一条瀑布,从空中垂下,不见其发端,也不见其终极,只是深深浅浅的紫,仿佛在流动,在欢笑,在不停地生长。紫色的大条幅上,泛着点点银光,就像迸溅②的水花。仔细看时,才知那是每一朵紫花中的最浅淡的部分,在和阳光互相挑逗③。

这里除了光彩,还有淡淡的芳香。香气似乎也是浅紫色的,梦幻一般轻轻地笼罩着我。忽然记起十多年前,家门外也曾有过一大株紫藤萝,它依傍④一株枯槐爬得很高,但花朵从来都稀落,东一穗西一串伶仃⑤地挂在树梢,好像在察言观色,试探什么。后来索性连那稀零的花串也没有了。园中别的紫藤花架也都拆掉,改种⑥了果树。那时的说法是,花和生活腐化有什么必然关系。我曾遗

附录　**353**

憾地想:这里再看不见藤萝花了。

过了这么多年,藤萝又开花了,而且开得这样盛,这样密,紫色的瀑布遮住了粗壮的盘虬⑦卧龙般的枝干,不断地流着,流着,流向人的心底。

花和人都会遇到各种各样的不幸,但是生命的长河是无止境的。我抚摸了一下那小小的紫色的花舱,那里满装了生命的酒酿⑧,它张满了帆⑨,在这//闪光的花的河流上航行。它是万花中的一朵,也正是由每一个一朵,组成了万花灿烂的流动的瀑布。

在这浅紫色的光辉和浅紫色的芳香中,我不觉加快了脚步。

【朗读提示】 朗读基调应是细腻清新,朗读语气应轻柔流畅。要注意强调并不都是重读。如第四段最后的"流"。

①不由得 bùyóude ②迸溅 bèngjiàn ③挑逗 tiǎodòu ④依傍 yībàng ⑤伶仃 língdīng

⑥种 zhòng ⑦虬 qiú ⑧酿 niàng ⑨帆 fān

最糟糕的发明(节选) 林光如

在一次名人访问中,被问及上个世纪最重要的发明是什么时,有人说是电脑,有人说是汽车,等等。但新加坡的一位知名人士却说是冷气机。他解释,如果没有冷气,热带地区如东南亚国家,就不可能有很高的生产力,就不可能达到今天的生活水准。他的回答实事求是,有理有据。

看了上述报道①,我突发奇想:为什么没有记者问:"二十世纪最糟糕的发明是什么?"其实2002年10月中旬,英国的一家报纸就评出了"人类最糟糕的发明"。获此"殊荣"的,就是人们每天大量使用的塑料袋。

诞生于上个世纪30年代的塑料袋,其家族包括用塑料制成的快餐饭盒、包装纸、餐用杯盘、饮料瓶、酸奶杯、雪糕杯等等。这些废弃物形成的垃圾②,数量多、体积③大、重量轻、不降解,给治理工作带来很多技术难题和社会问题。

比如,散落④在田间、路边及草丛中的塑料餐盒,一旦被牲畜⑤吞食,就会危及健康甚至导致死亡。填埋废弃塑料袋、塑料餐盒的土地,不能生长庄稼和树木,造成土地板结,而焚烧⑥处理⑦这些塑料垃圾,则会释放出多种化学有毒气体,其中一种称为⑧二噁英⑨的化合物,毒性极大。

此外,在生产塑料袋、塑料餐盒的//过程中使用的氟利昂⑩,对人体免疫系统和生态环境造成的破坏也极为严重。

【朗读提示】 朗读基调应是沉郁,语气应平静。朗读时从第二段末开始要读出从亲切到严肃的转换。

①报道 bàodào ②垃圾 lājī ③体积 tǐjī ④散落 sànluò ⑤牲畜 shēngchù

⑥焚烧 fénshāo ⑦处理 chǔlǐ ⑧为 wéi ⑨二噁英 èr'èyīng ⑩氟利昂 fúlì'áng

(朗读提示的作者为:白凡、陈红、徐文胜)

五、已出版的山西省各市、县方言志及方言词典

书名	作者	出版者	出版时间
平遥方言志	侯精一	语文研究增刊	1982.6
怀仁方言志	温端政	语文研究增刊	1983.7
太谷方言志	杨述祖	语文研究增刊	1983.8
晋城方言志	沈慧云	语文研究增刊	1983.10
陵川方言志	金梦茵	语文研究增刊	1983.12
洪洞方言志	乔全生	语文研究增刊	1983.12
襄垣方言志	陈润兰等	语文研究增刊	1984.4
祁县方言志	杨述祖等	语文研究增刊	1984.5
寿阳方言志	赵秉璇	语文研究增刊	1984.1
文水方言志	胡双宝	语文研究增刊	1984.10
万荣方言志	吴建生	语文研究增刊	1984.12
长治方言志	侯精一	语文出版社	1985.4
忻州方言志	温端政	语文出版社	1985.4
大同方言志	马文忠等	语文出版社	1986.12
原平方言志	金梦茵	语文出版社	1989.7
孝义方言志	郭建荣	语文出版社	1989.9
和顺方言志	田希诚	语文出版社	1990.5
临汾方言志	潘家懿	语文出版社	1990.5
文水方言志(修订本)	胡双宝	语文出版社	1990.5
阳曲方言志	孟庆海	社会科学文献出版社	1991.8
吉县方言志	蔡 权	山西高校联合出版社	1990.1
汾西方言志	乔全生	山西高校联合出版社	1990.1
沁县方言志	张振铎	山西高校联合出版社	1990.3
新绛方言志	朱耀龙	山西高校联合出版社	1990.5

山阴方言志	杨增武	山西高校联合出版社	1990.4
永济方言志	吴建生 李改样	山西高校联合出版社	1990.8
天镇方言志	谢自立	山西高校联合出版社	1990.9
武乡方言志	史素芬等	山西高校联合出版社	1990.5
清徐方言志	潘耀武	山西高校联合出版社	1990.12
介休方言志	张益梅	山西高校联合出版社	1991.4
临县方言志	李小平	山西高校联合出版社	1991.4
盂县方言志	宋欣桥	山西高校联合出版社	1991.5
左权方言志	王希哲	山西高校联合出版社	1991.10
运城方言志	吕枕甲	山西高校联合出版社	1991.8
朔县方言志	江荫褆	山西高校联合出版社	1991.9
屯留方言志	张振铎等	山西高校联合出版社	1991.8
广灵方言志	马文忠	山西高校联合出版社	1994.8
长子方言志	高　炯	山西高校联合出版社	1995.12
定襄方言志	陈茂山	山西高校联合出版社	1995.12
灵丘方言志	江荫褆 李静梅	山西高校联合出版社	1996.5
蒲县方言志	蔡　权	山西高校联合出版社	1994.12
平鲁方言志	郭文亮	山西教育出版社	1990.1

（以上温端政主编）

太原方言词典	李荣主编 沈明编纂	江苏教育出版社	1994.12
忻州方言词典	李荣主编 温端政 张光明编纂	江苏教育出版社	1995.12
万荣方言词典	李荣主编 吴建生 赵宏因编纂	江苏教育出版社	1997.12
山西方言调查	侯精一	山西高校联合出版社	1993.7

研究报告	温端政主编		
山西通志·山西民俗方言志·方言篇	温端政主编	中华书局	1997.9
忻州方言俗语大词典	杨增武主编 温端政 张光明编纂	上海辞书出版社	2002.7

（以上资料由吴建生提供）

后 记

　　2005 年 5 月下旬,我应书海出版社之邀重返山西,主持《新编普通话训练教程》的集中修订工作,历时半个多月。

　　此次修订的用意有两点:一是按照国家公布的《普通话水平测试实施纲要》的各项要求对原教材进行删改、补充和更新;二是通过修订,使新教材成为一本知识性、科学性、思想性和趣味性都更为突出的读物,以适应广大读者特别是大专院校师生的需求。

　　本次修订工作先是由本书副主编、深圳大学副教授陈瑶博士和本书副主编张益梅教授对原教材进行逐字逐句的审校并提出修改意见。在集中修订过程中,又根据本书责任编辑孔庆萍女士所提出的各项建设性意见,从内容、结构到形式作了较大幅度的改变。以期使学习者通过对新教材的学习,获取更多的普通话知识和更好的普通话训练。在修订过程中,我们还参考或转引了部分其它普通话教材的语料(参见任崇芬、王璐、林鸿、万里和张锐等主编的普通话教材),在此向他们表示衷心的感谢!

　　本次修订工作主要由主编潘家懿和副主编张益梅执笔。潘家懿重写"前言"、"后记",改写"绪论";张益梅增写"修订说明"。全书 38 讲中,张益梅执笔修订了声母辨正、韵母辩正和语调共 8 讲,孙晋燕重写第 37 讲《普通话水平测试》,增写第 38 讲《围绕话题说话》,其余 25 讲均由主编潘家懿执笔修订。副主编陈瑶除对原教材进行全面审校、更正错漏外，还提供了《普通话多音节必读轻声字表》，王林义副教授参与了部分"韵母辨正"的修订工作。

全书由主编潘家懿统稿，由副主编张益梅组织后期录音工作。

本教材的修订出版得到书海出版社的大力支持。山西社科院语言所所长、《语文研究》主编吴建生研究员应邀对书稿进行审定。在此特向他们表示诚挚的谢意！

最后要特别感谢的就是本教材的责任编辑孔庆萍女士。她为此书的修订工作投入了大量的精力和心血。为打造"修订本"，从教材的内容安排到整体设计，都考虑得十分周密，她是一位名副其实的"责任编辑"。为此，我代表全体编者向孔庆萍编辑致以最深切的谢意！

潘家懿

2005 年 6 月于深圳寓所